BH

C00 24817201

CRA
2/3/07

EDINBURGH CITY

KU-424-106

Buch

Trotz ihrer Schönheit steht Prinzessin Lisvana auf der Liste der heiratsfähigen Königstöchter ganz unten: Ihr Königreich im Nordland besitzt
zu wenige Reichtümer, nur Schnee und Steine gibt es im Überfluß.
Dies allerdings entzückt den »schwarzen Prinzen«, Diego von Baskarien, denn als Thronfolger des sonnigsten und blumenreichsten Für-
stentums liebt er alles, was aus Stein ist. Diego beschließt, Lisvana zu
freien. Doch mit seiner Brautwerbung entfesselt er Kräfte, die weit über
die seinen hinausgehen, und so bleibt ihm als Rettung nur, Prinzessin
Lisvana zu entführen ...

Autorin

Karen Duve, 1961 in Hamburg geboren, lebt heute mit ihrer englischen
Bulldogge, zwei Hühnern und einem Maultier auf dem Land. Bereits
ihr Prosadebüt »Regenroman« (1999) war ein sensationeller Erfolg wie
auch der darauf folgende Roman »Dies ist kein Liebeslied« (2002). Beide stürmten die Bestsellerliste und wurden in zahlreiche Sprachen
übersetzt. Die Presse feiert die Erzählerin als »Ausnahmetalent unter
den Autoren ihrer Generation« (Stuttgarter Zeitung) und als »unge-
wöhnliche Sprachakrobatin, die Metaphern zielsicher setzt und komische Effekte am Fließband produziert« (Neue Züricher Zeitung).

Von Karen Duve außerdem als Goldmann Taschenbuch lieferbar:

Dies ist kein Liebeslied. Roman (45603)

Karen Duve

Die entführte Prinzessin

Von Drachen, Liebe und anderen Ungeheuern

Roman

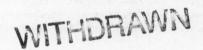

GOLDMANN

FSC

Mix

Produktgruppe aus vorbildlich
bewirtschafteten Wäldern und
anderen kontrollierten Herkünften

Zert.-Nr. SGS-COC-1940
www.fsc.org
© 1996 Forest Stewardship Council

Verlagsgruppe Random House FSC-DEU-0100
Das FSC-zertifizierte Papier *München Super* für Taschenbücher
aus dem Goldmann Verlag liefert Mochenwangen Papier.

1. Auflage
Taschenbuchausgabe Februar 2007
Copyright © der deutschsprachigen Ausgabe 2005
by Eichborn Verlag AG, Frankfurt am Main
Umschlaggestaltung: Design Team München
Umschlagmotiv: Petra Kolitsch
KvD · Herstellung: Str.
Druck und Bindung: GGP Media GmbH, Pößneck
Printed in Germany
ISBN: 978-3-442-46142-4

www.goldmann-verlag.de

SCHNEE UND EIS

Es war einmal ein Königreich, das hieß Snögglinduralthorma oder so ähnlich, genau weiß das heute keiner mehr. Es wurde schon damals überall bloß ›das Nordland‹ genannt, weil es hoch, hoch im Norden lag – dahinter wohnten eigentlich nur noch Eisbären und Robben – und weil niemand den offiziellen Namen richtig aussprechen konnte. König Rothafur herrschte über das Nordland. Er hatte eine Königin, die ihm als einzige zu widersprechen wagte, einen Sohn, der den Thron erben sollte, und eine Tochter, die verheiratet werden mußte. Die Prinzessin hieß Lisvana und war wunderbar schön. Sie hatte Haare aus lauterem Gold und lilienweiß schimmernde Haut, veilchenblaue, mandelförmige Augen und seidenweiche Brauen und unzählige weitere Vorzüge, aber trotzdem wollte kein Prinz um sie anhalten.

»Was, Lisvana vom Nordland«, sagten die Prinzen, wenn sie die aktuelle Liste heiratsfähiger Königs- und Fürstentöchter durchgingen, »ist das nicht die mit dem goldenen Haar und der popeligen Mitgift? Laß mal sehen!« Und dann blätterten sie weiter zur Mitgift-Seite, und da stand unter

Nordland-Mitgift: siehe **Snögglinduralthorma-Mitgift,** und unter **Snögglinduralthorma-Mitgift:** ein

Streifen faulig riechendes Moorgebiet am nördlichsten Ende des Reiches, wo sowieso nie jemand hinkommt, vier kleine Truhen voller Silberlöffel zweiter Wahl und zwanzig der einheimischen, gelben Pferde, deren Plumpheit das dazugehörige gepunzte und kupferbeschlagene Zaumzeug auch nicht wettmachen kann. Die Pferde haben einfach zu kurze Beine. Außerdem der übliche Wäschekrempel, Handtücher und so weiter. Prinzessin ist allerdings ziemlich hübsch, Goldhaar und so weiter.

Der Verband der fahrenden Sänger, der die Liste herausgab, ließ es sich trotz wiederholten Protests nicht nehmen, die Prinzessinnen und ihre Mitgift zu kommentieren.

»Vier kleine Truhen, zwanzig schlechte Pferde und praktisch kein Land ... – so hübsch kann eine Prinzessin ja gar nicht sein, um das auszugleichen«, sagten die Prinzen dann und blätterten zur Namensliste zurück.

Es lag nicht daran, daß König Rothafur geizig gewesen wäre. Er gönnte seiner Tochter alle Schätze der Welt, aber mehr hatte er nicht erübrigen können. Das Nordland besaß äußerst geringfügige Silbervorkommen und noch geringfügigere Kupfervorkommen. Große Vorkommen gab es bloß an blutsaugenden Insekten. Das Landesinnere war voller Geröllfelder, auf denen nichts wuchs. Immer wieder brach irgendwo ein Vulkan aus und verschüttete ein Dorf oder eine der letzten fruchtbaren Weiden. Die Sommer waren kurz und feucht. Sämtliche Nordländer trugen das ganze Jahr über eine langärmelige Oberbekleidung aus gelbem Ponyfell, die sie ›Jacki‹ nannten. Zwar gab es eine Küste und einen Hafen, aber das Meer vor der Küste war bodenlos und tückisch. Es wimmelte nur so von bösartigen Seeungeheuern, solchen mit Wildschweinhauern und solchen mit siebenundzwanzig Fangarmen. Dazu kamen noch unberechenbare Strömungen und Strudel. Das war der eine Grund, warum sich nur wenige Schiffe hier heraufwagten. Der zweite war, daß niemand so recht wußte, warum er die gefährliche Seestraße nach Snögglinduralthorma überhaupt nehmen sollte. Die Nordländer freilich hielten ihr Königreich für das schönste der Welt. Man reiste damals aber auch nicht besonders viel. Immerhin lag zu Weihnachten garantiert Schnee. Und zwar richtiger Schnee, nicht nur so ein bißchen Puderzucker auf den Wegen und weiße Haufen in den Ecken. Er fiel bereits Ende Oktober in weißen, flauschigen Flocken vom Himmel, Flocken, die man in der Hand fangen und lange betrachten konnte, bevor sie schmolzen. In kürzester Zeit trugen alle Häuser, alle Kirchen, Zaunpfähle und Bäume weiße Mützen, und die kleinen gelben Pferde versanken bis zu den Bäuchen und schnaubten mißmutig auf die Schneedecke. Ihr Atem fror, und an ihren Nüstern bildeten sich Eiszapfen. Eiszapfen hingen von den Dächern sämtlicher Hütten herunter, Eiszapfen klirrten in den Bärten der Nordlandritter, und wenn sie im Rittersaal vor den Kaminfeuern saßen, tropfte das Schmelzwasser in ihre Trinkbecher. Mit Schnee und Kälte kam die Dunkelheit, schon der November war ein finsteres Loch, das füllte man mit knusprigem Schafsschinken, gebackenen Schweinepfoten und triefenden Kapaunen. Im Schloß mußte der Hofzwerg Pedsi täglich seine Purzelbäume schlagen, auf ein Tanzvergnügen folgte das nächste, Honigbier floß in Strömen, der König erzählte Rentierwitze und die Ritter von ihren Ehrenhändeln. Wie die meisten Länder ohne bedeutende Vorkommen an Bodenschätzen hielt sich das Nordland viel auf seinen Stolz und seine Ehre zugute, davon konnte man fördern und fördern, es wurde doch nicht weniger.

Der Dezember kam den Rittern und Hofdamen schon länger vor. Den Zwerg wollte keiner mehr sehen, zum Tanzen hatte man auch immer weniger Lust, und der König ging von Rentier- zu Lemmingwitzen über, die nicht ganz stubenrein waren. Gerade mal zwei Stunden war es noch hell. Hell? Ein träges graues Funzeln schob sich zwischen die nicht enden wollenden Nächte. Immerhin gab es Weihnachten, da war man wieder obenauf. Weiße Weihnacht, darum beneideten einen die Länder des Südens. Dann kam der Januar, und es blieb ein paar Minuten länger Tag, dafür wurde es noch kälter. Das Meer fror zu, am Strand wuchs ein Feenwald aus gläsernen Dreiecken. Die Ritter erlegten ab und zu eine Robbe oder einen Eisbären. Zurück im Schloß kauten sie die Schwarten und fragten ihre Knappen Waffen- und Wappenkunde ab, und wenn einer nicht sofort die richtige Antwort hervorsprudelte, setzte es Tatzen. Die Hofdamen piesackten den Zwerg; sie wetteiferten darin, welche ihn zuerst zum Weinen bringen würde. Wann immer der König versuchte, einen Witz zu erzählen, legte ihm die Königin die Hand auf den Arm und sagte sanft: »Rothafur, bitte, diesen Witz hast du schon zweimal im November und achtmal im Dezember erzählt. Hier, ich habe mitgeschrieben«, und dann holte sie ein kleines rotes Notizbuch aus ihrer Königinnenschürze. »Kommt ein Rentier zum Bader und sagt: Ich habe da so ein Geschwür am Bauch … – hast du am 4.11., am 17.11., am 1.12., am …«

Woraufhin der König so beleidigt war, daß seine Nase ganz und gar in seinem Bart verschwand.

Spätestens im Februar gingen Honigbier und Wein aus, und die Ritter schauten immer melancholischer in ihre Becher. Einige Mutige wechselten zu Eichelschnaps, der bekanntlich auf die Augen schlug. Die Hofdamen traten den Zwerg, wenn sie ihn bloß sahen, die Ritter traten ihre Knappen und den Hofzwerg obendrein. Manchmal verprügelten sie sich auch gegenseitig. Am Ende des Monats hängten sie ihre Schwerter um, banden ihren kurzbeinigen Pferden Schneeschuhe unter und überfielen den einzigen angrenzenden Staat. Er hatte einen noch komplizierteren offiziellen Namen, der vollständig verlorengegangen ist, und wurde wegen seiner unangenehmen Witterung kurz ›Nebelreich‹ genannt. Der König und die Ritter des Nebelreichs warteten schon ungeduldig darauf, daß endlich die Nordlandritter angriffen. Es war die einzige wirkliche Abwechslung im Winter. Man kämpfte etwa eine Woche lang gegeneinander, zum Teil mit Fackeln, damit man überhaupt sah, wem man gerade seine Axt zwischen die Ohren hieb, und dann wurde die Grenze neu verhandelt und – je nachdem – dreihundert Schritt nach Norden oder Süden verschoben. Die Ritter sammelten ihre Toten ein, banden sie auf den Pferden fest und ritten wieder nach Hause. Im März lag weiterhin Schnee, aber es wurde endlich heller. Die Frauen beweinten ihre toten Männer, die Männer, die überlebt hatten, freuten sich gedämpft. Jetzt machte sich der Vitaminmangel bemerkbar. Chronische Erkältungen und entzündete Kampfwunden taten ein übriges, die geschwächten Körper der Nordländer mit chemischen Sensationen zu überfluten. Die Farben und das wiedergekehrte Licht schienen ihnen auf einmal ungewöhnlich intensiv, die Geräusche wirkten überirdisch, wie von Engeln hervorgerufen, und die Seher hatten ihre klarsten und beeindruckendsten Visionen. Das war – wenn man so will – ein weiterer Pluspunkt für Snögglinduralthorma: Ab März befand sich das ganze Land in einem allgemeinen Rauschzustand. Anders hätte man diesen Winter wohl auch nicht ausgehalten. Die Menschen wurden friedlicher, und der Zwerg hatte wieder Ruhe. Irgendwann brach die Eisdecke im Hafen auf. Man packte die Toten auf Boote, legte Feuer daran und schob sie aufs Meer hinaus. Die praktischste Lösung, da der Boden immer noch gefroren war. Anfang April ließ der König eine Silbermünze an das Tor seines Schlosses nageln. Die erhielt derjenige, der ihm als erster eine Blume brachte. Manchmal hing die Münze noch bis zum Mai dort, manchmal mußte der Zwerg dann mit Gehirnerschütterung ins Bett. Wenn aber erst einmal die Wiesen in Blüte standen, ging alles sehr schnell. Jeden Tag blieb es länger hell, die Äcker überzogen sich mit einem grünen Flaum, und die Bauern trieben ihr Vieh aus den Schuppen auf die leuchtenden Weiden. Rund um das Schloß wurden Balken über die Schlammlöcher gelegt, damit auch die Königin, die Prinzessin und die Hofdamen spazierengehen konnten. Der Zwerg wurde gehätschelt, gestreichelt und mit wässrigen Erdbeeren gefüttert. Trotzdem versuchte er jeden Sommer wieder zu fliehen, aber man wußte schon, wo man ihn suchen mußte. Stets kampierte er auf einem Felsen in der Nähe des Hafens, wo er in eine Wolldecke gewickelt auf ein fremdes Schiff hoffte. Seine Fluchtversuche zogen keine Strafen nach sich. In den Sommermonaten waren die Nordländer unbeschwert und verziehen kleine Missetaten schnell. Sie machten überhaupt alles schnell. Sie aßen, arbeiteten, tollten, küßten und atmeten mit doppelter Geschwindigkeit, dann war es auch schon wieder Oktober, und die kalte, dunkle Zeit brach abermals an.

DER BESTE ALLER SÄNGER

An so einem Oktobertag, kurz vor dem ersten Schnee, geschah es, daß ein fahrender Sänger auf seinem Esel geritten kam und ans Schloßtor klopfte. Er war nicht mehr ganz jung und trug einen grünen Rock aus schmiegsamem Sammetstoff mit schwarzen Punkten aus Maulwurfsfell, die gut zu seinen dunklen Haaren paßten. Auch die Strumpfhose war zweifarbig, ein Bein grün und das andere schwarz. Er hieß Pennegrillo, und er war der erste auswärtige Sänger, der es je bis zum Nordland herauf geschafft hatte. Bisher hatte man immer mit Hrimnir Nebelhorn vorliebnehmen müssen, dessen Gesang genauso widerwärtig war wie seine speckige Lumpenkutte. Pennegrillo hingegen galt weit über die Grenzen seiner Heimat Baskarien hinaus als Meister der Reimkunst, und seine Stimme war wie Honigseim. Wenn er loslegte, hielten selbst Nachtigallen den Schnabel und lauschten lieber ihm. Was hatte einen Burschen von solchem Talent bis ins Nordland hinauf verschlagen? Nun, so merkwürdig es klingen mag, aber es war sein großer Erfolg, der ihm vorauseilende Ruf, der ihm seine gewohnte Tournee verleidet hatte. Ob Baskarien, Italien, Rapunzien oder Burgund – wo immer er ankam, wurde er stürmisch empfangen. Und das ödete ihn an. In Basko hatten sie schon gejubelt und geklatscht, bevor er seine Laute überhaupt vom Sattel losgebunden hatte. Ekelhaft! In Rom hatten hellblau gewandete Jungfern seinem Esel rosa Nelken vor die Hufe gestreut. Lästig! Und in Pargo hatten sie nach jedem Lied so lange geklatscht, daß er insgesamt nur vier hatte vortragen können. Diese Banausen! Die feierten doch bloß sich selbst und ihren guten Geschmack! Darum hatte der Große Pennegrillo beschlossen, diesmal weit nach Norden zu reisen, wo man hoffentlich noch nicht von ihm gehört hatte, Kiefern- und Birkenwälder statt Olivenhaine zu durchqueren und nebenbei auch noch den Verbandsrekord zu brechen, indem er in einem Jahr mehr Länder abhaken würde als je ein Sänger vor ihm. Das Nebelreich hatte er bereits geschafft, jetzt wollte er der Vollständigkeit halber auch noch das Nordland machen und dann schleunigst zurückkreisen, um vor Einbruch des Winters in eine wirtlichere Region zu gelangen.

König Rothafur hieß den unerwarteten Gast willkommen. Dessen Ankunft versprach nicht nur angenehme Zerstreuung an den kürzer werdenden Tagen, sondern war auch eine Gelegenheit für die Ritter, das lange vernachlässigte Baskarisch wieder aufzufrischen, ohne dessen Gebrauch man sich nicht zu den wirklich vornehmen Höfen rechnen durfte. Er ließ ihn darum mit allem versorgen, was der Sänger sich nur wünschen konnte. Zwei frisch gefüllte Strohsäcke und ein Lager bei den Knappen, ein gelbes Jacki gegen den Frost und ein Leinentüchlein voller Spezereien, um die Hautparasiten zu vertreiben, die man sich auf Reisen unweigerlich einfing.

Pennegrillo lauternierte und sang zu allseitiger Zufriedenheit, er aß und trank, verdiente sich die Gunst der Damen und das Silber der Herren, und nach Ablauf zweier Tage dichtete er auch noch ein Lied auf die Prinzessin.

»Eure Tochter ist eine Schönheit, die in aller Welt gerühmt gehört«, hatte er König Rothafur und dessen Gemahlin zugeraunt. »Daß sie in der jährlichen Liste der heiratsfähigen Königs- und Fürstentöchter bisher nicht besser weggekommen ist, liegt allein an Hrimnir Nebelhorns Unfähigkeit. Ich werde sein Versäumnis wieder gutmachen.«

Am dritten Abend trug er das Huldigungslied vor. Die Feuer im Saal brannten, die Ritter und der König saßen mit aufgestützten Ellbogen am langen Tisch. Es hatte den ganzen Tag geregnet, der Geruch tropfnasser Ponyfelljackis hing in der Luft, und unter dem Tisch liefen Rinnsale und verdampften zischend auf den heißen Steinplatten des kleinen Kamins. Vor dem großen Kamin kuschelten sich die Hofdamen mit ihrem Handarbeitszeug. Der Zwerg hatte sich bäuchlings auf einem Fell ausgestreckt.

Pennegrillo stimmte seine Laute und blickte einmal in die Runde. König Rothafur versenkte die Nase im Bart, die Königin faltete ihre Hände im Schoß, und Prinzessin Lisvana beugte sich tief über den Stickrahmen und tat sehr emsig. Und dann begann Pennegrillo zu singen. Er sang von der unübertrefflichen Schönheit der Nordland-Prinzessin, von ihrer Makellosigkeit, Wohlgestalt und Anmut, ihrer Erlesenheit, Herrlichkeit, Köstlichkeit, sang von ihrem unvergleichlichen Liebreiz, den er dann doch mit allerlei verglich: Die Rubinlippen schmiegten sich aufeinander wie eine Abendwolke auf die Mondsichel. Die zarten Nüstern bebten wie die eines edlen Füllen, die schneeweißen Hände hoben sich wie Schwanenflügel, und die Haare – das hatte ja sogar Hrimnir Nebelhorn bereits bemerkt – strömten wie flüssiges Gold über ihre Schultern und ihren Rücken. Acht Strophen handelten ausschließlich von Prinzessin Lisvanas körperlichen Vorzügen, fünf befaßten sich mit ihrer Sittsamkeit und Tugend. Die vierzehnte Strophe handelte davon, daß die Prinzessin ein Paradiesvogel sei, gefangen im Eis, ein Kleinod, das jeder begehren mußte, der sie nur einmal gesehen hatte. Pennegrillo behauptete kühn, König Rothafur halte seine Tochter aus Weisheit versteckt, denn wenn ihre Schönheit bekannt würde, so wären alsbald die fürchterlichsten Kämpfe ihretwegen entfesselt. Schließlich sang er, daß die Welt für jeden Mann ein Jammertal sei, nichts als Asche, Bitternis und Qual, ein Fluch, die Pest und Nasenbluten – nur für den nicht, den die Prinzessin erwählen würde. Dabei wurden sein Lautenspiel und sein Gesang immer leiser, klagender und langsamer, bis er schließlich mit gesenktem Kopf verstummte. Einen Moment lang war es im Saal ganz still. Dann brachen alle – außer der erröteten Prinzessin – in Hochrufe aus, und die Ritter sprangen auf, nahmen ihre Schilde von der Wand und klopften mit den Schwertknäufen darauf.

Als Pennegrillo später auf seinem Strohbett lag, malte er sich aus, wie er am nächsten Morgen mit Abschiedsgeschenken und Proviant überhäuft werden würde. Anders war es nach diesem Erfolg gar nicht denkbar. Er wußte, wie er sich in einem solchen Fall zu verhalten hatte. Das waren ja nicht die ersten Geschenke, die er bekam. Auf seinem Weg ins Nordland hatte er fünf Depots anlegen müssen. Er würde sich vor König Rothafur hinknien und sagen: »Aber das ist doch viel zuviel, es ist mir ja gar nicht gelungen, der

Schönheit Eurer Tochter auch nur annähernd gerecht zu werden. Außerdem hat mir Eure Gemahlin, die holde, hohe Königin, doch gestern schon einen Silberbecher überreicht.«

Gerührt von so viel Bescheidenheit würde der König seinen schicken Lemmingfellmantel mit der Zobelkante abnehmen und ihn Pennegrillo um die Schultern legen. »Damit du nicht frierst, du unersetzbarer Künstler, du Meistersänger, ein königlicher Mantel für den König der Poesie«, würde der alte Zauselbart sagen, und Pennegrillo würde sich stumm noch tiefer verbeugen. Die Hofdamen würden vor Rührung schluchzen. Dann würde die Prinzessin zu ihm treten, ihn lange ansehen, und in ihren Augen ...

Aber bevor Pennegrillo sich ausmalen konnte, was in den Augen der Prinzessin zu lesen sein würde, wurde er von seinem Lager gerissen und bekam einen Sack über den Kopf gestülpt. Grobe Hände stießen und knufften ihn vorwärts. Er taumelte, stolperte, fiel gegen etwas Hartes, es schepperte, er schrie um Hilfe, wurde dafür roh getreten und gestoßen, andere nicht weniger grobe Hände fingen ihn auf und stießen ihn weiter in die Hände eines dritten; falls das nicht wieder der erste war. Man zerrte ihn fort. Kalte Nachtluft umfing ihn, jetzt hatte man ihn aus dem Schloß verschleppt, seine bestrumpften Füße traten auf spitzen Kies.

»Wohin bringt ihr mich?« rief er, bekam Schläge zur Antwort, und weiter, immer weiter ging es. Wenn er fiel, wurde er wieder hochgerissen. Endlich durfte er einen Augenblick Atem schöpfen. Er hörte das Ächzen einer schweren Tür, die aufschwang, dann erhielt er einen Puff in den Rücken und stürzte mehrere Stufen hinunter. Er schrie vor Schmerz und Schreck und erwartete, dafür sogleich wieder getreten zu werden, aber nichts geschah. Hinter ihm drehte sich knirschend ein Schlüssel im Schloß, und drei Riegel wurden vorgeschoben. Nach einer ganzen Weile wagte er es, sich hinzusetzen, fühlte Stroh unter sich und eine harte Mauer im Rücken. Mit einem rauhen Schluchzen ließ er sich dagegensinken. Der Ort, an dem er sich befand, war so duster, daß er zuerst gar nicht begriff, daß man ihm den Sack bereits wieder abgenommen hatte. Erst als der Morgen kam und die Sonne einen Klotz Licht durch ein schmales, vergittertes Fenster drückte und das entsprechende Muster leicht verbogen an einer Mauer erschien, begriff er, daß man ihn in den Turm des Vergessens geworfen hatte, den finstersten Ort dieses an Finsternis ohnehin nicht armen Landes. Immerhin hatte man darauf verzichtet, seine Füße in Eisen zu legen, und immerhin hatte man ihm einen Strohhaufen aufgeschüttet und einen Napf mit Gerstengrütze hingestellt. Pennegrillo begann zu grübeln. Er war ein Gefangener. Zweifellos. Aber womit hatte er das verdient? Was hatte er falsch gemacht? Was bloß?

RITTER BREDUR
VERLIEBT SICH NICHT

ie Antwort lautete: Nichts. Gar nichts. König Rothafur hatte bereits bei Ankunft des fremden Sängers beschlossen, ihn bis zum nächsten Frühling
dazubehalten, um den Winter über ein bißchen
Abwechslung zu haben. Und da es sich bei einem Sänger,
auch wenn er der beste von allen war, doch nur um fah-
rendes Volk handelte, so hatte er sich nicht die Mühe gemacht, ihn um sein Einverständnis zu bitten oder ihm die
Sache auch nur zu erklären. Zwei Wochen später, als das
Nordland tief verschneit war, zu tief, als daß jemand ohne
Ausrüstung und Kenntnisse sich noch hätte fortwagen
können, ließ er ihn wieder frei.

Pennegrillos Repertoire war so groß, daß er eine ganze
Woche lang singen konnte, ohne sich ein einziges Mal
wiederholen zu müssen, aber sobald er die Laute zur
Hand nahm, brüllte der ganze Hofstaat: »Huldigungslied!
… Huldigungslied!«, und er mußte sein Meisterstück zum
besten geben. Abend für Abend besang er Prinzessin Lisvanas Schwanen- bzw. Lilien- bzw. Muschelhände und
ihre Veilchen- bzw. Kristall- bzw. Tief-wie-Brunnen-Au-
gen und ihren Leib, der schlank und biegsam wie eine
Weidengerte bzw. weiß und zart wie kostbarstes Linnen
war, sang in immer neuen Variationen von den Wonnen

aussichtslosen Begehrens, wobei seine eigene Begeisterung allerdings von Tag zu Tag abnahm. An manchen Abenden sang er das Huldigungslied vier- oder fünfmal. Selbst das tiefe und reine Gefühl eines Sängers mußte bei einer solchen Fron verschleißen. Doch während Pennegrillos Herz zunehmend kühler wurde, geriet sein Publikum in einen allgemeinen Liebestaumel. Dieser Winter ging in die Geschichte des Nordlands ein als der Winter, in dem sich jeder zweite im Schloß verliebte. Aus lauter Langeweile und mit zunehmendem Alkoholkonsum waren die Nordländer in der kalten Jahreszeit sowieso leicht entzündlich, aber so schlimm wie in diesem Jahr war es noch nie gewesen. Fünf Hofdamen verliebten sich in den frisch verwitweten jungen Ritter Luntram, Ritter Luntram wiederum verliebte sich in Rauhilde, die zweite Ehrenjungfer der Prinzessin, der Koch verliebte sich nacheinander in vier Mägde, die Königin verliebte sich noch einmal in ihren Mann und lachte sogar über seine Witze, die Schloßwache verliebte sich ineinander und mußte getrennt werden, und mindestens dreißig Ritter – verheiratet oder nicht – verliebten sich in die Prinzessin. Sämtliche Knappen sowieso. Die Prinzessin war aber auch zu schön. Je öfter Pennegrillo seine Lobpreisungen zum besten gab, desto hübscher wurde sie. Ihre Haare gleißten goldener denn je, ihre Pupillen füllten schwarz und samtig den größten Teil des Auges, und ihre weißen Hände glitten wie Schwanenflügel über ihre Stickarbeit. Trotzdem gab es einen Ritter, der jedesmal, wenn Pennegrillo seine Laute stimmte, spöttisch den Mund verzog, sich zu seinem Knappen beugte und etwas sagte wie: »Oh Gott, gleich hören wir zum vierundzwanzigsten Mal das Lied über den Schwanenhals und die Schwanenhände unserer Schwanenprinzessin.«

Der hartherzige, unbeeinflußbare junge Mann war Ritter Bredur, sein Schwert hieß Greinderach, sein Leibroß Kelpie und sein Knappe Wigald.

Ritter Bredur zählte gerade mal neunzehn Jahre. Er war für einen Nordlandritter eher schmal, nicht viel größer als die Prinzessin, besaß feine Gesichtszüge, eisblaue Augen, eine Nase, die auch ein Hoffräulein nicht hätte verschleiern müssen, und einen fast mädchenhaften Mund. All dies hätte ihm großen Kummer bereiten müssen, wenn er nicht wenigstens den üppigen Bartwuchs von seinem Vater Fredur Wackertun geerbt hätte. Dessen Bart glich einem alten Krähennest, in dem seine Nase wie eine Runkelrübe steckte. Fredur Wackertun war einer der angesehensten Ritter. Er hatte sich in mehr Kämpfen hervorgetan als irgendein anderer, konnte das Wetter auf drei Wochen vorhersagen und hatte erst kürzlich ganz allein und nur mit einem Messer bewaffnet einen See-Elefanten erlegt. Daß er fast immer betrunken war, störte die wenigsten.

Ritter Bredur hatte es schwer, seinem Vater etwas recht zu machen.

»Mein Herr Sohn hat es ja nicht einmal fertiggebracht, auf die Welt zu kommen, ohne seine schöne gute Mutter das Leben zu kosten«, pflegte Fredur Wackertun zu sagen.

Bredur verschloß seine Gefühle in seinem Herzen, versteckte seinen Mund in einem dichten blonden Bart und seine dünnen Arme und schmalen Schultern in Kettenhemd und unförmigem gelbem Jacki, die ein Nordlandritter praktisch nie auszog. Wenn Bredur mit verschränkten Armen an der Saaltür lehnte und seinem Knappen bissige

Bemerkungen zuraunte, ruhten die Augen der Hofdamen durchaus mit Wohlgefallen auf ihm.

»Nun schau dir bloß diese verliebten Gockel an«, sagte Bredur beim zweiunddreißigsten Vortrag des Huldigungsliedes zu Wigald, »die alten Krächzer und die flaumigen Küken, verheiratet oder gerade von der Ammenbrust gerissen, richtige Froschaugen machen sie. Aber das ist natürlich alles völlig aussichtslos. König Rothafur will einen König zum Schwiegersohn haben, das ist einmal klar. Oder wenigstens einen Herzogs- oder Grafensohn – niemals wird er sie einem seiner landlosen Ritter geben. Niemals!«

»Aber wenn sich nun kein König und kein Grafensohn einfinden wird?« fragte Wigald. »Die Prinzessin ist immerhin schon siebzehn.«

Bredur strich Wigald liebevoll über die Knappenfrisur.

»Dann wird Rothafur seine Tochter schließlich doch einem seiner Ritter geben müssen.«

Der Hofzwerg Pedsi schlich sich von hinten an, kletterte auf einen Hocker, klapste Ritter Bredur mit der Pritsche auf den Kopf und schrie: »Jucheirascha!«

Später, als Wigald seinem Herrn beim Ablegen der Kleider half, sagte der junge Ritter:

»Findest du nicht auch, daß der gute Pennegrillo gewaltig übertreibt? Sooo schön ist die Prinzessin ja nun auch wieder nicht.«

Knappe Wigald, der gerade die Lederstrippen an Bredurs Hosenbeinen aufpuhlte, antwortete beflissen: »Oh, nein, so besonders schön ist sie wahrhaftig nicht.«

Bredur versetzte ihm eine Ohrfeige.

»Dummkopf, natürlich ist sie sehr schön. Denk nur an

das ganze Goldhaar! Aber daß die Haut ihres Halses so fein wäre, daß man den Rotwein hindurchschimmern sehen könnte, wenn sie trinkt, ist zum Beispiel schlichtweg erfunden. Ich habe darauf geachtet, man sieht überhaupt nichts.«

Der Knappe zupfte schweigend die Schuppenstrümpfe von den Ritterfüßen. Schweigen war das klügste, was ein Knappe in einem solchen Moment tun konnte.

PEDSI UND ROSAMONDE

Im November durfte Pennegrillo mehr von seinen anderen Liedern ins Programm mischen, aber mindestens einmal am Abend mußte er immer noch das Huldigungslied zum besten geben. Nachts wand er sich in Alpträumen, in denen König Rothafur beschlossen hatte, ihn nie mehr fortzulassen, sah sich als weißhaarigen Greis noch in zwanzig Jahren das Huldigungslied auf eine altjüngferliche Prinzessin Lisvana anstimmen.

Inzwischen hatte sich der unglückliche Hofmarschall in die Königin verliebt, die zweite Ehrenjungfer Rauhilde in den hünenhaften Prinzen Jörgur, die Knappen schmachteten immer heftiger die Prinzessin an, und Ritter Bredurs Kommentare wurden immer bissiger. Da von überall her die Liebeswinde bliesen, erwischte es schließlich sogar Hofzwerg Pedsi. Statt den verliebten Rittern die Pritsche auf den Kopf zu hauen, schwänzelte er bei jeder Gelegenheit um die erste Ehrenjungfer der Prinzessin herum und schenkte ihr kleine Leckereien, die er für sie aus der Küche stahl.

»Liebste, schönste Rosamonde«, flehte Pedsi, »wollt Ihr nicht meine Frau werden?«

Rosamonde schüttelte ihre braunen Locken und verzog den Mund so angewidert, daß ihre weißen Schneidezähne mit dem entzückenden kleinen Spalt dazwischen zu sehen waren.

»Eher esse ich meinen Schuh«, sagte sie und steckte das Gebäck ein, das Pedsi ihr in einer Spanholzschachtel überreicht hatte.

»Warum nicht, liebliche Rosamonde?«

»Du bist so verdammt klein!«

»Ja, aber ich bin jung, und ich habe ein hübsches Gesicht.«

Rosamonde stutzte einen Augenblick und betrachtete den Zwerg. Pedsi hatte tatsächlich ein schönes Gesicht. Traurige dunkle Augen mit langen Wimpern, eine feine, blasse Haut und dichtes schwarzes Haar.

»Das reicht nicht«, entschied Rosamonde. »Du bist einfach zu klein. Und so jung, daß du noch wachsen wirst, bist du ja wohl auch wieder nicht.«

»Einen Ritter werdet Ihr vielleicht niemals bekommen. Aber wenn Ihr mich nehmt, könnt Ihr immer am Hofe bleiben!«

»Wer sagt denn, daß ich mein Leben lang an diesem Dreckshof bleiben will? Wenn die Prinzessin heiratet, zieh ich sowieso mit ihr weg.«

»Heiratet mich trotzdem. Wenn Ihr mich erst richtig kennt, werdet Ihr euch schon in mich verlieben. Wir könnten zusammen wegziehen.«

Rosamonde lachte ihn aus. Jedesmal. Je öfter sie und die anderen Hofdamen lachten, desto trauriger und mutloser wurde Pedsi.

Doch dann, eines Abends, geschah folgendes:

König Rothafur saß auf seinem Thron aus Narwalzähnen und hatte schlechte Laune.

»Was ist denn nur mit dem Zwerg los«, murrte er, »der ist ja gar nicht mehr lustig. Zwerg, reiß dich zusammen! Sei lustig!«

Um der Forderung seines Königs Nachdruck zu verleihen, versuchte Ritter Luntram, den Zwerg in den Hintern zu treten. Pedsi wich aus, packte Luntrams Bein, während es sich noch in der Luft befand, und rannte damit einmal um den auf der Stelle hüpfenden Ritter herum. Dann ließ er los und kauerte sich so hin, daß der taumelige Herr Luntram rückwärts über ihn fiel und zu Boden polterte. Der König war begeistert. Er trommelte sich mit den Fäusten auf die Oberschenkel.

»Großartig«, rief er, »ganz große Klasse! Endlich! Ich dachte schon, du hättest es nicht mehr drauf. Komm her! Los, komm schon! Ich erfüll dir einen Wunsch!«

Sofort rannnte Pedsi zum Thron.

»Nun?« sagte Rothafur, »was soll's denn sein? Ein neues Jacki? Oder ein Biberwams?«

Der Hofzwerg zögerte.

»Ich habe nur einen einzigen Wunsch ...«

König Rothafur nickte aufmunternd.

»Die erste Ehrenjungfer der Prinzessin ... Fräulein Rosamonde ... sie ist doch verwaist und ohne Mitgift, ... ich meine ... ich wollte sagen ... ich hätte sie gern zur Frau.«

Im selben Augenblick schrie Jungfer Rosamonde auch schon wütend auf, packte einen Feuerhaken und wollte sich damit über den Zwerg hermachen. Pedsi flüchtete unter den Tisch, an dem die Ritter saßen. Rosamonde vergaß sich, raffte die Röcke und kroch hinterher. Das fand der König noch lustiger, die Tränen spritzten ihm vor Lachen aus den Augen, und als der Zwerg wie ein Kaninchen vor dem Marder aus dem Bau flüchtete, winkte er ihn zu sich. Da der Zwerg das nicht sofort mitbekam, schnappte ihn einer der Ritter und stellte ihn vor dem Thron ab. Rosamonde kam jetzt auch unter dem Tisch hervor und wollte sich wieder auf ihn stürzen, aber König Rothafur befahl, sie festzuhalten.

»Genug«, japste der König und wischte sich die Lachtränen in den Bart, »hört sofort auf. Alle beide. Oder ich lach mich tot.«

Dann wandte er sich an den Zwerg.

»Deine Bitte soll erfüllt werden«, sagte er. »Wenn der Schnee schmilzt, sollt ihr Hochzeit halten. Dieses Weib scheint mir zur Gattin eines Hofnarren geradezu geboren zu sein.«

Die Königin legte ihrem Gemahl die Hand auf den Arm und wollte etwas sagen, die Prinzessin rief: »Väterchen, nicht …«, aber alle Einwände gingen im dröhnenden Gelächter der Ritter unter. Als das Lachen abebbte, riß sich Rosamonde los, warf sich vor dem König auf den Boden und flehte um Schonung.

»Nein«, sagte der König und mußte schon wieder kichern, »ein Versprechen ist ein Versprechen. Geh, und wenn das nächste Mal eine Kuh geschlachtet wird, laß dir das Euter aushändigen. Daraus wirst Du eine Schellenkappe für Deinen zukünftigen Gemahl fertigen. Kau sie schön weich und näh silberne Glöckchen dran.«

Rosamonde rannte schluchzend aus dem Saal, und die Ritter brüllten vor Lachen. Anschließend erörterten sie ausführlich die Sache mit dem Euter, während die Hofdamen aufgeregt berieten, wie Rosamonde zu helfen sei. Aber bevor sie mit ihrem Bittgesuch beim König vorstellig werden konnten, begannen die Ritter, durch die Euter-Diskussion animiert, zotige Witze zu reißen. Da mußten die Damen den Saal verlassen, die Ritter waren unter sich, und der gemütliche Teil des Abends konnte beginnen. Der Hofzwerg aber saß still vor dem Kaminfeuer, so überwältigt von seinem Glück, daß er es gar nicht mitbekam, wie sein Kostüm ansengte.

Ende Dezember war es soweit: Niemand mochte mehr Pennegrillos Lieder hören. Vor allem nicht das Huldigungslied auf Prinzessin Lisvana. Nicht einmal die Prinzessin selbst wollte es noch hören. Es war ja nicht so, daß Pennegrillo freiwillig sang. Aber es war auch nicht so, daß er es schnell begriff, als er allmählich damit aufhören durfte. Ein Künstler muß wissen, wann es genug ist. Er muß die leisen Zeichen beachten, ob jemand während des Vortrags gähnt oder ob die Zuhörer anfangen, sich ungeniert an den dreckigen Stiefeln herumzupopeln und miteinander zu schwatzen, oder ob einem nachts Pferdeäpfel in den Schlund gestopft werden. Wenn einem nachts Pferdeäpfel in den Schlund gestopft werden, sollte man in Erwägung ziehen, das Singen ganz einzustellen. Und das tat Pennegrillo.

Von nun an unterhielt er die Hofdamen damit, von fremden Ländern und ihren Sitten und Moden zu erzählen. Alle lauschten gebannt. Außer Rosamonde, die Abend für Abend leise schluchzend in einer Ecke saß, auf das gegerbte Kuheuter in ihren Händen starrte und immer noch nicht fassen konnte, welche Zukunft sich vor ihr aufgetan hatte. Prinzessin Lisvana hingegen konnte gar nicht genug hören von den Städten des Mittelmeeres, wo es Tag und Nacht, sommers wie winters, so warm sein sollte, daß die Männer bloß Hosen bis zum Knie trugen und ihre Wamse und Ärmel mit lauter Schlitzen versahen. Die Frauenkleider dort waren so voluminös, daß nie mehr als zwei Damen zur gleichen Zeit in einem normal großen Zimmer sein konnten, und weil man für solch ein Kleid enorm viel Stoff brauchte, mußten diese Stoffe ganz dünn und leicht sein. Flachs oder Wolle rührte ein richtiger Schneider gar nicht erst an, sondern nahm nur, was aus einem Faden gewoben war, den ein winziger Vogel spann. Dieser Faden schillerte wie der Vogel selbst in allen Regenbogenfarben, und so schillerten natürlich auch die Gewänder. Die Ärmel wurden aus Schmetterlingsflügeln gefertigt, denn die Schmetterlinge waren dort so groß wie Kaninchen und ihre Flügel noch bunter als der spinnende Vogel und so fest und dehnbar wie eine Schweinsblase.

»Wenn das alles wahr ist«, rief die Prinzessin, »so will ich nur den König des Mittelmeers zum Mann und sonst niemanden. Und dann werde ich fortan nur noch Kleider aus Vogelgarn und Schmetterlingen tragen.«

Die verliebten Ritter, die anderweitig beschäftigt getan, aber doch immer wieder zur Damenrunde hinübergehorcht hatten, zuckten zusammen. Bisher hatte die Prinzessin noch nie einen Heiratsgedanken formuliert oder ihren Blick länger auf einem der Herren ruhen lassen, so daß jeder sich ungestört seinen Illusionen hatte hingeben können.

»Du nimmst, was kommt«, knurrte Prinz Jörgur hinter seinen Spielkarten hervor. »Oder willst du als alte Jungfer enden?«

Die Ritter entspannten sich wieder, und der schmächtige

Herr Bredur tauschte einen verstohlenen Blick mit seinem Knappen.

Der Winter nahm und nahm kein Ende, dem Sänger fielen keine Geschichten und neuen Kostümschnitte mehr ein, er ließ sich ein wenig gehen, kniff die Knappen in die Wangen und wurde auffallend häufig bei der Schloßwache gesehen. Also mußte Hofzwerg Pedsi wieder Purzelbäume schlagen. Lisvana bestickte ihre Filzpantoffeln mit blauen Schmetterlingen und ihr Leinenkleid mit bunten Vögeln, während Rosamonde mit dem Euter, das einmal eine Schellenkappe werden sollte, so gar nicht vorankam. Dem Zwerg hatte sie verboten, sie auch nur anzusehen, und wann immer er das Wort ›Liebe‹ in den Mund nahm, schrie sie vor Wut und griff nach dem nächsten schweren Gegenstand. Rosamondes Unglück rührte Ritter Luntram, dessen Gefühle für die Jungfer Rauhilde inzwischen wieder abgekühlt waren. Auch gönnte er dem Zwerg, der ihn vor allen lächerlich gemacht hatte, eine so schöne Belohnung nicht. Herr Luntram begab sich zum König, ersuchte um eine Unterredung unter vier Augen und bat Rothafur, Jungfer Rosamonde die Hochzeit mit dem Hofzwerg zu erlassen, weil nämlich er selber sie gern heiraten würde.

»Wenn's weiter nichts ist«, sagte König Rothafur launig. »Eigentlich war der Wunsch des Zwergs sowieso ziemlich unverschämt. Ich werde ihm statt dessen ein Biberwams schenken und die Glöckchen an seinen Schuhen neu versilbern lassen. Das ist mehr als reichlich.«

Die erste Ehrenjungfer wurde eingeweiht, ließ sich von Herrn Luntram die Tränen abtupfen, und am nächsten Abend winkte König Rothafur den Hofzwerg zu sich.

Neben dem Thron stand Rosamonde. Mit Juchheirascha purzelte Pedsi den beiden vor die Füße.

»Die Jungfer will dir einen Kuß geben!« sagte der König und mußte sich sichtlich das Lachen verbeißen. Der Zwerg sah etwas ängstlich zu seiner zukünftigen Gemahlin auf, dann zu den Rittern und schließlich wieder zu Rosamonde. Doch die Ehrenjungfer beugte sich mit sanftem Lächeln zu ihm herunter und nahm sein Kinn in die Hand. Pedsi zuckte nervös, er erwartete, geschlagen zu werden, hielt aber trotzdem still, weil es das erste Mal war, daß ihn Rosamonde überhaupt berührte. Als er nun sogar ihre Lippen auf den seinen fühlte, da glaubte er, vor Seligkeit vergehen zu müssen, und es war ihm ganz gleich, daß der König, die Königin, der Prinz, die Prinzessin, die Hofdamen und alle Ritter zusahen − eine dicke, runde Glücksträne rollte ihm aus dem Auge. Rosamonde küßte ihn lange, damit der König auf keinen Fall sagen konnte, daß es zu kurz gewesen wäre und sie den Zwerg noch einmal küssen müßte. Die Ritter trommelten mit den Fäusten auf den Tisch, und die Damen sahen einander verwundert an.

»So«, sagte der König und rieb sich zufrieden die Hände, »das war der erste Teil der Belohnung, und jetzt gibt es noch mehr.«

Bei diesen Worten trat Ritter Luntram vor und drückte dem Zwerg ein Biberwams und einen Lederbeutel mit frisch versilberten Schellen in die Hände, während er gleichzeitig Jungfer Rosamonde an sich zog.

Pedsi begriff nicht sofort, wie das gemeint war.

»Was?« sagte er und sah den König mit schiefem Kopf an.

»Was?« machte der König ihn nach und legte ebenfalls den Kopf schief. »Nichts was! Hiermit schenke ich dir ein nagelneues Biberwams. Das soll dir genügen. Fräulein Rosamonde wird Herrn Luntram heiraten.«

Da begriff der Zwerg und heulte auf vor Verzweiflung.

»Aber ich habe Euer Ehrenwort.«

»Niemals! Keinem Zwerg würde ich je mein Ehrenwort geben – das steht nur Rittern und Königen zu. Dir habe ich bloß irgendetwas erzählt.«

»Ihr habt mir Euer königliches Versprechen gegeben. Das müßt Ihr halten.«

»Gar nichts muß ich«, brummte König Rothafur verlegen, »sag einem König nicht, was er muß, sonst mach ich dich noch kürzer!«

»Noch kürzer, haha«, rief er, und die Ritter lachten ebenfalls. Rosamonde fiel erleichtert ein und lehnte sich ein wenig gegen Herrn Luntram.

Der Zwerg saß da wie ein Häuflein Unglück. Schließlich konnte der König seinen Anblick nicht länger ertragen und winkte ihm, sich zu entfernen. Mit regloser Miene ging Pedsi aus dem Rittersaal, das Biberwams schleifte er hinter sich her über den Boden. Beim Hinausgehen taumelte er, als hätte er sein Augenlicht eingebüßt, und stieß mit der Schulter heftig gegen die Tür. Er fühlte es nicht. Auch das Gelächter der Ritter schmerzte ihn kaum. Demütigungen waren schließlich sein Beruf. Alte Tradition in seiner Sippe, die sich auf die Aufzucht von Hofzwergen und -narren spezialisiert hatte. Die Mütter legten ihre Kinder in Eisen, um ihr Wachstum zu hemmen, sie hauten bereits den Säuglingen die Rassel auf den Kopf und lachten sie dabei aus, um sie an Gemeinheiten zu gewöhnen. Was

Pedsis Seele zu zerschmettern drohte, war ausschließlich der Verlust Rosamondens. Seine Träume – dahin. Seine Liebe – vergebens. Und das in jenem Moment, in dem er sich seinem Ziel am nächsten geglaubt hatte.

BREDUR UND LISVANA

atürlich scherte sich niemand groß um die Gefühle eines Zwerges. Allerdings quälte ihn auch niemand zusätzlich, denn es machte kein Vergnügen, jemanden zu drangsalieren, der sowieso nur noch still in einer Ecke saß. Pedsi klagte nicht einmal, wenn man ihn trat. Kurz: Der Januar war noch langweiliger als sonst, und darum setzte König Rothafur diesmal schon Anfang Februar das Widderhorn an die Lippen und rief seine Ritter zum Krieg. Damit hatten die Bewohner des Nebelreiches nicht gerechnet. Ja, eigentlich hatten sie vorgehabt, endlich einmal selbst anzugreifen und dadurch im Vorteil zu sein. Aber da standen bereits die Nordländer vor den Toren, stürmten die Burg, nahmen den König des Nebelreichs gefangen und verlegten die Grenze zum dritten Mal in Folge dreihundert Schritt nach Süden. Das Ganze war beinahe unblutig abgegangen, und so waren alle, selbst der Nebelreichkönig, zufrieden. Die Ritter schlugen sich gegenseitig auf die Schulter, versicherten einander, ungeheuer tapfer und ehrenvoll gekämpft zu haben, und banden ihre vier, fünf Toten auf die Pferde. Dann zog man ab und wünschte einander ein gesegnetes neues Frühjahr. Bis zum nächsten Mal.

All das wäre gar nicht weiter erwähnenswert, hätte das Schlachtgetümmel nicht für Ritter Bredur die Möglichkeit offeriert, sich hervorzutun. Prinz Jörgur war in der Dunkelheit mit Karacho gegen eine Mauer galoppiert, von seinem Pferd gestürzt und hatte sich dabei in der eigenen Rüstung verheddert. Bredur hatte im Schein seiner Fackel den mächtigen Brustpanzer mit dem königlichen Eisbär-Emblem an sich vorbeisegeln gesehen und war sogleich von seinem Hengst Kelpie gesprungen. Mit dem eigenen Schild schützte er den Nordlandprinzen vor herangaloppierenden Hufen, durch die Dunkelheit zischenden Äxten und schwirrenden Schwertern, bis Jörgur seine Scharniere sortiert und sich wieder aufgerappelt hatte.

Deswegen sollte Ritter Bredur bei der anschließenden Siegesfeier die Ehre zuteil werden, daß Prinzessin Lisvana ihm ein- und nachzuschenken hatte, nur ihm und niemandem sonst. König Rothafur teilte das seiner Tochter kurz vor der Feier mit. Die königliche Familie war noch unter sich.

»Es widerspricht Anstand und Gerechtigkeit, daß ich einem Mann einschenke, der ein Gefolgsmann meines Vaters ist«, rief Lisvana empört.

»Dieser Ritter hat mir, deinem Bruder, das Leben gerettet. Also halt den Mund und tu, was man dir sagt«, fuhr Prinz Jörgur sie an.

»Wieso soll ich einen Ritter bedienen, bloß weil mein Bruder so dumm war, vom Pferd zu fallen?« wandte Lisvana sich wieder an ihren Vater. »Am Ende kommt noch das Gerücht auf, du willst Ritter Bredur zum Grafen erheben und mit mir vermählen.«

»Dummes Zeug«, schnaufte König Rothafur, »du schenkst diesem tapferen Helden ein und damit basta. Kein Mensch denkt an Heirat.«

»Nach dem, was mein sauberer Bruder neulich beim Kartenspiel gesagt hat, wäre es kein Wunder«, schmollte die Prinzessin.

Prinz Jörgur lachte höhnisch.

»Wo sind sie denn, deine vielen Freier? Du kannst froh sein, wenn Ritter Bredur dich überhaupt will. Wahrscheinlich bist du ihm viel zu alt. Aber vielleicht können wir seinen Vater überreden, dich zu nehmen.«

»Hört ihr das?« rief Lisvana. »So ist er immer!«

»Aber Kind«, hatte ihre Mutter sich schließlich eingemischt, »ist es dir denn vollkommen egal, was für ein schöner und tapferer Ritter Herr Bredur ist?«

»Vollkommen«, hatte Lisvana geschluchzt und ihren Stickrahmen auf den Boden geschleudert.

Den Helden mußte sie trotzdem bedienen und während des ganzen Siegesfestes schräg hinter ihm stehen. Jedesmal, wenn sie Ritter Bredur einschenkte, versuchte er, ihr in die Augen zu sehen. Lisvana hielt eisern die Lider gesenkt. Nur die Hand, die den Krug zum Becher führte, zitterte vor Wut. Bredur, der das Zittern, aber nicht die Wut bemerkte, hielt es für ein günstiges Zeichen. Nun stand der alte Ritter Högli auf, ging um den Tisch herum, stemmte sich mit fettigen Fingern auf Bredurs Schulter und sagte, was für ein tapferer, tüchtiger Bursche er sei.

»Genau wie dein Vater.«

Und ein Vorbild für alle. Die Ritter brummelten ihre Zustimmung und hoben ihre Becher, nur Fredur Wackertun, der seinem Sohn schräg gegenübersaß, trank einfach weiter, als hätte er nicht gehört, und wischte sich den Schaum in den Bart. Seine mächtigen Schultern beugten sich über den Tisch.

»Fredur«, rief Högli vorwurfsvoll. »Fredur, wir trinken auf deinen Sohn!«

»Oh. Ja. Auf meinen Sohn«, sagte Fredur Wackertun. Seine Stimme dröhnte wie aus einem Faß und als hätte er es selber leergetrunken. »Dann laßt uns vor allem darauf trinken, daß mein Sohn es mal wieder fertiggebracht hat, ohne eine einzige Narbe in seiner hübschen Milchfratze nach Hause zu kommen. Da frag ich mich doch, wie …«

»Also wirklich, Fredur, was soll denn das …«, rief Högli. Ritter Bredur hob seinen Becher und sagte kalt:

»Auf meine hübsche Milchfratze und meinen trinkfesten Vater!«

»Auf dich, Bredur!« rief Högli schnell, und die anderen Ritter schlossen sich ihm an.

»Auf Bredur!«

»Ja, auf Bredur!«

»Den Helden!«

Als Prinzessin Lisvana ihm diesmal nachschenkte, sah sie dem Ritter zum ersten Mal ins Gesicht. Er war tatsächlich hübsch.

»Sie hat mich angesehen, ganz gewiß, kein Zweifel möglich«, jubelte Bredur zwei Stunden später, als er wieder mit seinem Knappen allein war.

»Was habe ich getan«, klagte zur gleichen Zeit Prinzessin Lisvana ihrer ersten Ehrenjungfer. »Jetzt denkt er bestimmt, er hat mich bereits im Sack. Wahrscheinlich prahlt er schon vor den anderen Rittern damit. Ich bin entehrt. Dem Gespött des ganzen Hofes preisgegeben. Mein Vater bringt mich um! Was soll ich nur tun?«

»Am besten, Ihr schaut ihn die nächsten Wochen gar nicht mehr an. Tut so, als würdet Ihr einen anderen Ritter beobachten, das macht ihn fertig. Schaut Ritter Brödi an, der ist auch tapfer gewesen und hat den König des Nebelreichs gefangen. Warum nicht Ritter Rutem mit den schönen Augen? Daß die Herren in Euch verliebt sind, ist ja nun keineswegs neu. Und wenn Ihr alle anseht, habt Ihr keinen angesehen«, riet die kluge Rosamonde.

»Nein, sie will nichts von mir wissen. Wie konnte ich je glauben, bei ihr landen zu können«, jaulte Ritter Bredur die folgenden Tage seinem Knappen vor. »Ich bin doch nur ein blöder Ritter, Sohn eines Säufers, und sie ist auch viel zu schön.«

Vergebens versuchte Wigald, seinen Herrn aufzumuntern.

»Die Prinzessin wagt nur nicht, Euch anzusehen. Sie möchte schon, aber sie traut sich nicht.«

»Doch, sie traut sich! Sie will bloß nicht!«

Und Ritter Bredur ließ fortan den Kopf hängen.

»Na also, er leidet«, triumphierte Rosamonde, »wir sind auf dem richtigen Weg. Wer leidet, meint es aufrichtig. Ab morgen könnt Ihr wieder ein bißchen netter sein.«

Die Prinzessin benahm sich also ein bißchen netter, wobei die Angelegenheit dadurch erschwert wurde, daß Ritter und Damen sich nur einmal am Tag im selben Raum aufhielten, abends im Rittersaal, selbst dort an verschiedenen Tischen saßen und alle stets unter der Aufsicht aller standen.

»Sie liebt mich … ich bin unwiderstehlich … ich bin der tapferste aller Ritter …«, sang es in Ritter Bredur, als er das Lächeln der Prinzessin auffing. Und als am selben Abend noch musiziert wurde, tanzte er aus lauter Übermut einen wilden Tanz mit einer Kammerzofe.

»Er liebt mich nicht, er interessiert sich nur für die Zofenschlampen«, jammerte die Prinzessin an diesem Abend. »Da läßt man sich herab – ach, wenn ich nur tot wäre. Es soll mir eine Lehre sein.«

Aber am nächsten Abend sah er wieder nur sie an, ganz deutlich, und diesmal schaute sie zweimal zurück – und beim zweitenmal sogar einen ganzen Lidschlag lang.

Von nun an bekam die Entwicklung ein schwindelerregendes Tempo. Rosamonde fand durch ihren etwas unbedarften Ritter Luntram heraus, zu welcher Tageszeit Herr Bredur durch den Ostturm hinunter zu den Pferdeställen ging, und lauerte mit Prinzessin Lisvana auf der Wendeltreppe, bis sie seine Schritte poltern hörten, um ihm sodann unverfänglich plaudernd entgegenzuschreiten. Auf der Wendeltreppe wurde es so eng, daß sie einander unweigerlich berühren mußten, auch wenn Ritter Bredur sich gegen die Wand preßte, als wollte er hindurchdiffundieren.

»Oh süße Lust, von diesem tapferen Mann berührt zu werden«, seufzte die Prinzessin später in ihrer Kammer.

»Oh ja, das ist wahr«, seufzte Rosamonde, woraufhin Prinzessin Lisvana beschloß, beim nächsten Mal allein zu gehen.

Viermal traf sie den Ritter auf der Treppe und streifte mit ihrem Arm an seinem Jacki entlang. Aber öfter als viermal hintereinander konnte man so etwas nicht machen, fand auch Rosamonde. Deutlich genug war es schließlich gewesen. Wenn Ritter Bredur jetzt nicht handelte, so war es ganz allein seine Schuld, und vergeben wollte sich die Prinzessin schließlich auch nichts. Also ging sie eine Woche lang nicht mehr in den Turm, sehnte und quälte sich, seufzte über ihrer Stickerei und trat nach ihren Zofen, da der bekümmerte Zwerg sich in irgendwelche Ecken verkrochen hatte. Ihre Qualen waren aber nichts gegen die des Ritters, der sich den Kopf zermarterte, was er falsch gemacht haben könnte. War er zu zudringlich gewesen, weil er seine Schulter ein wenig vorgestreckt hatte, als sie an ihm vorbeiglitt? Hatte er sich ihr widerlich gemacht, weil er dabei zu laut geatmet hatte? Hatte er sich am Ende nur eingebildet, daß sie seine Nähe gesucht hatte, war es gar keine Absicht gewesen, bloß Zufall? Vielleicht wollte der König ihr ein neues Pferd schenken, und sie kam deswegen so oft aus den Pferdeställen. Vielleicht paßte es ihr zu der Stunde gerade gut. Ach, sie war doch immer noch eine Prinzessin und er nur ein schmächtiger Ritter ohne Land. Was hatte er sich nur eingebildet. Oder hatte Knappe Wigald recht, und alles war ganz anders? Hatte er die Prinzessin verärgert, weil er zu zögerlich gewesen war? War sie seine Halbherzigkeiten leid und verlangte Taten? Oh, wenn sie ihm doch nur noch eine einzige Chance geben würde. Dann könnte er etwas Eindeutiges tun.

Fünf Wochen später, als er den Ostturm bereits völlig resigniert hinunterging, stand die Prinzessin plötzlich wieder auf den Stufen. Ihre Blicke trafen sich. Funken stoben. Gleich sah Prinzessin Lisvana wieder zu Boden und eilte an ihm vorbei, aber diesmal drückte er sich nicht an die Wand, und als sie an ihm vorbeiglitt, griff er nach ihrer Hand. Er wußte selbst nicht, woher er den Mut dazu nahm. Du bist völlig wahnsinnig, dachte er noch bei sich, komplett plemplem. Wenn du dich geirrt hast, bist du verloren. Aber er griff zu und hielt fest. Die Prinzessin blieb stehen, ohne sich umzuwenden. Sie ließ ihm ihre Hand. So standen sie viele lange Sekunden, die Prinzessin den Blick immer noch auf den Boden geheftet, der Ritter, auf ihren Rücken starrend, dann, als ihm klar wurde, daß er ja unbeobachtet schauen konnte, weitere Teile ihrer Anatomie betrachtend. Endlich wurden ihre ineinander verflochtenen Hände so warm und feucht, daß sie von selbst auseinanderglitten, und die Prinzessin hastete davon.

Von Glück durchrauscht sprang Bredur die letzten Stufen hinunter – und lief in seinen Vater hinein.

»Das hört auf!« donnerte Fredur Wackertun. »Du bringst mir keine Schande über meinen Namen!«

PENNEGRILLOS HEIMREISE

nd dann, eines Morgens, kam ein Ziegenhirte mit einem Krokus in der Faust angerannt und verdiente sich die festgenagelte Münze vom Schloßtor. Kein Zweifel: Der Frühling war da; die Wege waren wieder frei.

Kaum hatte Pennegrillo davon erfahren, ging er zu seinem Strohlager und begann wortlos zu packen. Als er den Silberbecher der Königin in die Hand nahm, verzog er sein Gesicht zu einer giftigen Grimasse. Er war kurz davor, den Becher aus lauter Wut über die verdorbene Saison aus dem Fenster zu schleudern oder dem weinenden Knappen zu schenken, der ihm beim Packen half. Aber dann siegte seine sparsame Ader, und er steckte ihn ein. Die Nordlandfahrt hatte ihn schon genug gekostet. Er durfte gar nicht darüber nachdenken, was er währenddessen in Pargo und Rom alles hätte verdienen können. Bis er zu Hause ankam, würde es Juni sein, und den Sommer würde er brauchen, um sich von diesem Winter zu erholen. Und wie sein Kostüm aussah! Die Hosen waren fast durchgewetzt und die Punkte aus Maulwurfsfell auf seinem schönen Rock ganz grau und mottig. Einer hing bereits kläglich herunter. Pennegrillo riß ihn ab und schenkte ihn dem aufschluchzenden Knappen als Andenken. Dann schleppte er seine

Habseligkeiten in den Schloßhof. Während er den Esel belud, kamen der König, die Königin und die Prinzessin sowie einige Damen, Knappen und Pagen zu ihm.

»Du willst doch nicht etwa ohne deine Abschiedsgeschenke gehen?« rief der König.

»Nicht nötig, ich hab ja schon den tollen Silberbecher«, muffte Pennegrillo und zerrte am Bauchgurt seines Esels.

»Damit du dich nicht verkühlst und womöglich deine Stimme ruinierst«, sagte der König und legte Pennegrillo einen kratzigen Wollschal um. Der Sänger mußte sich mehrmals räuspern, bevor er ein »Danke« herausbrachte. Dann trat die Prinzessin vor und gab ihm einen Kasten aus Holz. Es war ein gewaltig großer Kasten. Da konnte alles mögliche drin sein. Es wäre sehr unhöflich gewesen, ihn nicht entgegenzunehmen. Und wie hold die Prinzessin ihm lächelte … Pennegrillo war beinahe versöhnt.

»Gute Reise, großer Sänger, du warst viel besser als Hrimnir Nebelhorn und hast uns erfreut und unterhalten. Möge dein Heimweg angenehm und ohne Gefahren sein«, sagte die Königin, und der König nickte. Um nicht gierig zu erscheinen, öffnete Pennegrillo den Kasten nicht sofort, sondern band ihn so, wie er war, an seine Packtaschen.

Zwerg Pedsi, der dem Abschied von weitem zugesehen hatte, lief so schnell er konnte in die Küche, wo er einen Kanten Käse und ein Brot stahl und in sein Halstuch wickelte. Dann rannte er aus dem Schloß und auf Schleichwegen zum Wald. An dem einzigen Weg, der hindurchführte, setzte er sich auf einen Baumstumpf, zappelte mit den Beinen und zerpflückte vor Nervosität einen Rindenpilz. Aber bevor noch Pennegrillo auf seinem Esel angeritten kam, wurde Pedsi von einem gräßlichen Schrei aufgescheucht. Er kam ganz aus der Nähe und klang, als wäre jemand in großer Not. Pedsi sprang von seinem Baumstumpf und lief hin. Auf einer Lichtung mit einem kleinen Waldsee fand er den Sänger. Pennegrillo stand neben seinem Esel, hielt den geöffneten Holzkasten in den Händen und starrte angewidert hinein.

»Herr«, rief der Zwerg, »lieber Herr, was ist Euch?«

Statt einer Antwort brachte Pennegrillo bloß ein Gurgeln hervor.

»Ich hörte Euren Schrei«, sagte Pedsi. »Was für ein Schrei, dachte ich bei mir, da macht jemand einem Kummer Luft, der sich mit meinem messen kann.«

Pennegrillo stemmte den Holzkasten hoch über seinen Kopf und schleuderte ihn in den See. Während der Kasten durch die Luft flog, fielen kleine Metallgegenstände heraus und verstreuten sich über den Waldboden. Pedsi bückte sich und hob einen der Silberlöffel zweiter Wahl auf, für die das Nordland so berüchtigt war.

»Gefällt Euch das Besteck nicht?«

»Löffel dieser Qualität«, schrie Pennegrillo und schnappte nach Luft, »würde ich in meinem eigenen Palais nicht einmal den Lakaien zumuten. Man hält mich gefangen, mehr als ein halbes Jahr, treibt seinen Mutwillen mit mir, man verleidet mir beinahe meine eigene Kunst, man schlägt und schikaniert mich, und dann drückt man mir diesen Ramsch in die Hand und meint, damit wäre alles wettgemacht. Ihr Barbaren!«

Er schüttelte die Fäuste.

»Wie recht Ihr habt«, rief Pedsi. »Auch ich bin ein Gefangener. Viele Jahre schon. Oh, wenn Ihr mich doch nur mitnehmen wolltet.«

»Kommt überhaupt nicht in Frage«, sagte Pennegrillo scharf. »Ich will jetzt so schnell wie möglich nach Hause. Du wärst mir bloß hinderlich.«

»Niemals«, rief Pedsi. »Ich könnte Euch sogar nützlich sein. Wir könnten zusammen auftreten: Ihr singt, und ich mache Späße!«

Pennegrillo bestieg seinen Esel und gab Pedsi, der sich an den Sattel zu klammern versuchte, einen Tritt, daß er zu Boden stürzte.

»Seh ich vielleicht aus wie ein Wanderzirkus?«

Er trieb seinen Esel an und ritt über den Zwerg hinweg.

Pennegrillo schlug die Küstenroute ein. Wochenlang mußte er reiten, bis er auf ein Schiff traf, das auf dem Weg nach Süden war. Damit fuhr er eine gute Strecke Wegs, stieg wieder aus, klapperte nacheinander seine fünf Depots ab, nahm dann mit sechs Maultieren gleich das nächste Schiff und landete schließlich am Mittelmeer, in seiner Heimat, dem Land der Baskaren, wo er den heiligen Schwur tat, nie wieder Richtung Norden zu reisen und nie, nie wieder das Huldigungslied auf die Prinzessin Lisvana zu singen. Sein Leben lang nicht mehr.

Daheim, bei Durchsicht seiner Briefe, stellte Pennegrillo fest, daß in nicht mal drei Wochen das jährliche Sängertreffen auf der Wartburg anstand. Er zog sich bloß eben eine neue Kluft an und nahm sofort die nächste Postwagenverbindung Richtung Norden. Drei Wochen waren natürlich arg knapp, um bis zur Wartburg zu gelangen, aber das Verbandstreffen der fahrenden Sänger dauerte zum Glück jedesmal fünf Tage, und am Abend des vierten kam Pennegrillo mit verhängten Zügeln auf einem Leihmaultier durch das Burgtor geschossen. Gerade noch rechtzeitig, um am Wettbewerb um das beste Huldigungslied teilzunehmen. Sein Auftauchen verursachte einige saure Mienen, denn in den letzten acht Jahren hatte Pennegrillo jedesmal beide Trophäen gewonnen, den Pokal für das beste Lied und den Lorbeerkranz für den besten Vortrag. Und natürlich gewann er auch diesmal. Mit dem Huldigungslied auf die Nordlandprinzessin habe Pennegrillo sich selbst übertroffen, hieß es. Allerdings ließ zum ersten Mal der Vortrag zu wünschen übrig, weil Pennegrillo dabei die ganze Zeit so aussah, als litte er entsetzlich an Zahnschmerzen. Dafür gab es Punktabzug. Aber den Lorbeerkranz gewann er trotzdem. Zusätzlich zu Kranz und Pokal erhielt er auch noch die Ehrennadel für den weitestgereisten Sänger, die Kollege Permetto bisher getragen hatte und sich nun von der Joppe ziehen mußte. Nach der Siegesfeier tauschte man dann einige Lieder, sprach ab, wer was wo singen durfte, damit es keine Doppler gab, und erstellte die neue Jahresliste der heiratsfähigen Königs- und Fürstentöchter nebst kommentierten Mitgiftseiten. Diese Liste landete nun in sämtlichen Königs- und Fürstenhäusern, auch in denen, in denen es keine Prinzen gab, die heiraten wollten, denn sie diente außerdem der Verbreitung von Klatsch.

DER SCHWARZE PRINZ

nter anderem kam die Jahresliste heiratsfähiger Königs- und Fürstentöchter auch nach Baskarien, dem Vaterland des guten Geschmacks, dem sittlichen Vorbild sämtlicher Nationen, dessen Gebräuche, Rezepte und Moden selbst in den Sultanspalästen kopiert wurden und dessen Hauptstadt Basko mehr Brücken als Venedig besaß. Das baskarische Schloß hatte drei Stockwerke, sechzehn Türme, sechshundert Fenster und elftausendzweihundert Zinnen und war für seine riesigen Gartenanlagen berühmt. Lauschige Wälder, sanfte Hügelketten und tiefgrüne Täler hatten durch menschliches Eingreifen, durch Tempel, Balustraden und mit Goldmosaiken ausgekleidete Grotten noch Verbesserung erfahren. Wo zuvor ein wilder Wasserfall sich über rauhes Gestein gestürzt hatte, war er durch mehrere Abstufungen gebrochen worden, deren Kaskaden sich nun plätschernd in Marmorbecken fingen. Auf Anweisung der Königin Isabella waren Teiche ausgehoben, Hügel abgetragen und an anderer Stelle wieder aufgehäuft, riesige Bäume verpflanzt und rote Felsen herbeigeschleift worden. Man hatte sogar Höhlengänge gegraben, in denen sich der Garten von unten betrachten ließ. Es gab Schaukeln für die Jugend, Springbrunnen, um die Luft zu kühlen, und Pavillons für das ungestörte Gespräch. Das ganze Gelände umschloß eine viele Kilometer lange Mauer, so daß nichts und niemand ohne Erlaubnis hereinkam und das schöne Bild durch seine pöbelhafte Erscheinung stören konnte. Über die ausgedehnten Rasenflächen spazierten Pfauen und gefleckte Hirsche mit goldenen Halsbändern. Auf den rosa Kieswegen flanierten pastellfarbene Wunder von Damen, die sich von kaum weniger eleganten Herren die Taschentücher aufheben ließen. Im Gegensatz zum Nordland, dessen harsche Witterung seine Einwohner zu eher schroffen, wild rechthaberischen und sittenstrengen Menschen geformt hatte, war im sanft-warmen Mittelmeerklima Baskariens ein viel zutraulicherer, vergnügterer und leichtherzigerer Menschenschlag entstanden. Selbst die Dienerschaft, die die geputzten Herren und Damen begleitete, sah geschmackvoll und proper aus und summte vergnügt vor sich hin. Und es war nichts Ungewöhnliches, wenn einer der vielhundert Gärtner plötzlich vor lauter Freude über seinen schönen Arbeitsplatz laut aufjauchzte oder mit der Unkrauthacke tanzte.

Am Baskarenhof gab es auch einen Prinzen, Diego mit Namen, der der schwarze Prinz genannt wurde, weil er fast immer schwarze Kleider trug. Abgesehen von dieser wenig farbenfrohen Marotte war Prinz Diego sehr hübsch. Aber das sind ja die meisten mit siebzehn. Prinz Diego war nämlich gerade siebzehn Jahre alt, also keineswegs besonders unter Druck, sich zu verheiraten. Sein Vater, König Leo der Erste, stand noch in vollem Saft und dachte gar nicht daran, abzudanken. Der schwarze Prinz las die Jahresliste der heiratsfähigen Königs- und Fürstentöchter eigentlich mehr aus Langeweile. Er las sie während des Frühstücks, das er ganz allein einnahm, weil seine Eltern anderweitig beschäftigt waren, und bei jeder Prinzessin sagte er sich: Die könnte ich haben, die auch, die auch und die und die. Er war nämlich nicht nur sehr hübsch, sondern auch sehr reich. Sein Vater war reich und darum auch er, man schwamm geradezu in Geld, und Prinz Diego wußte, daß jeder König, der einigermaßen bei Verstand war, ihm mit dem größten Vergnügen die Hand seiner Tochter geben würde. Deswegen las er auch so gern die Liste.

»Ich werde noch ein bißchen damit warten, mich zu entscheiden«, sagte er sich, »denn solange ich mich noch nicht entschieden habe, gehören sie alle, alle mir«, und damit las er die Liste der Königstöchter noch einmal. Im großen und ganzen entsprach sie der Liste des vergangenen Jahres. Bis auf drei Veränderungen. Zum einen war Prinzessin Arabella aus Tesbetanien neu auf die Liste gekommen. Sie war vierzehn Jahre alt und ein Albino. Eine Albinoprinzessin hatte es noch nie auf der Liste gegeben. Der Sänger Permetto hatte sie entdeckt, als er nach Tesbetanien gekommen war. Zuvor hatte niemand von ihrer Existenz gewußt. Zuvor hatte auch niemand von der Existenz Tesbetaniens gewußt. Es war eine glorreiche Zeit des Umbruchs und der Neugestaltung. Ständig bildete sich irgendwo ein neues Königreich, wurden Königreiche ausgelöscht, umbenannt, einem anderen Königreich einverleibt, oder es spaltete sich ein winziges Reich in fünf noch kleinere. Die Prinzessinnenliste der fahrenden Sänger war deswegen eine unverzichtbare Lebenshilfe für heiratslustige Prinzen, auch wenn sich manchmal herausstellte, daß die Prinzessin, um die man freite, längst in die Sklaverei verkauft und ihr Reich untergegangen war. Die zweite größere Änderung bestand aus der Streichung der

Jungfer Cäcilie von Glauberach. Die Fürstentochter war ihrer heimlichen Leidenschaft fürs Tabakrauchen zum Opfer gefallen. Von ihrer Mutter bei diesem unschönen Laster ertappt, hatte sie versucht, die Pfeife in den Stoffbahnen ihres Rockes verschwinden zu lassen und hätte beinahe noch das fürstliche Schloß mit niedergebrannt.

Die dritte Änderung betraf die Prinzessin Lisvana vom Nordland.

»Ah, Prinzessin Lisvana vom Nordland«, dachte Prinz Diego, als er ihren Namen zum zweiten Mal überflog, »war das nicht die mit der popeligen Mitgift?«

Aber dann blätterte er weiter zur Mitgift-Seite, und dort stand:

Nordland-Mitgift – siehe **Snögglinduralthorma-Mitgift**. Und unter **Snögglinduralthorma-Mitgift** stand: Ja! Ja doch! Ja, es gibt auch eine Mitgift. Für den Hundsfott von Prinzen, der bei so viel Schönheit auch noch an Mitgift denken kann. Wir sagen nicht, was und wieviel. Wir sind nämlich keine fahrenden Hundsfotte, sondern fahrende Sänger und Diener der Liebe. Wie schön sie ist? Ein Paradiesvogel, gefangen im Eis, ein Kleinod, nur eines wahren Königs und Helden würdig, korallenrote Lippen, Goldhaar, durchsichtiger Hals, schneeweiße Hände, unvergleichlicher Liebreiz, nie gesehene Anmut und noch vieles mehr. Ihr Vater ist allerdings eine Nervensäge. Wie so viele Leute, denen niemand zu widersprechen wagt, hält er sich für besonders witzig, kennt aber bloß uralte Rentierwitze.

(Die Auszeichnungen, die Pennegrillo erhalten hatte, hatten seinen Zorn auf das Nordland besänftigt, aber nicht ganz getilgt.)

Prinz Diego las die Bescheibung noch einmal. Er las sie ein drittes, viertes und zwölftes Mal. ›Ein Paradiesvogel, gefangen im Eis‹, las er, und vor seinem inneren Auge erschien sogleich ein liebliches Mädchen, das in einem Eisblock eingeschlossen war. Eisblöcke holte man in Baskarien mit Elefanten von den Gletschern der schneebedeckten Berge herunter – die bei gutem Wetter vom Schloß aus zu sehen waren –, um Speiseeis herzustellen oder die Limonade zu kühlen. Daher wußte Prinz Diego, wie Eisblöcke aussahen. Und die arme Prinzessin steckte in so einem Ding drin, erstarrt in jenem Moment, in dem sie ihren weißen Arm nach ihm ausgestreckt hatte. ›Korallenrote Lippen‹, las er, und an der Stelle, an der sich die Lippen des Mädchens befanden, begann der Eisblock zu schmelzen. Ermutigt legte der Prinz seine Hand auf den Eisblock, und das Eis schmolz auch dort, bis er die Hand der Prinzessin greifen konnte. Dies war die Liebe seines Lebens, sein Seelengegenstück, das wußte er ganz zweifelsfrei.

Prinz Diego sprang vom Frühstückstisch auf, klemmte sich die Liste unter den Arm und rannte in seinen bestickten schwarzen Pantoffeln los, um seiner Mutter mitzuteilen, daß er heiraten wollte. Er wußte, wo er sie finden würde. Im Garten, hinter den Orangerien, bei ihren heißgeliebten Rosensträuchern. Es war nämlich gerade eine neue Ladung Rosen eingetroffen. Der schwarze Prinz haßte Rosen. Er haßte auch Tulpen und Anemonen und Paeonien und Lilien. Er haßte sogar Veilchen und Rittersporn, er haßte alles, was blühte oder sich irgendwie kultivieren ließ. Der Prinz war Vegetarier, aber nicht, weil er Tiere liebte, sondern weil er so viele Pflanzen wie möglich vernichten wollte. Normalerweise trat er auf dem Weg durch den Garten immer wieder absichtlich neben den Weg auf eine besonders seltene Orchidee, oder er schlug mit seinem silbernen Stock – reines Zierwerk, Prinz Diego war sehr gut zu Fuß – in die frisch gesetzten Pimpinellen. Doch diesmal hatte er es dafür zu eilig.

Seine Mutter, die Königin, kniete auf einem Kissen mitten in einem Beet und war gerade dabei, mit einer kleinen goldenen Schaufel Kompost auf die Rosen zu häufeln.

Neben ihr buddelte einer ihrer Hofzwerge.

»Liebste Mama, ich werde heiraten«, rief Prinz Diego aufgeregt.

Seine Mutter drehte sich nicht um, sondern streckte nur eine ihrer hageren Hände nach hinten.

»Oh ja, fein, Lieber. Kannst du mir bitte mal den Blumendraht reichen? Die Franzosia Demoklatia läßt ihr Köpfchen hängen.«

Das Interessse der Königin galt in erster, zweiter und dritter Linie ihrem Garten, in dem sie die seltensten und schönsten Pflanzen der Welt versammelt hatte. Vor allem ihre Rosen und Tulpen hegte und pflegte sie mit Inbrunst und sprach zu ihnen, als wären es ihre Kinder.

»Mein lieber Semper Augustus, ich mache mir Sorgen um dich«, konnte sie zum Beispiel zu einer geflammten Tulpe sagen. »All diese häßlichen braunen Flecken, die sich neuerdings auf deinen Kelchblättern bilden. Das ist doch nicht normal. Wir müssen etwas tun, meinst du nicht auch?« Während sie ihrem Sohn so viel Aufmerksamkeit schenkte wie einem Stein.

»Willst du gar nicht wissen, wen?« fragte Prinz Diego gekränkt.

»Doch, doch, natürlich. Der Draht liegt da, direkt neben deinen Füßen.«

Das kühle Verhältnis der Königin zu ihrem einzigen Kind erklärte sich zum Teil aus der baskarischen Mode, die genau in jenem Jahr aufgekommen war, in dem Prinz Diego geboren wurde. Seitdem trugen die adligen Damen nämlich ausladende Kleider, die durch fünf übereinander angebrachte Reifen versteift und durch Hüftpolster links und rechts, eine ganze Anzahl von Unterröcken und einem dicken Stoffwulst am unteren Ende derartig in die Breite gezogen wurden, daß der Saumumfang nie weniger als sieben Meter betrug. Diese Riesenglocken fegten praktisch alles von den Tischen, was nicht niet- und nagelfest war. Kutschfahrten waren zu einer waghalsigen Angelegenheit geworden, weil jedesmal die Pferde durchgingen, wenn die adligen Damen angerauscht kamen, und zärtlich zu seinen Kindern zu sein war praktisch unmöglich, oder man hätte über mehr Willenskraft und Ausdauer verfügen müssen, als die Königin besaß. Zu Prinz Diegos zehntem Geburtstag hatte Königin Isabella sich plötzlich an ihren Sohn erinnert und ihm einen eigenen kleinen Garten abstecken lassen, in dem er pflanzen lassen durfte, was er wollte. Diese Aufwallung von Muttergefühl kam jedoch zu spät. Klein Diego ließ das prinzliche Gartenstück ganz und gar mit grauem Granit schottern. Ein Benehmen, das das Verhältnis zu seiner Mutter auf den Tiefpunkt brachte. Von nun an überließ sie seine Erziehung vollständig dem Hofmeister. Im Gegenzug wurde Diego Vegetarier und begegnete seiner Mutter fortan mit einer etwas hilflos wirkenden Distanz.

Auch jetzt schaute er voller Widerwillen auf die kniend in der Krume grabende Königin hinunter. Ihr hellblauer

Seidenrock bauschte sich ausladend wie eine Montgolfiere und verhinderte, daß sie den direkt hinter ihr liegenden Blumendraht selber nehmen konnte.

»Hier«, sagte Diego kühl und reichte ihr die Rolle fein gesponnenen Golddrahts. »Wenn es dich nicht interessiert, wer meine Braut wird, will ich dich auch nicht weiter damit belästigen. Nur so viel: Sie kommt aus dem Nordland, und da wächst gar nichts!«

Brüsk wandte er sich von seiner uninteressierten Mutter ab und ging – immer noch in den bestickten Pantoffeln – seinen Vater suchen, um ihn von seinen Plänen in Kenntnis zu setzen. König Leo der Erste war ein fideler, den leiblichen Genüssen zugeneigter Regent, der für Pferderennen und mollige Mätressen schwärmte. Er trug einen schmalen Oberlippenbart mit aufrecht stehenden Enden, dazu einen gemütlichen kleinen Spitzbart, und nur die stark hervortretende Ader auf seiner Stirn verriet, daß er auch zu cholerischen Anfällen neigte. Er war beim Volk überaus beliebt, da er wegen seines immensen Reichtums kaum Steuern erhob, diverse Spitäler eingerichtet hatte und verdienstvolle Untertanen übertrieben großzügig belohnte. Einem Bauern, der geholfen hatte, eine im Morast steckengebliebene königliche Kalesche wieder flott zu kriegen, hatte er anschließend das vergoldete Gefährt samt der sechs Schimmel zum Geschenk gemacht. In seinen Gunstbeweisen wie in seinen Zornausbrüchen ein wenig spontan, verhängte König Leo oft Todesurteile, die er dann im letzten Moment wieder aufhob.

Prinz Diego fand ihn wie erwartet bei den Ställen, wo er gerade mit dem Pferdefärber die Farben für die neue Saison absprach.

»Lieber Vater, ich will heiraten«, rief Prinz Diego schon von weitem.

»Potzblitz«, sagte sein cholerischer Vater. »Das ist eine gute Idee. Ein Mann sollte heiraten. Ein künftiger König ganz besonders. Es ist nicht klug, aber Brauch, und ich freue mich, daß du die Bräuche achtest. Wen denn?«

»Lisvana vom Nordland.«

»Hmhm. Ist das die Liste unter deinem Arm?«

Unter Adligen wurde die aktuelle Liste heiratsfähiger Königs- und Fürstentöchter immer nur kurz ›die Liste‹ genannt. Prinz Diego, der sie die ganze Zeit an sich gepreßt hatte, reichte sie ihm.

»Hmhm«, machte der König noch einmal. »Sieht nicht so aus, als wenn da viel zu holen wäre, aber was soll's, wir sind ja bereits steinreich. Allerdings sollten wir selbst ins Nordland fahren und uns die Prinzessin erst einmal ansehen. Diesen fahrenden Sängern ist nicht über den Weg zu trauen. Die singen was von Goldhaar, und in Wirklichkeit hat das Haar dann die Farbe von fleckigen Birnen.«

SEEUNGEHEUER

rinz Diego ließ sich vor der Abfahrt komplett neu
einkleiden. Wie stets wählte er alles in schwarz, der
einzigen Farbe, die auf den Blumenbeeten seiner
Mutter nicht vorkam.

Zwar versuchten die Gärtner seit Jahren, eine schwarze
Tulpe in den königlichen Gewächshäusern zu treiben,
bisher hatten sie es jedoch nicht einmal zu violenfarbe-
nen gebracht.

In seine nachtschwarzen Armkleider ließ der Prinz sich
diesmal allerdings Schlitze einnähen – mit rotem Samt
unterfüttert. Außerdem bestellte er in der Schuhmetro-
pole Pargo neue Schnabelschuhe mit den längsten Schnä-
beln seit zweihundert Jahren.

»So feine, allerliebste Schuhe«, quietschte Prinz Diegos
Schneider, als das Paket geliefert wurde und er es für den
Prinzen auspacken durfte. »Du liebe Güte, was für tolle
Ideen Eure Hoheit immer haben.«

Entzückt probierte Diego sie an, schlurfte vorsichtig ein
paar Schritte und drehte sich vor dem Spiegel, drehte sich
noch einmal und warf dann dem Schneider einen besorgten Blick zu.

»Oder sieht das affig aus? Ich ertrag's nicht, wenn man
mich auslacht.«

»Aber nein«, lispelte der Schneidermeister, »ganz süß sind die putzigen langen Schnäbel.«

Prinz Diego sah ihn eine Weile mit gerunzelter Stirn an, dann befahl er ihm, die Schnäbel auf die Hälfte zu kürzen. Auch danach waren es immer noch die längsten, die man seit zweihundert Jahren gesehen hatte.

Währenddessen ließ König Leo die Esperanto, eine seiner Ruder-Galeonen, fertigmachen. Hochbordig und schlank in der Form, mit zwölf Riemen an jeder Seite, war dieses Schiff ein Zwischending aus Galeone und Felucke, gleichzeitig wendig und doch groß und stabil genug für längere Überfahrten. Wenn ein guter Wind blies, hißte man gelbe Rahsegel an Vorder- und Großmast. Blieb der Wind aus, ließ die Rah sich absenken, die fünfzig Matrosen setzten sich auf die Ruderbänke, und die Galeone wurde zur Galeere. Um die Schnittigkeit noch zu erhöhen, befahl König Leo, den Bug sauberzuschaben und zu wachsen. Gleichzeitig wurde die Esperanto mit Kanonen, Pulver, Teppichen, Trinkwasserfässern und lebenden Hühnern und Schweinen bestückt und mit den Brautgeschenken beladen: Damast, Seiden- und Sammetstoffe aus dem Orient, des Redens kundige Papageien, Prachtgeräte und Schalen aus Gold, mit kleinen Karfunkelsteinen verziert, mächtige Amethystbrocken, Haselmaus- und Zobelbälge, Spezereien, mit denen man die Teppiche bestreuen und die Betten würzen konnte, Ambra, Nelke, Muskat und Kardamom, edle Pferde und Hunde in den neuesten Modefarben und eine künstliche Nachtigall in einem goldenen Käfig. Außerdem wurden Unmengen von grünen Bananenbündeln unter Deck gebracht. Bananen waren ein

Geschenk, das in den gemäßigten und kalten Breiten immer gut ankam.

Und dann hievten die Matrosen den Anker und zogen die Segel hoch. Richtung Norden ging es, immer nur Norden. Einhundert Ritter begleiteten König Leo und seinen Sohn, um zu beweisen, daß der König Baskariens nicht nur reich, sondern auch mächtig war. Die Königin blieb zu Hause, weil gerade die Krötenlilienblüte bevorstand und weil ja auch jemand zu Hause bleiben und regieren mußte.

Drei Wochen lang blieb das Wetter gut. Der Wind fuhr gleichmäßig in die Segel, die Sonne war warm, die Sicht klar. König Leo und Prinz Diego saßen auf dem hinteren Deck unter einem weißen Zeltdach und spielten Backgammon, wobei der Prinz meistens verlor. Er war nicht richtig bei der Sache, weil er immerzu an seine Prinzessin dachte, und mußte seinem Vater ein Goldstück nach dem anderen abliefern.

»Dummheit zahlt«, sagte der König dann und ließ die Münze klirrend in seinen Lederbeutel fallen. Aber wirklich schlimm war das nicht, weil sie ja so reich waren und Diego sowieso eines Tages alles erben würde.

Man legte noch in verschiedenen Hafenstädten an, besorgte ein paar Mitbringsel für die lieben Daheimgebliebenen, Pfeifenköpfe für den Oberhofmarschall, Perlenketten, auffällige Kleider und Aschenbecher mit lustigen Sprüchen für die Mätressen und massenweise Blumenzwiebeln für die Königin.

Anfang der vierten Woche näherte man sich den Gewässern des Nebelreichs. Es mußten die Gewässer des Nebelreichs sein, eine widerliche feuchte Kälte und Nebelfetzen kamen der Esperanto entgegengekrochen, die Winde blieben aus, und schon bald waren sie von ständig dichter werdenden Schwaden eingehüllt, die einen leichten Schwefelgeruch enthielten. Man dümpelte dahin, ohne zu wissen, ob man sich überhaupt noch vorwärtsbewegte, und nichts war zu sehen außer dieser grauen Luftpampe und nichts zu hören außer hin und wieder einem fernen Heulen oder Schnaufen. Die Hoheiten zogen sich in ihrer Kajüten zurück. Das Nebelhorn wurde geblasen.

»Wann klart das wohl wieder auf?« fragte Prinz Diego beim Abendessen in der Kapitänskajüte. Der Kapitän schüttelte den Kopf.

»Der August«, sagte er düster, »ist erst der Anfang der Brunftzeit, das kann noch wochenlang so weitergehen. Ab morgen lasse ich rudern.«

Auf Nachfragen erklärte er auch, wovon er eigentlich sprach. »Drachenatem. Das Nebelreich ist das Brunftgebiet von Drachen, und dieser Nebel besteht zum größten Teil aus ihren Ausdünstungen. Den Rest des Jahres verteilen diese Ungeheuer sich in die entlegensten Landstriche, aber im September kommen sie von überall her an die Küste, liegen dampfend und fauchend in ihren Suhlen und jaulen nach einer Braut. Es sind Tausende, und sie qualmen die ganze Zeit vor sich hin, unter allen Schuppen hervor. Dichtester Nebel quillt aus ihren Nüstern und Ohren, so dicht, daß nicht einmal der Meerwind ihn aufreißen kann und jedes Schiff in dieser Flaute gefangen ist. Die ganze Küstenregion ist davon verpestet. Die Nebelländer denken, sie könnten es vertuschen, weil es hier sowieso ständig neblig ist. Aber man riecht es.«

Prinz Diego sah besorgt aus dem Kajütfenster; ihm

schien, als wäre der Nebel noch dichter geworden, während der Kapitän erzählte.

»Aha«, sagte König Leo, »aber wenn du schon so schlau bist, Kapitän, wieso hast du dann nicht mehr Abstand von der Küste gehalten? Was zwingt dich, uns mitten in diese Brühe hineinzufahren?«

»Nun«, sagte der Kapitän, »der Nebel ist vielleicht lästig, aber die offene See birgt Schlimmeres. Gigantische Strudel, plötzlich aufziehende Unwetter und schiffeversenkende Seeungeheuer, solche mit Fell und Papageienschnabel und solche mit Wildschweinhauern.«

Er zog eine Schublade auf, nahm eine Karte heraus und entrollte sie auf dem Tisch. Die Karte zeigte das Meer entlang der Nebelreich- und Nordlandküste. Die schraffierte Wasserfläche wimmelte nur so von Seeungeheuern, sie traten sich beinahe gegenseitig auf die Flossen: großmäulige Riesenfische, Seepferde mit Schwimmfüßen und geringeltem Schwanz, ein Wolfsfisch mit Schweineschnauze, ein Ungeheuer, das wie ein Mönch aussah und fleißig Wasserfontänen aus seiner Tonsur spie, und solche mit Papageienschnäbeln und Wildschweinhauern waren auch dabei. Der Kapitän klopfte mit dem Zeigefinger auf die Karte.

»Wie Ihr seht, ist es praktisch unmöglich, hier durchzufahren, ohne auf Ungeheuer der ersten und zweiten Dunkelschicht zu stoßen und von ihnen angegriffen zu werden. Da sind ein paar Flautentage im Nebel schon vorzuziehen. Wartet ab, Majestät, die Küste des Nebelreichs ist nicht allzulang. Fünf Tage rudern. Höchstens. Ihr werdet sehen.«

»Drachen, Seeungeheuer, Dunkelschichten!« tobte König Leo, »vielleicht habt Ihr auch noch Angst, über den

Rand der Welt zu kippen? Morgen früh befehlt Ihr Euren Leuten, das Schiff auf die offene See hinauszusteuern. Ich sitze hier doch nicht tagelang und atme stinkende Drachenfurze.«

»Es steht mir nicht zu, Euch zu widersprechen, doch die Seeungeheuer existieren wirklich.«

»Habt Ihr vielleicht schon mal eins gesehen?«

»Das nicht, und wie alle Feinde der Leichtgläubigkeit, so zweifelte auch ich lange an ihrer Existenz. Aber ein Steuermann, den ich gut kenne, ist dabeigewesen, als die Etoile von einem solchen Ungetüm versenkt wurde.«

»Und Ihr glaubt ihm?«

»Der Mann ist absolut vertrauenswürdig. Er war es auch, der damals den Kapitän gewarnt hatte, einen Bischof mit an Bord zu nehmen. Kirchenmänner ziehen Seeungeheuer an wie der Magnetberg das Metall.«

»Euer Freund ist wohl jetzt nicht zufällig an Bord, um Eure Geschichte zu bestätigen?«

»Wo denkt Ihr hin, Majestät? Der Mann hat nie wieder die Planken eines Schiffes betreten. Er ist Zuckerbäcker in Konstantinopel geworden«, sagte der Kapitän und schenkte sich ein goldenes Getränk ein.

»Da wir schließlich keinen Bischof an Bord haben, befehle ich, daß wir morgen die Küstengewässer verlassen«, sagte König Leo. Er hob die Hand: »Keine Widerworte! Ich will es so, und damit Schluß.«

Am nächsten Morgen versuchte der Kapitän wieder Einwände, aber daraufhin bekam König Leo einen seiner gefürchteten Wutanfälle, stieß einen Tisch um und zerbrach eine Laterne, so daß der Kapitän schließlich mehr Angst vor ihm als vor den Ungeheuern hatte und die Esperanto aufs offene Meer hinausrudern ließ. Endlich wurden die Nebel lichter, dann brach die Sonne durch, das Wasser glitzerte, und alle atmeten erleichtert auf.

»Na also«, sagte der König, und die Diener bauten wieder das weiße Zelt auf. Als der Kapitän sich auf eine Partie Backgammon zu ihm gesellte, stichelte König Leo: »Wo sind sie denn, Eure Seeungeheuer mit den Wildschweinhauern? Ich seh gar keine.«

»Natürlich nicht, sonst wären wir ja auch alle schon tot«, sagte der Kapitän.

Prinz Diego stand am Bug. Hinter ihm knarrte der Mast, die Segel blähten sich, die Esperanto nahm Fahrt auf und steuerte auf den grenzenlosen Horizont zu. Diego lehnte sich über die Bordwand, beobachtete die springenden Delphine und überließ sich seinen Träumen und Wünschen. Irgendwann fiel ihm auf, daß die Delphine das Schiff verlassen hatten. Das Meer war jetzt tiefblau, beinahe violett, und Prinz Diego wunderte sich, daß der Schiffsrumpf beim Durchschneiden des Wassers so viel Schaum und Gewirbel hervorrief. Dann wurde ihm klar, daß es nicht die Esperanto sein konnte, die diesen Aufruhr verursachte.

»Kapitän! He, Kapitän, kommt doch einmal her und seht Euch ...«, rief Prinz Diego, dann stockte ihm der Atem. Direkt vor ihm schnellte ein riesiges Untier aus dem Wasser und warf seine lappige Vorderfüße über die Verschanzung. Auge in Auge hing es ihm gegenüber. Der Kopf des Seeungeheuers war zweimal so groß wie der eines Bullen und ohrenlos. Rechts und links über der Stirn besaß das Geschöpf zwei röhrenartige Knorpel, und auch sonst glich es keiner bekannten Art. Es blinzelte, dann riß es das zahnlose Maul auf und streckte eine handtuchgroße Zunge heraus. Im selben Moment schossen aus den Knorpel-Röhren zwei Wasserfontänen, wie sie die Brunnen der baskarischen Gartenanlagen nicht zierlicher zu speien vermochten, und durchweichten Prinz Diego bis auf die Unterhose. Das Seeungeheuer grunzte zufrieden, dann klappte es seine Vordergliedmaßen fächerförmig auf und ließ sich rücklings ins Meer zurückfallen.

Der Kapitän und die Ritter kamen dem Prinzen zu Hilfe gelaufen – die Ritter mit gezogenen Degen –, aber das Spritztier ließ sich nicht noch einmal blicken. Während sie noch mit den Augen die Wasseroberfläche um den Bug absuchten, hörten sie plötzlich Schreie vom Heck. Diesmal hatte es König Leo erwischt. Sie fanden ihn auf allen vieren unter seinem Backgammontisch. Ein weiteres Seeungeheuer war aufgetaucht und durchlöcherte mit einem sechs Meter langen Horn das weiße Zelt.

»Grundgütiger, was ist das für ein Biest? Schafft es weg! Los, schafft es weg«, schrie König Leo.

Von dem Ungeheuer war vorläufig nicht viel zu erkennen, weil es größtenteils vom Zelt verdeckt wurde. Ein tapferer Ritter begann, seine Klinge mit dem stochernden Horn zu kreuzen, aber der Kapitän winkte ihn zur Seite.

»Leere Fässer«, rief er, »am besten frisch geharzt. Holt leere Fässer und werft sie über Bord.«

Das war tatsächlich die Lösung. Kaum schwammen die Fässer auf den Wellen, ließ das Tier vom Zelt ab und begann, das neue Spielzeug vor sich herzutreiben. König Leo kroch unter dem Tisch hervor und besah sich das Seeungeheuer.

»Ein Hornwal«, erklärte der Kapitän, »nicht ganz ungefährlich, aber leicht abzulenken.«

Jedesmal, wenn der Hornwal nach einem der Fässer schnappte, sah man die Reihen seiner spitzen weißen Zähne. Der Körper mit der waagerecht gestellten Schwanzflosse war plump, der Kopf klein, und aus der Mitte des Scheitels wuchs ihm das Horn senkrecht wie ein Fahnenmast empor. An der Spitze hing noch ein Stück weißer Zeltstoff. Wenn der Hornwal sein Maul schloß, wirkte er eher harmlos. Er hatte dicke Backen, als würde er etwas Zähes kauen, und die Lider hingen ihm halb über die Augen.

»Was für eine Schlafmütze«, sagte König Leo. »Wir sollten ihn harpunieren und ausstopfen. Ich habe noch nie ein Tier getroffen, das so dämlich aussieht.«

Von nun an ging es Schlag auf Schlag, ein Seeungeheuer gab dem nächsten sozusagen die Klinke in die Hand. Jedesmal begann zuerst das Meer wie ein Suppentopf zu brodeln, aufschäumend rauschte die Flut, und dann tauchte ein Wassertiger auf und trieb mit seinen Schwimmpfoten mächtige Wellen gegen das Schiff, eine mauretanische Meerwalze durchmaß mit gewaltigen Schwingenschlägen ihr Element, oder ein schweinsnasiger Fisch, viermal so groß wie der größte Elefant und den Nacken mit Stacheln gespickt, kotzte Wasser über den Bug. Bei den ersten zehn Tieren, die sich aus dem Meer hoben, entsetzten die Ritter und Matrosen sich noch. Als sich jedoch immer wieder herausstellte, daß die Seeungeheuer keine Menschen zu verschlingen trachteten, sondern freundlich und neugierig das Schiff umspielten, fanden die Männer ihren Gleichmut wieder, und schließlich schenkten sie dem ständigen Meergebrodel kaum noch Aufmerksamkeit. Einige Matrosen vergnügten sich sogar damit, zwei Seepferde und einen hübsch ornamentierten, neunäugigen Grabwal mit Essensresten zu füttern, bis der Kapitän es verbot. Den frecheren Tieren, die dem Schiff zu nahe kamen oder sogar nach den frei auf Deck herumlaufenden Hühnern schnappten, ließ er frisch geharzte Fässer vorwerfen, womit sie sich sogleich beschäftigten.

»Wußt' ich's doch, daß die Geschichten, die Ihr den armen Geschöpfen angedichtet habt, übertrieben waren«, sagte König Leo zum Kapitän, »schaut sie Euch an: Sind sanft wie die Lämmer und nähren sich von Tau und Regen.«

»Die nähren sich keineswegs von Tau und Regen«, giftete der Kapitän, »aber wahrscheinlich sind diese Ungeheuer von besonders wasserreicher körperlicher Beschaffenheit. Das macht sie furchtsam. Wartet nur, bis wir auf ein heißblütigeres treffen. Auf eines mit Wildschweinhauern zum Beispiel.«

»Äh, was Ihr wieder zu unken habt«, sagte König Leo.

IM TRICHTER

Auch am nächsten Morgen waren sie bei bestem Wind und Wetter unterwegs. Zwei zutrauliche Seeschlangen begleiteten inzwischen das Schiff. Sie schwammen in auf- und abweisenden Windungen durch die ruhige See und hielten ihre Natternhäupter mit den blutroten Nackenfransen hoch. Neben ihnen leuchtete der Weg und machte die Tiefe ganz grau. König Leo und Prinz Diego saßen unter dem geflickten Zelt, widmeten sich einem reichhaltigen Frühstück mit Speck und Eiern für König Leo und Obst und Kuchen für den vegetarischen Prinzen und machten sich gegenseitig auf neue Seeungeheuer aufmerksam. Gerade passierten sie einen roten Walfisch mit gelben Glotzaugen, groß wie Mühlräder. Er lag auf dem Wasser und ließ das Meer an der rechten Seite in sein offenes Maul hinein- und an der linken wieder herausströmen. Prinz Diego warf den Seeschlangen Zwieback zu, obwohl doch der Kapitän das Ködern der Ungeheuer verboten hatte. Die Seeschlange schnappte die Brocken aus der Luft, schüttelte die Fransenmähne, und ihr Niesen funkelte im Licht. König Leo tippte seinen Sohn an und zeigte auf etwas, das neben dem glotzäugigen Wasserschaufler aufgetaucht war.

»Schau mal, noch ein Hornwal – und wie blöd der wieder guckt.«

Der Hornwal schien plötzlich unruhig zu werden. Aufgeregt wackelte er mit Kopf und Horn, dann tauchte er ab. In diesem Moment schoben sich Wolken vor die Sonne, und das Schiff drehte sich wie von Riesenhand gepackt aus dem Wind. Schlaff hingen die Segel durch, um gleich darauf wild hin und her zu schlagen. Das Wasser wurde kabbelig und klatschte gegen den Schiffsrumpf. Gleichzeitig war ein neues Geräusch zu hören, ein leises, aber unangenehmes Schlürfen. Die Matrosen sahen sich verwirrt an.

»He, Kapitän«, rief König Leo, »kommt doch mal her. Ich hör da so was Komisches. Was ist das denn jetzt wieder für ein Untier?«

Der Kapitän antwortete ihm nicht, er hielt die Nase in den Wind und nahm konzentriert Witterung auf. Seltsamerweise waren jetzt nirgends mehr Ungeheuer zu entdecken, selbst die Seeschlangen waren fort, bis zum Horizont nur die unruhige, gischtige See. Und seltsamerweise schien die Esperanto nun mit erschlafften Segeln und dem Heck voran in eine ganz andere Richtung Fahrt aufzunehmen.

»Kurs hart Backbord«, brüllte der Kapitän plötzlich, »Rah absenken, Segel liegen lassen! Alle Mann an die Riemen. Rudert, was das Zeug hält, Männer. Es geht auf Leben und Tod.«

»Was ist los?« fragte Prinz Diego, während er mit dem Kapitän zu den Ruderbänken lief. »Ist es das Seeungeheuer mit den Wildschweinhauern?«

»Ich wünschte, es wäre das Ungeheuer mit den Wildschweinhauern«, keuchte der Kapitän, während er Richtung Steuerrad Handzeichen gab und den Schiffsjungen hinauf in den Mastkorb schickte, »dann würden vielleicht ein paar von uns überleben.«

Schweißperlen traten ihm aufs Gesicht.

»Rudert«, brüllte er seine Mannschaft an, »gebt Fahrt! Nicht alle durcheinander, lang und kräftig durchziehen, jetzt – jetzt – jetzt –, reißt am Riemen, oder wollt ihr verrecken? Pullt, daß euch die Adern platzen! Pullt, wenn euch euer Leben lieb ist, pullt!«

Die Matrosen warfen sich nach vorne und zurück, sie keuchten, schwitzten und zeigten ihr Zahnfleisch; wie die Berserker rissen sie an den Riemen und kamen doch nicht vorwärts. Sie konnten das Schiff nicht einmal bremsen. Unerbittlich glitt es in die falsche Richtung. Und je weiter sie so fuhren, desto mehr nahm der Seegang zu, und desto lauter und schlürfender wurde das Geräusch. Die Schreckensbotschaft flog von Mund zu Mund: Ein Mahlstrom. Einer dieser verdammten Strudel des Nordmeers.

»Moses, was siehst du«, rief der Kapitän, den Kopf in den Nacken und die Hände um den Mund gelegt. Und aus dem Mastkorb schrie es herunter: »Ein Loch im Meer, vielleicht drei Meilen voraus. Es ist schwarz und hat einen weißen Rand, und es ist riesig – größer als die Kuhweide des Bürgermeisters neben dem Haus meiner Tante. Es dreht sich, Kapitän, es dreht sich, daß einem ganz schwindlig wird. Darf ich wieder herunterkommen?«

»Du bleibst, wo du bist«, brüllte der Kapitän. Prinz Diego und die hundert Ritter, die der König zum Angeben mitgenommen hatte, gesellten sich zu den Matrosen, man ruderte ununterbrochen, wechselte sich ab, sogar die livrierten Diener machten mit. Doch immer schneller glitt die Esperanto in die falsche Richtung. In größter Verzweiflung warf man den Anker. Die Ankerkette riß, und nun schoß das Schiff nur so dahin.

»Seeungeheuer an Steuerbord«, rief der Schiffsjunge von seinem Ausguck. »Es hat Wildschweinhauer!«

Die Steuerbordruderer beugten sich vor, um durch den Spalt für die Riemen einen Blick auf das Ungeheuer zu erhaschen. Es war etwa viermal so groß wie die Esperanto, und seine Zähne standen schrecklich umher. Aus seinen Nüstern stieg Dampf, sein Rücken war ganz und gar mit Muscheln bedeckt, und die Vorderpranken pflügten im Kraulstil durch das Wasser. Es näherte sich mit wahnwitzigem Tempo.

»Hinsetzen und weiterrudern!« brüllte der Kapitän, »direkt auf das Ungeheuer zuhalten. Backbord taucht ein! Steuerbord setzt aus!«

Er packte Prinz Diego, der vor ihm saß, an der Schulter. »Das ist unsere einzige Chance«, brüllte er ihn an, das Gesicht von plötzlich auflodernder Hoffnung verzerrt, »weiß der Himmel warum, aber steuerbord scheint der Strudel nicht zu ziehen.«

Doch auch dieser Versuch mißglückte. Was der Mann am Steuerrad und die Ruderer an Manövrierkunst aufboten, reichte, um die Esperanto querzustellen, aber nicht, sie seitlich aus der Strömung entweichen zu lassen. Das Seeungeheuer mit den Wildschweinzähnen hatte weiter aufgeholt und war nur noch dreißig Meter vom Schiff entfernt, als es auf einmal unsicher zu werden schien. Es schnaufte, bellte erstaunt, und dann – in plötzlicher Erkenntnis der Gefahr – drehte es bei und machte verzweifelte Anstrengungen, dem Sog des Mahlstroms zu entkommen. Genausogut hätte es versuchen können, einen Wasserfall bergauf zu schwimmen. Mit dem Hintern voran nahm es in der Strömung Fahrt auf. Vergeblich paddelte es wie ein junger Hund dagegen an, es grunzte, jaulte und sabberte vor Angst. Zuerst, solange es noch emsig kraulte und kämpfte und mit der Schwanzflosse schlug, trieb es auf gleicher Höhe mit der Esperanto, dann ließen seine Kräfte nach, und es zog am Schiff vorbei. Prinz Diego sah deutlich seine jämmerlich greinende Schweineschnauze, als es mit dem Hintern in den Schaumrand des Strudels eintauchte. Aus dem Schlürfen war jetzt ein infernalisches Tosen und Brodeln geworden.

»Rudert oder laßt es sein«, schrie der Kapitän nur für sich selbst, kein Mensch konnte ihn noch verstehen, »es ist alles gleich, denn wir sind bereits tot. Nun geht es in den großen Keller! Betet, wenn euch danach zumute ist, haha, betet ruhig! Zum Teufel – es ist aus!«

Peitschender Wasserstaub und fliegender Schaum hüllten das Schiff und seine Besatzung ein. Luft und Meer wurden eins, die salzige Gischt klatschte ihnen von allen Seiten entgegen, durchnäßte sie bis auf die Haut, spritzte in Nasen und Münder. Im aufgewühlten Weiß sah man die Hand vor Augen nicht, das brüllende Tosen schluckte alle Rufe und Schreie, und jeder war mit seiner Angst allein.

Eine Stunde? Zwei? Es schien eine Ewigkeit zu dauern, bis die Esperanto sich durch den Schaumgürtel hindurchgearbeitet hatte und an seinem inneren Rand wieder ans Tageslicht trat. Das Schiff lag leicht auf der Seite und beschrieb einen weiten Kreis. Das Getöse war immer noch ohrenbetäubend, aber das Schiff drehte seine Runden ohne große Erschütterungen. Alle, die an Deck geblieben waren, erwachten nun aus der Betäubung, in die sie das weiße Durcheinander versetzt hatte. Die Ritter und Matrosen, die auf den Ruderbänken abgewartet hatten, stiegen ebenfalls hinauf. Aber wozu? Der Anblick, der sich ihnen bot, stürzte sie bloß in neues Grauen und noch schlimmere Verzweiflung. Rechts der Esperanto erhob sich die weiße Wand aus Schaum, die sie gerade durchdrungen hatten und die sie von der Welt, aus der sie gekommen waren, und jeder Hoffnung trennte. Links sahen sie in den Abgrund des schwarzen Wassertrichters hinein, dessen Spitze hin und her tänzelte wie der Kiel einer Schreibfeder übers Papier. Von dort kam das drohende, hohle Brüllen. Die Trichterwand war so glatt und glänzend wie eine gespannte Haut, und die Esperanto flog auf ihr nur so dahin. Dabei lag das Schiff ein wenig dem Schlund zugeneigt, und unter ihm, dort, wo der Trichter schon deutlich schmaler war, sauste das Wildschweinungeheuer im Kreis, zappelnd, paddelnd, unhörbar kläffend und heulend reckte es den Kopf sehnsüchtig nach dem Himmel. Das also war das Herz des Mahlstroms. Etwas, das man nicht zu sehen bekam, ohne dafür mit dem Leben zu bezahlen. König Leo setzte sich weinend neben seinen Backgammontisch. Ritter und Matrosen fielen auf die Knie, jammerten, beteten oder rauften sich die Haare. Andere hielten den Atem an und warteten still darauf, vom Schlund des Meeres verschlungen zu werden. Aber damit hatte es das Meer nicht eilig. Flott und pausenlos wiederholte die Esperanto ihren Kreis, der mit jeder Umrundung ein kaum spürbares bißchen kleiner und schneller geriet und weiter in die Tiefe führte. Das kann nicht sein, dachte Prinz Diego, das kann einfach nicht sein. Ich habe die Nordlandprinzessin doch noch gar nicht gefunden. Die ersten Ritter übergaben sich, dann die nächsten, dann die ersten Matrosen. Schließlich lagen alle stöhnend auf dem Boden. Sich über die Bordwand zu hängen, mit Blick in den Abgrund, dazu hatte keiner die Nerven. Einzig der Kapitän, gegen jede Form von Seekrankheit resistent, stampfte zu König Leo, der auf dem Teppich im weißen Zelt herumkroch. Der Kapitän stemmte die Hände auf seine Knie, beugte sich zum König hinunter, legte den Mund dicht an dessen Ohr und brüllte:

»Und jetzt, Majestät? Was befehlen Eure Majestät jetzt?«

»Ooooohhhhh«, sagte König Leo, »mir ist ja so übel, mir ist ja so furchtbar übel.« Und damit verteilte er sein reichhaltiges Frühstück um die Füße des Kapitäns.

Stunde um Stunde drehte sich das Schiff. Die ersten wurden ohnmächtig, dann auch die anderen, dann wachten die ersten wieder auf, und die Esperanto drehte sich immer noch. Doch das Nordmeer war nicht nur tückisch, sondern auch unberechenbar. Als es bereits dunkel zu werden begann und das arme Seeungeheuer mit den Wildschweinhauern schon längst verschluckt worden war und der König, sein Sohn, seine Gefolgsleute und die Schiffsmannschaft zusammen mit ihrem Mageninhalt beinahe schon ihre Seelen erbrochen hatten, verlangsamte sich das Kreisen plötzlich. Der Trichter wurde breiter, die Schaumwand niedriger und durchsichtiger, und auch das Getöse, Gebrause und Gezische beruhigte sich allmählich, als wäre es dem Mahlstrom langweilig geworden, Wasser in eine abwärtssaugende Spiraldrehung zu versetzen. Die Trichterspitze hob sich, das Kreiseln hörte auf, und der Mahlstrom gab die Esperanto wieder frei. Wie ein Kork schnellte das ertrunkene Seeungeheuer mit den Wildschweinhauern an die Wasseroberfläche und trieb bauchoben am Schiff vorbei. Halbtot rappelten sich die Männer auf. Niemand konnte es fassen.

»Es hat aufgehört«, stöhnte König Leo, »es hat tatsächlich aufgehört! Oh, wie schön.«

»An die Riemen!« brüllte der Kapitän, »Alle Mann an die Riemen, bevor es wieder losgeht. Alle, sag ich! Alle!«

Schon wankten Matrosen, Diener, Ritter, Prinz und König in ihren besudelten Hemden unter Deck, drängten sich zu viert oder fünft auf eine Ruderbank, warfen sich in die Riemen und spannten ihre eigentlich gar nicht mehr vorhandenen Kräfte. Selbst der Kapitän ruderte mit.

»Pullt«, schrie er dabei, »schlagt das Meer zu Schaum, schlagt es zu Sahne! Pullt, bis ihr Blut schwitzt! Jetzt! – jetzt! – jetzt!«

Und sie pullten. Stöhnend, zitternd, mit aschfahlen Gesichtern, aber sie pullten. Der Wind kam ihnen zu Hilfe. Sie konnten Segel setzen, eine kräftige Brise fuhr hinein und trieb das Schiff wieder Richtung Küste. Die Männer ruderten trotzdem weiter, ruderten die ganze Nacht, bis am nächsten Morgen der Küstennebel sie wieder einhüllte.

»Was für eine wunderbare Flaute, was für ein köstlich stinkender Drachenatem«, rief König Leo, ließ das Ruder los und schleppte sich zu seiner Kajüte, wo er die nächsten beiden Tage durchschlief.

DER TANZ

ünf Tage später hoben sich die Nebel, und es begann, in Strömen zu regnen. Man ruderte näher an die Küste heran, wo jetzt einzelne windschiefe Hütten auftauchten, aus deren Schornsteinen der Qualm klammen Holzes stieg. Zerlumpte Kinder liefen neben dem Schiff her die Küste entlang. Kleine Fischerboote trieben im Meer. Die Baskaren winkten und warfen Bananen.

»Herr im Himmel«, sagte König Leo zu seinem Sohn, »das ist ja ein grauenhaftes Land. Das Ende der Welt. Wie niedrig auch immer die Mitgift ausfällt, verlang Münze — oder verzichte ganz. Laß dich nicht auf irgendwelche Ländereien oder Güter oder so ein.«

Die hinter ihm liegenden Prüfungen hatten Prinz Diegos guter Laune nichts anhaben können. Er hielt sich einen Sonnenschirm zum Schutz vor dem Regen über den Kopf und schaute zufrieden auf die pfannkuchenflache, karg bewachsene Landschaft. Räder hatten tiefe Spuren in den Morast des Küstenweges gegraben. Seevögel kreischten und schossen im Sturzflug auf die schwarze See herunter.

»Ich sag dir was«, fing Vater Leo wieder an. »Wir landen, du schaust dir die Prinzessin an, und dann fahren wir so schnell wie möglich wieder nach Hause, mit oder ohne Braut.«

Die Esperanto war nicht unbemerkt geblieben. König Rothafur hatte an seiner Küste Posten aufstellen lassen, falls doch einmal ein Schiff eintraf. Wer hat es schon gern, wenn wichtiger Besuch unangemeldet kommt und man ihm im Nachthemd und mit der Birkenholzzahnbürste im Mund die Tür öffnen muß? Also machte sich ein Bote auf zum Schloß des Nordlandkönigs. Sein Pferd war kurzbeinig wie alle Nordlandpferde, aber schnell. Der triefende Bote erreichte das Schloß zwei Stunden, bevor die Esperanto in den Hafen einlief.

Rothafur hatte keinen Schimmer, warum der König Baskariens mit einem riesigen Schiff aus dem Süden kam. Da die aktuelle Jahresliste der heiratsfähigen Königstöchter noch nicht bis ins Nordland hinaufgelangt war, wußte er auch noch nichts von der guten Kritik. Aber er würde so eine Gelegenheit, seine Tochter zu verheiraten, nicht ungenutzt verstreichen lassen. Der hohe Besuch sollte von Lisvana einfach entzückt sein.

»Waschen!« schrie er. »Rausputzen! Haareflechten, und was euch Weibern sonst noch einfällt! Meine Tochter muß unglaublich schön aussehen. Näht ihr ein neues Jacki aus Fohlenfell. Schrubbt das Schloß, hißt die Fahnen! Holt Geröll von den Lavafeldern und streut es auf die Einfahrt, daß die Gäste nicht gleich als erstes im Schlamm versinken.«

Das ganze Schloß geriet in Aufruhr. In der Küche stoben die Federn wie Schneeflocken durch die Luft. Keine Gans, keine Ente, kein Kapaun entging den Mörderhänden der Mägde. Treppauf, treppab huschten Zofen mit weißem

Leinen, trugen Diener Buchentische und Bänke, keuchten Knechte unter der Last von Ferkeln und Hammeln. Keiner wollte dem anderen Vortritt gewähren, fluchend rempelten sie sich an, Schüsseln fielen zu Boden, Wassereimer stürzten um. Und mittendrin stand der König und kommandierte wie ein Piratenkapitän, der ein schwer beladenes Handelsschiff gesichtet hat. Die Königin und Prinzessin Lisvana liefen mit nassen Haaren, die einzelnen Strähnen auf heißgemachte Rentierknochen gewickelt, an ihm vorbei. Sie waren auf dem Weg zur Anprobe der in Fertigung begriffenen Jackis.

»Vergiß nicht, daß du dich auch noch selber umziehen mußt«, rief die Königin über die Schulter, »und nimm nicht wieder diesen alten grünen Schwertgurt.«

Währenddessen hatte es aufgehört zu regnen, die Sonne trat hervor, das Meer glitzerte, Wolkenschatten glitten über Land und See, und auf der Esperanto befahl König Leo, die kostbaren Teppiche auszurollen und über die Schiffswände herunterhängen zu lassen. Das machte immer einen Rieseneffekt, wenn man so in einen Hafen einlief. Heck und Bug wurden mit Bananenbündeln geschmückt.

»Ich hoffe bloß, das Ganze endet nicht in einer fürchterlichen Enttäuschung«, sagte König Leo zu seinem Sohn.

»Ganz gewiß nicht«, antwortete Prinz Diego mit fiebrigem Blick. »Wie kommst du denn darauf?«

»Ich fürchte, du hast dir zu genaue Vorstellungen gemacht. Wie soll ein Kind der lebendigen Welt es mit der Phantasiegestalt deiner schwärmerischen Träume aufnehmen?«

»Was weißt du von meinen Träumen«, sagte Prinz Diego beleidigt.

»Nichts ist je so, wie man es sich vorstellt«, antwortete König Leo. »Wußtest du zum Beispiel, daß die Nordländer große Fleischesser sind? Außerdem sind sie weit und breit für ihre Ehrpusseligkeit bekannt. Sag bloß nichts Falsches.«

»Das gilt auch für euch«, rief er den Rittern zu, die sich entlang der Verschanzung aufgestellt hatten. »Rührt ja keine von den Hofdamen an. Schaut nicht mal hin! Die Nordländer kriegen leicht was in den verkehrten Hals. Und paßt auf, was ihr redet! Die nehmen alles immer gleich so ernst. Am besten, ihr sagt gar nichts.«

»Ich weiß, daß ich die Nordlandprinzessin lieben werde. Ich weiß es einfach«, sagte Prinz Diego. »Und sie wird mich lieben.«

Eine jubelnder Haufen empfing die Esperanto im Hafen. Für Snögglinduralthormaer Verhältnisse waren es erstaunlich viele Leute, die da zusammengekommen waren, aber König Leo erschienen sie schäbig wenig. Sie waren in braune Lumpen gehüllt, viele zahnlückig und so krumm gewachsen wie die hiesige Vegetation.

»Hoch«, schrien sie, »hoch! Es lebe Baskarien!«

Als das Schiff vertäut war, teilte sich das zerlumpte und verwachsene Volk und bildete von selbst eine Gasse.

»Willkommen im Nordland, willkommen in Snögglinduralthorma«, rief ihnen ein Mann in kaum verständlichem Baskarisch vom Ende der Gasse zu. Er trug einen Lemmingfellmantel und einen abgewetzten grünen Schwertgurt.

»Das ist der König, der die schlechten Witze erzählt«,

flüsterte König Leo, aber Prinz Diego hörte überhaupt nicht hin, sondern starrte stumm die Prinzessin an, die einen Schritt hinter ihrer Mutter und zwei Schritte neben ihrem Bruder König Rothafur gefolgt war. Leo der Erste hatte seinen Sohn ja bereits gewarnt. Es war fatal, sich konkreten Vorstellungen von jemandem hinzugeben, den man noch nie zuvor gesehen hatte. Man mußte die Dinge auf sich zukommen lassen. Aber während der wochenlangen Überfahrt hatte Prinz Diego sich bis ins allerkleinste Detail ausgemalt, wie seine zukünftige Braut auszusehen hatte, nicht nur das Goldhaar und die durchsichtige Haut am Hals, auch die Form ihrer Fingernägel hatte er bereits entworfen und den Neigungswinkel ihres Kinns bei der Begrüßung. Die Wahrscheinlichkeit, daß er nicht enttäuscht werden würde, war noch geringer als die, dem Mahlstrom zu entkommen.

»Seid gegrüßt, Prinz aus Baskarien«, sagte Prinzessin Lisvana in fehlerfreiem Baskarisch mit einem reizenden Akzent und neigte den Kopf in exakt dem Winkel, den Diego erwartet hatte. Auch ihr Gesicht sah genauso aus, wie Diego fand, daß es aussehen sollte.

»Seid bedankt, Prinzessin Lisvana vom Nordland«, antwortete er und machte einen schwungvollen Kratzfuß. Er betrachtete ihre Hände, während sie knickste und dabei ihr Leinenkleid anhob, und ihre Fingernägel sahen völlig anders aus, als er sich das vorgestellt hatte, aber das hieß bloß, daß sie noch viel schöner waren. Dieses Wunderwesen von Prinzessin war sanft, lebhaft und charmant zugleich, und die vollkommene Zartheit ihres Körpers kam in ihrem schmucklosen Kleid und der merkwürdigen gelben Felljacke nur um so besser zur Geltung.

Lisvana erging es mit dem fremden Prinzen kaum anders. Schon der erste Eindruck, den er auf sie machte, als er ganz in Schwarz gekleidet vom Schiff kam, war so mächtig, daß sie nichts sehnlicher wünschte, als von ihm nach Baskarien mitgenommen zu werden. Prinz Diego, das fanden auch sämtliche Hofdamen, sah einfach unglaublich elegant aus. Natürlich war es leicht befremdlich, daß er keinen Bart trug. Ein Mann ohne Bart war im Nordland eigentlich unmöglich. Andererseits unterschied der Prinz sich bereits durch seine ganze Art, die ungewöhnlichen Schuhe, seine liebenswürdige, sanfte Stimme, die gewinnenden Manieren und die temperamentvollen, raumgreifenden Gesten so sehr von allen Nordlandrittern, daß den Damen auch dieser Unterschied vollkommen richtig und als Beweis seiner Weltläufigkeit erschien. Und obendrein war der junge Mann mit den pechschwarzen Haaren auch noch hübsch und Besitzer zweier samtiger, dunkler Baskarenaugen.

»Willkommen«, rief Rothafur noch einmal, weil niemand sonst das Wort ergriff.

»Dankeschön«, sagte König Leo, der nie lange Umschweife machte. »Ihr könnt Euch denken, weswegen wir gekommen sind. Mein Sohn hier will sich verheiraten, und deswegen möchten wir gern Eure Tochter ansehen, wenn's recht ist, und Geschenke haben wir auch mitgebracht.«

Gemeinsam gingen die Majestäten über das aufgeschüttete Lavageröll zum Schloß, das mit dem baskarischen Sechshundertfenster-Schloß natürlich nicht zu vergleichen war.

Was für eine Klitsche, dachte König Leo. Das ist ja wirklich winzig. Aus Holz! Die ganze Bude ist aus Holz. Diese

Hochzeit ist gegen jede ökonomische Vernunft. Gottlob, daß ich bereits reich bin.

Im Inneren sah es nicht besser aus. Die Wände des Festsaals waren roh und ohne Schmuck, nur die Schwerter und Schilde der Ritter hingen daran, die Tische waren klobig und die Fenster klein. Statt Glas waren dünne Lederhäute in die Rahmen gespannt. Offene Rübenöllampen räucherten die Gäste.

»Seht nur, Vater – die wundervollen Schnitzereien!« rief Prinz Diego, auf einen Giebel weisend, wo sich ein achtbeiniger Holzwolf mit einem zweiköpfigen Holzadler stritt.

König Leos Ritter schleppten, rollten und führten die Geschenke herein. Alles wurde gebührend bestaunt, besonders die rot und grün eingefärbten edlen Pferde. Die Stimmung wurde immer besser. Prinzessin Lisvana, darin waren sich alle einig, würde die glücklichste Braut unter der Nordlandsonne sein. Auch Rosamonde, die Ehrenjungfer, bewunderte die fremde Pracht, und ihre Verlobung mit dem Ritter Luntram schien ihr plötzlich gar nicht mehr so ein Glücksfall. Denn wenn sich die Prinzessin nach Baskarien verheiratete, so würde sie ihr als versprochene Braut nicht mehr folgen dürfen – und was hätten sich dort vielleicht für Chancen ergeben.

Nun ließ die Königin des Nordlands die gebratenen Hammel und Ferkel auftragen, und alle setzten sich an die großen Tische. Das heißt, siebzig der hundert Ritter, die König Leo zum Angeben mitgebracht hatte, und vierundzwanzig der vierundfünfzig Ritter, die an und um König Rothafurs Hof lebten, mußten draußen bleiben, weil für sie einfach kein Platz mehr im Saal war. Auch Ritter Bredur. König Rothafur hatte nur die ältesten und angesehensten Krieger ausgewählt. Der Raum war selbst für diese reduzierte Menschenmenge recht eng, und genug Stühle gab es auch nicht, so daß man Heringsfässer von draußen hereinholte.

König Leo sorgte sich, wie seine rustikalen Gastgeber es aufnehmen könnten, wenn Prinz Diego wie üblich bloß wieder einen kleinen Salat verlangte, aber seine Sorge war überflüssig. Als der Prinz nämlich sah, wie Prinzessin Lisvana sich eine ölige Hühnerkeule auf ihren Teller lud, gab er seine jahrelang geübten vegetarischen Prinzipien von einer Sekunde zur nächsten auf und griff ebenfalls in die Fleischtöpfe. König Leo nickte zufrieden. Das Mädchen hatte jetzt schon einen guten Einfluß auf seinen nicht ganz unkomplizierten Sohn. Und hübsch war sie auch noch. Bevor er selber sich ein Steak schnappen konnte, stellte ein Diener einen Holzteller vor ihn hin, auf dem sich, wie die Königin des Nordlands erklärte, die Spezialität des Landes befand: ein Hammelherz, gefüllt mit einer Ferkelniere, die wiederum mit einem Putenherz gefüllt war, das wiederum mit einem Entenherz gefüllt war. Indigniert betrachtete Leo der Erste das schwärzlich Geröstete auf seinem Holzteller, das aus dem Inneren heraus blutete und in dem senkrecht ein grobschlächtiges Messer steckte. Offenbar wußten hier nicht einmal der König und die Königin, was eine Gabel war, und hielten sich stattdessen viel auf ihre Vornehmheit zugute, beim Essen nur drei statt fünf Fingern zu gebrauchen. Bei den Nordlandrittern konnte man dankbar sein, wenn sie überhaupt die Hände zu Hilfe nahmen. Prinzessin Lisvana besaß auch nicht viel feinere Tischmanieren, war jedoch so lieblich, daß ihr Anblick selbst dann noch beglückte, wenn sie beidhändig mit aufgestützten Ellbogen ihre Zähne in ein Stück totes Tier hieb. Prinz Diego jedenfalls nagte versonnen auf einem Knochen herum, ohne seine zukünftige Braut auch nur eine Minute aus den Augen zu lassen. Erst als Lisvana nach dem vierten Fleischgang aufstand und den Saal verließ, um ihre Garderobe zu richten, hatte er Muße, dem Unterhaltungsprogramm des Hofzwergs zuzusehen. Gerade stolzierte der Zwerg vor ihm auf dem Tisch zwischen den Töpfen und Tellern herum, als hätte er ebenfalls Schnabelschuhe an. Dann tat er, als wäre er gestolpert, und schlug einen Purzelbaum, wobei er sich mit dem Mund Fleisch von dem Teller des Baskarenprinzen stahl. Diego lachte gutmütig mit.

Währenddessen eilte Prinzessin Lisvana aus ihrer Kammer zurück zum Festsaal. Als sie die schmale dunkle Treppe hinunterlief, griff plötzlich eine Hand nach ihr. Sie gehörte dem tapferen Ritter, der das schon einmal getan hatte. Diesmal griff er erstaunlich fest zu und zog sie zu sich heran.

»Lisvana«, flüsterte Herr Bredur, »liebste Lisvana, ich liebe Euch aus ganzem Herzen, Euer Wille ist mein Wille, mein Blut gehört Euch bis zum letzten Tropfen. Wollt Ihr mit mir fliehen, ehe sie Euch an so einen parfümierten Königssohn aus dem Süden verkaufen?«

»Oh«, erwiderte Lisvana, denn es war das erste Mal, daß Ritter Bredur mit ihr gesprochen hatte – und gleich so viel. Nach dem Händchenhalten im Ostturm waren sie nicht mehr recht vorangekommen, und ehrlich gesagt hatte Lisvana seit der Ankunft des Baskarenprinzen überhaupt nicht mehr an den Ritter gedacht. Aber jetzt war er ja nicht zu übersehen.

»Ich muß in den Saal zurück«, flüsterte sie und versuchte, ihm ihre Hand zu entwinden. Ritter Bredur hielt fest, drückte sie mit seinem Kettenhemd gegen die Wand und küsste sie einfach. Es war ihr erster Kuß. Natürlich. Schließlich war sie eine Prinzessin. Bredurs Bart kratzte, und Lisvana spürte die Turmmauer rauh und kalt durch ihr mit bunten Vögeln besticktes Festkleid. Erst nach einer geraumen Weile stieß sie ihn von sich, fauchte: »Unglaublich!« und eilte zum Rittersaal. Ihr Bruder erwartete sie vor der Tür und stellte sich ihr breitschultrig in den Weg.

»Wo bleibst du solange? Wenn du es verpatzt, kannst du was erleben! Und wenn der Baskarenprinz dich fragt, ob du …«

Lisvana schlüpfte an ihm vorbei in den Saal und schlug ihrem Bruder die Tür vor der Nase zu. Wütend riß Prinz Jörgur die Tür wieder auf und stampfte hinter ihr her. Aber zur Rede stellen konnte er sie natürlich nicht mehr. König Leo gab gerade seine Version der Abenteuer mit den Seeungeheuern und dem Strudel zum besten, während die Nordlandritter Bananen mampften. Die Prinzessin setzte eine unschuldige Miene auf und nahm wieder Platz. Das hatte sie bisher ja noch gar nicht bedacht, daß die Hochzeit mit einem Prinzen gleichzeitig den Verlust eines Ritters bedeuten würde – und noch dazu eines Ritters, der so schöne Sachen sagen konnte.

Kaum hatte sie sich gesetzt, mußte sie auch schon wieder aufstehen, denn nun wurden die Tische und Stühle zur Seite gerückt, und zehn junge Ritter mit Schwertern und Schilden kamen herein und stellten sich zum traditionellen Nordländer Schwertertanz auf. Ritter Bredur, die Haare noch leicht zerzaust, war auch dabei. Die Tischgesellschaft nahm ihre Plätze wieder ein, die Königin ließ ein Tuch zu Boden fallen, je zwei Trommler und Pfeifer bearbeiteten ihre Instrumente, und die zehn Ritter begannen zu trampeln. Die Baskaren, traditionell große Tänzer, waren gelinde gesagt irritiert. Bei diesem Tanz standen die Nordlandritter fast die ganze Zeit auf derselben Stelle und stießen bloß wilde Schreie und Triller aus. Hin und wieder stampften sie mit einem Bein oder schlugen mit einer gepanzerten Faust auf ihr Schwert oder mit dem Schwertknauf auf den Schild. Schließlich traten noch zehn Hofdamen hinzu und trippelten um die Ritter herum, wobei sie bunte Tücher über ihren Köpfen schwenkten.

»Ich hoffe, es gefällt Euch«, sagte die Königin des Nordlands und beugte sich zu ihren Gästen hinüber.

»Oh ja«, beeilte sich König Leo, »das ist wirklich beeindruckend, es ist so beeindruckend … äh …«

»Ja«, sagte Diego schlicht und strahlte vor sich hin. Ihm gefiel es tatsächlich. Aber ihm hätte es vermutlich auch gefallen, wenn ihm jemand mit einem Hammer auf den Daumen gehauen hätte, solange er dabei nur Lisvana anschauen durfte.

»Ich sollte Euch jetzt vielleicht von der Mitgift erzählen«, sagte Rothafur.

König Leo winkte ab.

»Laßt gut sein. Wir werden uns schon einig. Wenn Eure Tochter dem Jungen so gefällt, wie es den Anschein hat, dann brauchen wir nicht groß zu handeln. Ich möchte nicht angeberisch erscheinen, aber Ihr habt vielleicht bemerkt, daß ich steinreich bin.«

»Gewiß, gewiß«, sagte Rothafur ein bißchen verstimmt, weil er die Mitgift nicht aufzählen durfte. »Habt ihr schon mal überlegt, ins Rentiergeschäft einzusteigen? Ein vielversprechender Markt. Ich habe gerade in großem Stil Rentierherden aufgekauft. Ihr solltet auch in Rentier investieren. Das Fleisch ist schmackhaft und gut einzupökeln.«

Die Ritter beendeten den ersten Tanz mit einem heiseren Schrei und stießen dabei ihre Schwerter in den Boden, daß sie zitternd stehenblieben. Ritter Bredur sah wirklich prächtig und wild aus, wie er breitbeinig in seinem rostigen Kettenhemd den Greinderach ins Parkett rammte. Die Prinzessin fühlte immer noch seinen Kuß auf ihren Lippen, aber trotzdem wanderten ihre Augen hinüber zu dem in schwarzen Samt gekleideten Prinzen. Im Grunde war es eine Erleichterung, daß sie über solche Dinge nicht selbst zu entscheiden hatte, sondern handeln mußte, wie ihr Vater für sie entschied.

Bredur hätte schreien mögen vor Eifersucht. Die Prinzessin hatte kaum einen Blick für ihn, sie sah zu diesem Lackaffen, diesem schwarzen Fanten hinüber, der nichts geleistet hatte, als hier aufzutauchen und seine gezierte Kleidung vorzuführen. Rot gefütterte Armschlitze, das war ja wohl das Letzte! Der Mistkerl tat gar nichts, er war noch nicht einmal größer, und stach ihn dennoch aus, einfach bloß, weil er einmal reich und mächtig sein würde. Darauf standen die Weiber eben. Darin waren sie alle gleich. Dabei paßte der überhaupt nicht zur Prinzessin. Die Prinzessin paßte viel besser zu ihm, zu Bredur. Und wenn er jetzt nicht bald handelte, würde alles zu spät sein.

Die Schwerter wurden zur Seite geräumt, und die Pfeifer setzten ihre Flöten wieder an die Lippen und nickten den Trommlern zu. Herr Bredur riß die gespreizte Hand hoch und rief:

»Halt, einen Augenblick! Will nicht der Prinz von Baskarien uns die Ehre geben und den nächsten Tanz mit uns zusammen tanzen?«

Prinz Diego sprang sofort auf und verbeugte sich. Das schaffe ich leicht, dachte er. Das, was die Nordlandritter hier aufgeführt hatten, das konnte jeder Bär, ohne sich vorher die Krallen schneiden zu müssen. Außerdem galt Prinz Diego als der eleganteste Tänzer an seinem Hof, und wenn man auch die Schmeicheleien der Hofschranzen abrechnen mußte, der viert- oder fünfteleganteste war er mit Sicherheit.

»Dann los«, lächelte Ritter Bredur hinterhältig und legte wie die anderen Tänzer sein Kettenhemd ab. Diesmal würde es wilder zugehen. König Rothafur, dem die Sache nicht recht war, murmelte etwas, aber schon setzte die Musik wieder ein. Die Hofdamen standen Spalier, pfiffen und klatschten, und die Ritter rannten paarweise in einem Mordstempo zwischen ihnen hindurch, drehten sich dabei nach links und rechts, sprangen in die Luft und schlugen die Fersen zusammen. Doch Prinz Diego hielt sich viel besser, als Ritter Bredur es erwartet hatte. Zwei Durchläufe erst, und schon sprang er und drehte sich, als hätte er sein Leben lang nichts anderes gemacht. Und die liebreizende Lisvana war von ihrem Platz bei Tische aufgestanden, lachte und applaudierte und steckte schließlich sogar selber zwei Finger in den Mund, um ihn durch ihre Pfiffe zu immer tolleren Sprüngen anzuspornen. Bredur ahnte, worauf das hinauslaufen würde. Gleich würde König Rothafur vorschlagen, daß Lisvana und der Idiot vom Mittelmeer den nächsten Tanz zusammen tanzen sollten, und dann wäre alles zu spät. Die Prinzessin war ja jetzt schon völlig verblendet.

Nun tanzten die Ritter einzeln vor. Jeder versuchte den vorherigen durch noch gewagtere Sprünge und Drehungen zu übertreffen. Ritter Bredur sprang wie ein Schneehase, grätschte die Beine in der Luft und berührte dabei mit den Händen seine Zehenspitzen, packte sein Schwert an beiden Enden und sprang vorwärts und rückwärts zwischen seinen Armen und der Schwertschneide hindurch. Dann war es an ihm, sich am Ende der Reihe hinzuknien und den nächsten Ritter vorbeiziehen zu lassen. Nach diesem kam auch schon Prinz Diego angehüpft, schlug je einen Salto vorwärts und rückwärts, und als er an Bredur vorbeikam, sprang er so dicht, daß er den Ritter dabei beinahe berührte, und da schob Herr Bredur seinen Fuß ein Stückchen vor, ein so winziges Stückchen nur, daß ihm daraus eigentlich niemand einen Vorwurf machen konnte. Im nächsten Moment lag Prinz Diego da. Hingestreckt auf dem Boden, ein Bild des Jammers. Von Eleganz konnte keine Rede mehr sein. Die Musiker hörten auf zu trommeln und zu pfeifen, und im Saal wurde es totenstill. Einer hüstelte. Prinz Diego rappelte sich auf, und ohne sich die Zeit zu nehmen, den Staub von seinen Beinkeidern zu klopfen, packte er Ritter Bredur am Hals seines Hemdes und schrie ihn an, wie er es wagen könne.

»Hehehe«, spuckte Bredur verächtlich, »was wollt Ihr da sagen? Was hab ich denn damit zu tun, wenn Ihr nicht tanzen könnt und auf die Nase fallt?«

König Rothafur, der seine Option auf den wohlhabendsten und mächtigsten Schwiegersohn der ganzen bekannten Welt nicht gefährdet sehen wollte, stand auf und versuchte zu schlichten:

»Hütet Eure Zunge, Herr Bredur. Und Ihr, lieber Prinz, wir wollen doch feiern, wir haben doch so einen schönen Anlaß. Ich bin ganz sicher, daß mein Ritter Euch keinen Tort antun wollte. Vielleicht stand er da ein wenig ungeschickt, Ihr werdet euch auf alle Fälle entschuldigen, Ritter ...«

»Ja los, entschuldige dich«, knurrte auch Bredurs Vater, Fredur Wackertun, vom nächsten Tisch herüber.

»Zu blöd zum Tanzen! Und dann dem Nächstbesten die Schuld geben«, rief Bredur.

»Du Sau, du hast mir ein Bein gestellt«, brüllte Diego, der von den cholerischen Genen seines Vaters auch seine Portion abbekommen hatte. »Gar nichts hab ich«, rief Bredur, »du bist über deine bekloppten Schuhe gestolpert. Selber schuld. Mit solchen Schuhen kann doch kein Mensch tanzen. Ein richtiger Mann würde die sowieso nicht anziehen.«

Jetzt sprang auch König Leo auf. Die Ader an seiner Stirn pulsierte sichtbar.

»Was?« brüllte er.

Im gleichen Moment haute Diego dem Ritter seine Faust auf die Nase. Kurz darauf lag er zum zweiten Mal am Boden, und es war seine Nase, die blutete, während Ritter Bredur bloß ein bißchen schnüffelte. Nun sprangen alle baskarischen Ritter auf und wollten Prinz Diego zu Hilfe zu eilen, woraufhin die Nordlandritter, die eben noch getanzt hatten, ihnen entgegenstürmten. König Leo schlug König Rothafur seinen Holzteller um die Ohren und stieg auf den Tisch, die Damen kreischten und drängten hinaus, wodurch auch die Ritter, die vor den Türen gewartet hatten, den Tumult mitbekamen und in den Rittersaal hineindrängten. In kürzester Zeit war ein Kampf im Gange, als hätten sich die erbittertsten Feinde getroffen. Schäumend schlugen die Männer aufeinander ein und zertrümmerten das Mobiliar. Prinz Diego wälzte sich kratzend und tretend mit Ritter Bredur im kleinen Kamin, Ritter Högli schrie wie am Spieß, weil ein Baskare sich in seinen Daumen verbissen hatte, die Könige schleuderten Heringsfässer, und Fredur Wackertun zog sich einen baskarischen Ritter nach dem anderen aus dem Getümmel, um ihn jeweils mit einem einzigen Faustschlag niederzustrecken. Es war ein Brüllen und Krachen und Bersten, Bratensoße mischte sich mit Blut, und die ausgeschlagenen Vorderzähne prasselten wie Hagelkörner zu Boden. Immerhin benutzten die Ritter nicht ihre Schwerter und Degen, um einander abzustechen, sondern hieben sich höchstens deren Knäufe über die Schädel. Es war mehr Prügelei als Gefecht, aber am Ende gab es trotzdem einen toten Ritter, den alten Nordländer Torgor, dessen Herz nicht mehr mitgemacht hatte. Er lag so tot und still neben den umgestürzten Tischen, daß die baskarischen Ritter wieder zur Besinnung kamen, ihre Arme sinken ließen und auf den vermeintlich Erschlagenen starrten. Denn wenn auch keiner von ihnen einem Kampf auswich, so stand ihnen die Nichtigkeit des Anlasses doch allzu klar vor Augen. Und da stellten auch die Nordlandritter das Prügeln ein.

»Es ist besser, Ihr geht jetzt«, sagte Rothafur düster. Normalerweise hätte er die Sache zu Ende gebracht, Nordländer kämpften noch aus ganz anderen Gründen. Es lag auch nicht daran, daß auf jeden Ritter in seinem Schloß zwei aus dem Baskarenland kamen, damit wären sie schon fertig geworden. Ihn bedrückte, daß gerade seine Verbindung mit dem angesehensten Königreich der Welt in Scherben gegangen war.

»Kommt«, sagte König Leo zu seinen Streitern und schwenkte den Arm Richtung Ausgang. Die baskarischen Ritter trollten sich langsam und mit hängenden Köpfen. Nur Prinz Diego stand noch immer mit einem Stuhlbein in der Hand und rief:

»Ich verlange die Prinzessin zur Frau. Ich werde nicht ohne die Prinzessin gehen.«

»Halt den Mund«, brüllte sein Vater. »Das ist jetzt nicht der richtige Zeitpunkt«, und zu Rothafur gewandt fügte er hinzu: »Wenn Ihr erlaubt, werden wir diese Nacht noch in Eurem Hafen ankern. Laßt uns bei Tagesanbruch dann noch einmal von König zu König über alles sprechen. Der Morgen ist klüger als der Abend.«

»Ihr könnt meinetwegen die Nacht noch bleiben«, sagte Rothafur hoheitsvoll, »doch dann haut schleunigst ab. Zu bereden gibt es nichts mehr.«

»Und was ist mit den Geschenken?« rief Prinz Diego.

Aber König Leo war nicht kleinlich. Er ging mit seinen Rittern hinaus und schob auch seinen Sohn vor sich her.

DIE ENTFÜHRUNG

Er hat mir ein Bein gestellt, ich schwör's«, sagte Prinz Diego später, als sie wieder im Zelt an Deck saßen. Die Vorhänge waren heruntergelassen. Drei Kerzen auf einem Tisch gaben ein wenig Licht. »Ich bin nicht schuld! Und ich will die Prinzessin. Und sie will mich auch. Das habe ich an ihren Augen gesehen. Hast du bemerkt, wie sie mich angeschaut hat? Ohne Prinzessin Lisvana fahre ich nicht nach Hause. Warum metzeln wir den Hof nicht nieder? Wir sind doppelt so viele. Ich sehe nicht ein, daß wir jetzt abziehen müssen, obwohl wir viel stärker sind.«

»Genug davon«, sagte sein Vater. »Bis jetzt habe ich deinen Launen nachgegeben. Ich gönn dir das Mädchen ja, aber so schön ist sie nun auch wieder nicht, daß ich deswegen die armen Nordlandritter abschlachte und das Leben meiner eigenen Männer aufs Spiel setze. Womit soll ich sie hinterher entlohnen, womit jetzt entflammen? Wenn es Land und Schätze zu erobern gäbe … Aber das ist hier doch alles nichts wert.«

In diesem Moment raffte der Kapitän das Zelttuch zur Seite. Er trug eine hölzerne Laterne in der Hand und sagte:

»Da ist ein Zwerg, der Euch sprechen will. Wenn ich es

richtig verstanden habe, kommt er mit einer Botschaft von König Rothafur.«

»Aha, der Alte wird wieder vernünftig. Siehst du, mein Sohn, jetzt renkt sich alles von selbst ein.«

Man hieß den Zwerg eintreten, und Pedsi erschien, der Kapitän beleuchtete ihn mit der Laterne. Nun stellte sich jedoch heraus, daß der Zwerg gar nicht von König Rothafur geschickt worden war und daß dieser auch keineswegs versöhnlich gestimmt war. Er, Pedsi, war aus eigenem Antrieb gekommen, um den Rat zu geben, sich lieber nicht allzulange hier aufzuhalten, sondern so bald wie möglich, auf jeden Fall noch vor Tagesanbruch, aus dem Hafen zu rudern. Der König des Nordlands steigere sich nämlich immer mehr in seine Wut hinein, und es sei nicht abzusehen, ob er ihnen nicht doch noch die Ritter auf den Hals hetze. Was die Prinzessin betreffe, so müsse Prinz Diego sie sich ein für allemal aus dem Kopf schlagen. Rothafur sei enorm nachtragend und würde sie ihm jetzt bestimmt nicht mehr geben.

»Dann zwingen wir ihn eben«, rief Prinz Diego. »Wir sind doch sowieso viel mehr. Liebster Vater, ich flehe dich an, zwing diesen alten Starrkopf.«

»Ich denke, das Thema hatten wir schon. Soll ich mit einem Schiff voller toter Ritter wieder heimkehren, weil du nicht verzichten kannst? Außerdem würde ich es begrüßen, wenn du solche Vorschläge nicht vor dem Personal des Nordlandhofes machen würdest. Was sollen wir denn jetzt mit dem Zwerg anfangen?«

»Nehmt mich einfach mit, Majestät. Wenn Ihr mich mitnehmt, kann ich auch nichts ausplaudern.«

Prinz Diego ließ seinen Kopf auf den Tisch sinken,

warf dabei eine Kerze um und begann hemmungslos zu schluchzen. König Leo hob die Kerze auf und hielt ihren erloschenen Docht in die Flamme der Kapitänslaterne.

»Du bist verwöhnt. Jetzt reiß dich mal ein bißchen zusammen.«

Prinz Diego schluchzte nur noch lauter und trat gegen das Tischbein.

Pedsi räusperte sich.

»Wenn ich einen Vorschlag machen darf ... Ich sehe eine Möglichkeit, wie Euer Sohn in den Besitz der Prinzessin kommen könnte, ohne daß deswegen ein Tropfen Blut vergossen werden muß.«

Prinz Diegos Kopf schnellte hoch.

»Sprich! Los, sag schon!«

»Nur, wenn Ihr mich mit nach Baskarien nehmt und als Hofnarr einstellt.«

König Leo nickte.

»Wenn dein Vorschlag gut ist, kannst du mitfahren. Aber einen Hofnarren gibt es in Baskarien nicht, und ich will auch keinen haben. Über Spaßmacher habe ich noch nie lachen können – nimm es nicht persönlich. Wie wäre es mit einem Platz in der Zwergensammlung meiner Gemahlin? Die Arbeit ist einfach – Hofzwerge tun eigentlich gar nichts außer klauen und lügen. Einer, glaube ich, hilft meiner Gemahlin in den Gärten, aber die anderen watscheln bloß durchs Schloß und sind für die Drolligkeit zuständig. Wäre das etwas für dich? Wenn es dir nicht gefällt, suchen wir dir etwas anderes.«

»Gut«, sagte Pedsi, »die Hauptsache ist, daß ich von hier wegkomme. Was die Prinzessin betrifft, so dürfte es nicht allzu schwer sein, sie zu rauben. Es gibt einen Geheimgang, der von den Frauengemächern bis zu einer Grotte gar nicht weit von hier führt. Ein Fluchtweg, falls das Schloß einmal belagert werden sollte. Die Tür ist natürlich von innen verriegelt, springt aber auf, wenn man sie ein bißchen anhebt. Die Frauen haben sich oft genug darüber beklagt, daß diese Tür nachts manchmal ganz von allein aufgeht und dann die Grottenkälte in die Zimmer kriecht. Gleich links kommt man als erstes an die Schlafstatt der Jungfer Rosamonde, die müßt ihr also auch mitnehmen, sonst schreit sie alles zusammen. Die Prinzessin schläft auf der rechten Seite. Wenn Ihr Euch genau an meine Anweisungen haltet und nur schnell genug handelt, braucht Ihr nicht einmal Fackeln, und die anderen Frauen, die im Vorraum, also dahinter, schlafen, werden gar nicht aufwachen.«

Prinz Diego sah seinen Vater flehend an.

»Man soll doch die Zwerge nicht unterschätzen«, sagte König Leo, »weiß sogar, wer wo in den Frauengemächern schläft, der Lumpi! Meinetwegen können wir es so machen, aber du, Zwerg, gehst mit!« Und damit bestellte er zwei seiner Ritter zu sich, um sie mit der heiklen Aufgabe zu betrauen, Don Miguel, einen Spanier, und den Ritter Ernesto. Die beiden schnitten Pedsi die verräterischen Schellen von den Schuhen und Kleidern, dann versahen sie sich mit Knebeln und Stricken, wovon sie einen zu einer Schlinge knüpften und dem Zwerg um den Hals legten. So mußte Pedsi vor ihnen herlaufen, und sie drohten, ihn zu erdrosseln, wenn irgendetwas schiefgehen sollte.

Dem Kapitän befahl König Leo, die Esperanto zum Ablegen bereitzuhalten, und den anderen Rittern, die vier Schiffe der Nordländer so leise wie möglich leck zu schlagen, damit sie ihnen nicht sofort folgen konnten.

»So dumm, uns bis nach Basko zu verfolgen, wird Rothafur hoffentlich nicht sein«, sagte König Leo. In Basko würde die Übermacht der baskarischen Ritter bei mehr als zehn zu eins liegen.

»Ganz astrein ist das ja nicht, was wir hier machen«, sagte Prinz Diego, »König Rothafur hat uns das Gastrecht in seinem Hafen eingeräumt, und nun hauen wir alle seine Schiffe kaputt.«

»Für deine Bedenken ist es jetzt zu spät, das hättest du dir früher überlegen müssen«, rüffelte ihn sein Vater an. »Wenn König Rothafur sich abgeregt hat, schicken wir ihm einfach ein ganz neues und viel besseres Schiff und einen Haufen Geschenke. Wir schütten ihn mit Geschenken zu, und wenn wir ihn dann zur Taufe seines ersten Enkelsohnes einladen, ist sowieso alles vergessen.«

Prinz Diego sagte jetzt gar nichts mehr. Er stand an der Bordwand, eine Hand im Tauwerk verhakt, sah in die Richtung, in die Don Miguel und Herr Ernesto mit dem Zwerg verschwunden waren, und bekaute die Fingernägeln seiner anderen Hand.

Währenddessen beriet König Rothafur sich im Nordlandschloß mit seinen Rittern und der Königin. Sie hatten die Tische wieder aufgestellt und zusammengerückt, doch diesmal fehlten Fleisch und Wein und Flötenklang, und die Mienen waren finster. Einige Ritter und Prinz Jörgur vertraten die Meinung, daß Herr Bredur an allem die Schuld trüge. Das sei vielleicht eine Eichelschnapsidee gewesen, den zukünftigen Bräutigam zum Tanzen zu animieren, das hätte er sich mal lieber schenken sollen. Außerdem hätte er besser aufpassen müssen, und selbst wenn er den Prinzen gar nicht berührt hatte, hätte er sich entschuldigen können. Die meisten sagten jedoch, daß ein Nordlandritter, der sich nichts hat zuschulden kommen lassen, sich auch nicht entschuldigen müsse, auch nicht beim mächtigsten König der Welt. So weit käme es noch! Außerdem sei es doch eine großartige Prügelei gewesen, darin waren sich alle einig. Die ersten Mienen hellten sich wieder auf. Einer nach dem anderen räumte ein, daß auch die Baskaren sich wacker geschlagen hätten. König Rothafur, der einen Schneidezahn eingebüßt hatte und dem das Blut noch über das Kinn rann, meinte, daß es ein Jammer wäre, einen so kampfstarken Brautwerber fortzujagen, daß es aber die Ehre erfordere. Die Ritter nickten – jetzt wieder finster: Jaja, die Ehre, da war nun einmal nichts zu machen.

Die Königin reichte ihrem Mann ein Läppchen, um das Blut abzuwischen.

»Und wenn wir verlangen, daß sich der König der Baskaren und sein Sohn morgen bei uns entschuldigen?« schlug sie vor. »Ich könnte mir vorstellen, daß sie dazu bereit wären.«

»Nichts da«, rief Fredur Wackertun, »mein Herr Sohn hat zwar alles verpatzt, aber daran läßt sich nun nichts mehr ändern. Flecken auf dem Schild der Ehre können nur mit Blut abgewaschen werden!«

Wieder nickten und murmelten die Ritter. König Rothafur sah auf das beschmierte Läppchen in seiner Hand und seufzte.

»Ich habe ihnen zugesichert, daß sie die Nacht unbehelligt im Hafen liegen können.«

»Der Streit besteht doch in Wirklichkeit nur zwischen Herrn Bredur und Prinz Diego«, versuchte es die Königin noch einmal. »Wir könnten es die beiden auf einem Turnier austragen lassen, und wer verliert, muß sich entschuldigen.«

»Von wegen«, antwortete Rothafur, »König Leo hat mich mit meinem eigenen Holzteller geohrfeigt ...«

Aber schließlich konnten sich doch alle darauf verständigen, daß der Baskarenprinz am nächsten Tag die Gelegenheit bekommen sollte, mit Ritter Bredur in die Schranken zu treten und ein bißchen zu bluten, und daß dadurch die Ehre beider Seiten wieder hergestellt wäre, worauf man erneut an eine Brautwerbung denken könnte.

»Ich werde dafür sorgen, daß dieser Hund vom Mittelmeer verliert und Prinzessin Lisvana ihn nicht heiraten muß«, sagte Ritter Bredur, der bisher geschwiegen hatte. Mißbilligend sah man ihn an.

»Du hast da etwas falsch verstanden«, erwiderte Prinz Jörgur, »dieser Hund vom Mittelmeer wird meine Schwester auf jeden Fall heiraten, auch wenn er verliert. Und du wirst dich hüten, den tapferen Baskarenprinzen ernsthaft zu verletzen. Und hinterher gebt ihr euch die Hand! Das verlangt die Ehre.«

Zum dritten Mal nickten die Ritter. Was die Ehre verlangte, das konnte man nicht verweigern.

Es dauerte zwei Stunden, bis Don Miguel und Ritter Ernesto mit ihrer schwierigen Beute zurückkehrten. Zwei Stunden, die Prinz Diego wie zwei Tage vorgekommen waren. Vor den Rittern her lief der Zwerg, jetzt ohne Halsstrick.

Und da war SIE. Der Prinz rutschte mit seinen

schweißnassen Händen aus den Tauen und fiel beinahe über Bord. Lisvana erschien ihm noch schöner, noch reiner und zerbrechlicher in ihrem weißen Nachthemd und in Fesseln. Allerdings bereitete sie Don Miguel einige Scherereien. Er mußte ihr zusätzlich zu dem Knebel noch die Hand auf den Mund pressen und schleifte sie mehr oder weniger über den Boden, weil sie sich weigerte zu gehen und stattdessen um sich trat. Die Hofdame Rosamonde lief hingegen folgsam vor Ritter Ernesto her, der nur den Strick zu halten brauchte, mit dem ihre Hände auf den Rücken gebunden waren.

Schnell wurde der Anker gelichtet, vorsichtig tauchten die Matrosen die Ruder ein, und schon blieb der Hafen hinter ihnen zurück. Man führte die schönen Gefangenen in die Kajüte, die für eine glückliche Braut eingerichtet worden war, und nahm ihnen die Knebel und Fesseln ab. König Leo hinderte seinen Sohn, jetzt schon mit der Prinzessin zu reden, schließlich war sie im Nachthemd. Er sorgte dafür, daß die Kleider, die für seine Mätressen gekauft worden waren, in die Kajüte gebracht wurden.

So ließ man die Damen erst einmal allein, damit sie sich beruhigen und mit der neuen Situation abfinden konnten, und drehte den Schlüssel zweimal um.

KÖNIG LEO PLATZT DER KRAGEN

Am nächsten Morgen klopften König Leo und Prinz Diego vorsichtig an, erst leise, dann immer lauter, und als ihnen klar wurde, daß in nächster Zeit kein freundliches »Herein« zu erwarten war, drückten sie die Tür auf. Prinzessin Lisvana und ihre Hofdame standen immer noch im Nachtgewand. Prinz Diego starrte verlegen zu Boden.

»Äh, hm«, sagte König Leo, »die Kleider sind natürlich zu groß, das habe ich nicht bedacht. Ich lasse Gürtel bringen, und vielleicht hat der Kapitän Nähzeug. Dann kommen wir noch mal wieder.«

»Das könnt Ihr Euch sparen, wir werden diesen Plunder niemals anziehen«, fauchte die Prinzessin. »Räuber! Verbrecher! Wie täuscht Ihr das Vertrauen, das mein Vater trotz Eures schändlichen Verhaltens noch in Euch setzte!«

»Ach ja«, seufzte König Leo. »Ich weiß, es gibt da dieses Vorurteil gegen Betrug und Verrat, aber letztlich hätte es eine Menge Tote gegeben, wenn wir ehrlich und geradeaus gehandelt hätten, und zwar hauptsächlich tote Nordländer. Eine ehrbare Lösung wäre eine entsetzliche Schlachterei geworden.«

»Die gerade und ehrbare Lösung wäre gewesen, einfach wieder nach Hause zu fahren«, rief Lisvana.

»Genau meine Meinung«, sagte König Leo, »aber das müßt Ihr mit meinem Sohn ausmachen. Aus irgendwelchen unerfindlichen Gründen ist er in Euch vernarrt. Ich kann das nicht nachvollziehen, ich finde, es fehlt Euch an Sanftmut«, und damit wandte er sich zum Gehen.

Als sein Vater die Kajüte verlassen hatte, warf sich Prinz Diego vor der Prinzessin auf die Knie.

»Mein Vater hat recht: Es ist alles meine Schuld.«

»Was rutscht Ihr da unten rum!« fuhr ihn Lisvana an. »Das ist ja lächerlich. Schließlich sind wir es, die in Eurer Gewalt sind. Wenn hier einer auf den Knien um Gnade flehen müßte, dann ja wohl wir. Aber da könnt Ihr lange warten!«

»Ach, liebste Lisvana, es ist ja genau andersherum. Ich bin der Gefangene Eurer schönen Augen, die mich zu dieser unritterlichen Tat verführten, und kann nichts zu meiner Verteidigung sagen, als daß ich nicht anders handeln konnte, weil ich Euch so sehr liebe und weil ich die Hoffnung habe, Ihr empfindet für mich ganz genauso.«

»Niemals«, rief Lisvana empört, »ich werde niemals einen schamlosen Dieb und Räuber lieben. Und erst recht nicht einen, der so geschwollen daherredet und so idiotische Schuhe trägt, daß er über seine eigenen Füße fällt. Ihr seid ein Tölpel. Ihr glaubt doch nicht, daß ich einen Tölpel heiraten werde?«

»Es war nicht meine Schuld«, rief Prinz Diego und sprang auf. »Der Ritter, der mich zum Tanzen aufgefordert hat, hat mir ein Bein gestellt.«

»Das kann ja jeder sagen«, rief die Prinzessin.

»Der Prinz hat recht«, fiel jetzt Rosamonde ein. »ich habe das auch gesehen. Ritter Bredur hat ihm absichtlich ein Bein gestellt, weil er eifersüchtig war.«

Diego warf der hübschen Ehrenjungfer einen dankbaren Blick zu. Die Prinzessin schwieg einen Augenblick, dann fuhr sie Rosamonde an:

»Was mußt du ihm denn auch noch beipflichten? Hast du keinen Stolz? Mein Vater hätte dich doch mit dem Zwerg verheiraten sollen. Ritter Bredur ist untadelig. Er ist der feinste und tapferste Ritter, den man sich nur denken kann … und ich ziehe ihn Euch tausendmal vor«, schleuderte sie dem Prinzen entgegen.

»Ich weiß ja, daß ich Unrecht getan habe«, erwiderte Prinz Diego zerknirscht. »Und ich erwarte ja nicht, daß Ihr mir sofort verzeiht. Aber gebt mir eine Gelegenheit, es wieder gutzumachen. Glaubt mir, ich will Euch für alle Unbill entschädigen. Euch und auch Eure Jungfer Rosamonde. Zerreißt mir nicht das Herz, indem Ihr mir alle Hoffnung nehmt!«

»Doch! Es gibt keine Hoffnung! Hinaus!«

Prinzessin Lisvana wies mit dem Finger auf die Kajütentür. Diego ging mit gesenktem Kopf. Lisvana pfefferte die Tür hinter ihm zu.

»Ei weh, der liebt Euch wirklich«, sagte Rosamonde. »Findet Ihr nicht, daß Ihr ein wenig streng seid? Wo er doch so schön ist. Und so reich. Wahrscheinlich ist er die beste Partie in der ganzen bekannten Welt.«

»Du hast tatsächlich keinen Stolz«, sagte Lisvana böse. »Und ich rate dir gut, entscheide dich rechtzeitig, auf welcher Seite du stehen willst. Damit du nichts zu bereuen hast, wenn die Unsrigen kommen, um uns zu befreien.«

Die Ihrigen hatten inzwischen das Fehlen der Prinzessin und ihrer ersten Hofdame bemerkt. Etwas länger brauchte es, bis man auch das Fehlen des Hofzwergs und die Zerstörung der heimischen Flotte entdeckt hatte, dann aber machte man sich auf die ganze Geschichte den richtigen Reim. König Rothafur sagte sehr ruhig nur ein einziges Wort:

»Verrat!«

Er holte die Ritter zusammen. Es war keiner dabei, der nicht bereit gewesen wäre, zur Rettung der Königstochter sein Leben zu wagen. Doch eine Verfolgung zur See war ja nicht mehr möglich. Ein Trupp Berittener galoppierte bereits den Küstenweg entlang zum Nebelreich, allerdings ohne viel Hoffnung. König Leos Vorsprung war vermutlich schon zu groß, und hinter der Nordspitze des Nebelreiches hielt es der Küstenverlauf mit den Seefahrern. Auch die schnellsten Pferde würden die Esperanto dort nicht mehr einholen können. Es würde Prinz Jörgur und den Rittern nichts übrigbleiben, als bis nach Baskarien zu reiten und den Feind in seinem eigenen Land zu unterwerfen. Und warum nicht den Winter diesmal kämpfend am Mittelmeer verbringen? Ein edlerer Vorwand, das Baskarenreich in Brand zu stecken, würde sich kaum je finden lassen. Nur daß dort auf jeden Nordlanddritter mindestens zehn baskarische kommen würden – von den üblichen Verbündeten ganz zu schweigen. Und eins zu zehn war eine Rechnung, die einfach nicht aufgehen wollte.

Ritter Bredur ergriff das Wort. Sein Ansehen hatte sich durch das schändliche Verhalten des Baskarenkönigs schlagartig verbessert. Das sah man ja jetzt, wie unlauter und hinterhältig die fremden Herren, diese lackierten Affen und Angeber, waren. Nur gut, daß man ihnen die Prinzessin nicht freiwillig überlassen und daß Herr Bredur dem albernen Prinzen bereits eins auf die Nase gegeben hatte.

»Da es einige Zeit dauern wird, ein Heer aufzustellen«, sagte Ritter Bredur, »schlage ich vor, daß ich mich noch heute mit meinem Knappen nach Basko aufmache, um den Hof auszukundschaften. So kann ich herausbekommen, wo die Prinzessin gefangengehalten wird. Vielleicht finde ich sogar eine Möglichkeit, sie zu befreien und zurückzubringen. Gewiß ist es nicht unehrenhaft, List mit List zu vergelten und damit einer Hochzeit zuvorzukommen, falls der infame Prinz Diego überhaupt noch so ehrbare Absichten hegt.«

Doch Bredurs Plan fand keinen Beifall.

»Bäh, Ränke und Listen!« rief Ritter Högli. »Gehört sich das für einen Nordlandritter?«

Er erwartete keine Antwort, denn die Antwort verstand sich für die alten Ritter von selbst. Fredur Wackertun fing wieder von den Flecken auf dem Schild der Ehre an, für die es nur ein Reinigungsmittel gäbe, und auch die anderen Ritter lehnten jede taktische Lösung ohne Blutvergießen ab.

»Dann laßt mich wenigstens als Kundschafter reiten«, rief Bredur.

»Nein, laßt mich reiten«, rief Ritter Luntram, der in Sorge um seine Braut Rosamonde war und im Grunde gegen Ränke und Listen nichts einzuwenden hatte. »Bredur würde von Prinz Diego sofort wiedererkannt werden. Schließlich haben sie sich geprügelt.«

»Ich schneid' mir den Bart ab, dann erkennt er mich nicht«, rief Bredur.

»Der Bart bleibt dran, und du bleibst hier«, grollte Fredur

Wackertun. »Erst hast du die Hochzeit verpatzt, und als nächstes wirst du unseren Angriff ausplaudern.«

»Laßt meinen Sohn nicht ziehen«, wandte er sich an König Rothafur. »Er ist der Sache nicht gewachsen. Die Baskaren werden ihn gefangensetzen, und er verrät unser Heer. Außerdem wird es dieses Jahr noch früher schneien als sonst. Ich fühle es in den Knochen.«

»Ich werde es schaffen«, rief Bredur, bleich vor Zorn über das Zeugnis, das ihm sein Vater vor den anderen Rittern ausstellte. »Ich fürchte weder Folter noch Schnee. Wigald, mach alles bereit.«

»Den Knappen läßt du hier. Das fehlt noch, daß deinetwegen so ein junger Mensch stirbt. Und du bleibst auch hier! Unsere Familie stirbt im Kampf. Alle sind wir im Kampf gefallen. Ausnahmslos. Es gibt keinen Grund, daß du jetzt mit dem Erfrieren anfängst.«

»Herr Bredur, Ihr hört auf Euren Vater«, sagte König Rothafur und wandte sich dann an alle Ritter. »Es gibt nur eine Möglichkeit: Wir müssen uns mit dem Nebelreich verbünden. Prinz Jörgur wird die Tochter des Nebelkönigs heiraten. Dann können wir mit zwei Heeren nach Baskarien ziehen, und auf jeden Nebel- und Nordlandritter kommen nur noch vier bis fünf baskarische. Das sollte doch zu schaffen sein.«

»Ich kann die Nebelreichprinzessin nicht heiraten«, rief Prinz Jörgur, »sie ist wenig reizvoll und steinalt, mindestens dreißig!«

»Du nimmst, was kommt«, sagte sein Vater, »schließlich geht es hier um deine Schwester und die Ehre!« Und damit war die Sache erledigt.

Die Ritter bedauerten nur, daß man fortan in den langen Wintern niemanden mehr haben würde, den man mit Krieg überziehen konnte, aber dafür gab es ja im nächsten Frühling die große Schlacht am Mittelmeer, auf die man sich freuen konnte.

Kaum war die Versammlung aufgelöst, rief Ritter Bredur Wigald zu sich und ließ ihm die Wahl, ob er ihm folgen wolle oder nicht. Dann packte er sein Bündel, sattelte heimlich Kelpie, sein Streitroß, band sein Schwert Greinderach um und verschwand noch in der selben Nacht. Wigald begleitete ihn nicht.

Inzwischen fuhr die Esperanto ihrem Heimathafen entgegen, nach Süden, immer nach Süden ging es, und dieses Mal wurde brav an der Küste des Nebelreiches entlanggerudert. Die erste Hälfte der Reise weigerten Prinzessin Lisvana und ihre erste Hofdame sich standhaft, etwas anderes als ihre Nachthemden zu tragen und an Deck des Schiffes zu erscheinen. Doch als die Esperanto fuhr und fuhr und fuhr, die gemäßigten Breiten erreichte und dann die wärmeren, und die Langeweile in dem selbstgewählten Gefängnis immer ärger wurde, fing Rosamonde schließlich an, zwei der kostbaren Kleider, die für die molligen Mätressen gedacht waren, enger zu nähen. »Nur so«, wie sie versicherte. Und aus dem gleichen Grund probierte Prinzessin Lisvana eines davon an. Sie streifte ihr Nachthemd ab, ließ sich dafür von Rosamonde ein seidenes Unterkleid überwerfen und darüber ein stoffreiches hellblaues Brokatkleid mit Marderbesatz. Rosamonde hakte ihr das Mieder zu, zupfte die Spitzen aus dem skandalös großen Ausschnitt, und das Kleid saß der Prinzessin auf dem Körper, als wäre es von Anfang an für sie bestimmt gewesen. Sie stellte sich vor den Spiegel und betrachtete mit ehrfüchtigem Staunen, was ihr die eleganteste Frau der Welt schien.

»Nun noch die Schuhe«, sagte Rosamonde und schob ihrer Herrin zwei hellblaue, mit Efeuranken bestickte Pantöffelchen auf die Füße.

»Was für ein Jammer, daß Euch niemand so sehen kann.«

Prinzessin Lisvana seufzte zustimmend. Die Ehrenjungfer tat, als würde sie sich besinnen, und fuhr dann fort:

»Eigentlich ist es sogar ein Jammer, Euren Anblick dem Baskarenprinzen vorzuenthalten. Ihr seht so vorzüglich aus, daß es ihm nun erst recht vor Augen stehen müßte, daß Ihr viel zu gut für ihn seid und er nicht mehr ist als ein ganz erbärmlicher Schuft.«

Dieser Logik vermochte die Prinzessin sogleich zu folgen.

»Außerdem brauchen wir dringend frische Luft, sonst werden wir womöglich noch krank. Und in Nachthemden können wir ja wohl schlecht raus.«

Rosamonde streifte sich das andere, kaum weniger kostbare gelbe Kleid über, und seidenraschelnd erklommen sie das Deck.

Von nun an bezog Prinzessin Lisvana Posten am Heck. Von morgens bis abends stand sie hinter dem weißen Zelt, den Kopf der Heimat zugewandt. Nach Norden, immer nach Norden schaute sie, und die seidenen Ärmel, die ihre Ellbogen umbauschten, schimmerten und flatterten, als wären sie aus Schmetterlingsflügeln gemacht. Mehrmals täglich kam Prinz Diego aus dem Zelt und fragte unterwürfig, ob er ihr mit etwas dienen könne.

»Ah, der tölpelhafte Tänzer!« sagte Prinzessin Lisvana dann, ohne sich umzudrehen, »meine Antwort kennt Ihr.«

Rosamonde, die anfangs neben ihrer Herrin gestanden hatte, hielt nicht lange durch. Schon am zweiten Tag machte sie sich selbständig und flanierte über das Schiff, am dritten hielt sie bereits einen kleinen Schwatz mit König Leo, nahm auch von dem angebotenen Konfekt, und am vierten versicherte sie dem Prinzen unter vier Augen, daß es zweifellos ein gutes Zeichen sei, daß die Prinzessin jetzt endlich das blaue Kleid trage. Dann wieder packte Rosamonde das schlechte Gewissen, ihren Entführern gegenüber nicht nachtragender zu sein, und sie hielt Ausschau nach dem Zwerg, um ihn zu treten. Pedsi wuselte den ganzen Tag übers Deck. Er schnupperte die Seeluft, aß von den restlichen Bananen, trug ab dem späten Nachmittag ständig einen Kelch Wein in der Hand, tanzte vor sich hin und genoß sein neues, verheißungsvolles Leben, in dem er sich vor niemandem außer Jungfer Rosamonde in acht nehmen mußte. Wenn er sie kommen sah, kletterte er schnell in die Wanten.

»Verfluchter Zwerg«, rief Rosamonde dann zu ihm herauf, laut genug, daß auch die Prinzessin es hören durfte, »es ist der verfluchte Zwerg, der alles verschuldet hat! Fluch über den Zwerg!«

Pedsi hörte sich ihr Geschimpfe aufmerksam an, hielt sich mit einer Hand in der Takelage fest und prostete ihr mit seinem Kelch zu.

Endlich hatte die Esperanto das Mittelmeer erreicht. Der Hafen von Basko war nur noch zwei Stunden entfernt, und viele kleine, mit Fähnchen und Wimpeln geschmückte Barken und Gondeln waren der königlichen Galeone entgegengefahren und begleiteten sie jetzt. König Leo der

Erste, den es schon seit geraumer Zeit gewaltig marterte, mitansehen zu müssen, wie sein Sohn um die Gunst der widerspenstigen Prinzessin buhlte, ging selbst zu Lisvana. Sie stand, wie erwartet, über dem Heck und hatte sich trotz der Hitze einen dunkelblauen Samtschal, der ursprünglich einmal die Tischdecke in ihrer Kajüte gewesen war, um den Kopf gewickelt.

»Meine treuen Untertanen winken Euch zu«, sagte König Leo. »Wäre es zuviel verlangt, wenn die Braut meines Sohnes jetzt vielleicht mal kurz die Hand heben und huldvoll zurückwinken würde? Ihr müßt ja nicht gleich übertreiben. Einmal winken wäre schon schön.«

»Braut?« tat Prinzessin Lisvana erstaunt. »Von was für einer Braut redet Ihr? Gibt es hier irgendwo eine Braut?« Und sie drehte sich nach allen Seiten, als hielte sie Ausschau nach einer möglichen Braut für Prinz Diego. »Hier ist nur eine arme Gefangene, schändlichst entführt, aus einem Land, das Euch Gastfreundschaft gewährte.«

»Schon gut, schon gut, wir haben jetzt begriffen, daß Ihr uns grollt, und Ihr habt auch einiges Recht dazu. Aber nun ist es an der Zeit, daß Ihr Euch in Euer Schicksal ergebt. Sämtliche Prinzessinnen auf der Welt wären mehr als glücklich, meinen Sohn zu heiraten. Er kann praktisch jede haben.«

»Wie schön für ihn«, antwortete Lisvana schnippisch, »dann soll er sich doch eine aussuchen.«

»Das hat er bedauerlicherweise schon«, sagte König Leo. »Und es ist weiß Gott keine gute Wahl, muß ich hinzufügen. Ist Euch eigentlich klar, wie großzügig es von mir ist, eine Schwiegertochter ohne nennenswerte Mitgift zu akzeptieren?«

»Nein, wirklich? Ach, was«, sagte Lisvana, ohne zu beachten, daß auf König Leos Stirn gerade eine fingerdicke Ader anschwoll und sein Gesicht begann, sich blaurot zu verfärben.

In diesem Moment trat Prinz Diego zu ihnen und strahlte die Prinzessin an.

»Liebe, schöne, unglückliche Lisvana, seht Ihr das Blinken am Horizont? Das ist die Sonne, die sich in den goldenen Dächern von Basko spiegelt. Übrigens eine Stadt, die mehr Brücken als Venedig hat. Gebt Euren Gram auf, und Ihr sollt fortan selber in solchem Glanze einhergehen. Wenn Ihr erst meine Gemahlin seid, werden es nicht einmal die Favoritinnen meines Vaters an Eleganz mit Euch aufnehmen können. Alles, was Ihr begehrt, soll Euer sein. Nur erhört mich endlich.«

Der letzte Satz klang wieder flehend.

»Nun komm schon, Mädel, schlag ein«, brummte König Leo.

»Niemals!«

Prinzessin Lisvana wandte sich brüsk ab und zog den Tischdeckenschal in die Stirn. Prinz Diego faßte hilflos nach ihrem Ellbogen. Kaum hatte er sie berührt, stieß Lisvana ihn mit beiden Händen von sich und zischte: »Das ist ja widerlich!«

Dies war der Punkt, an dem König Leo ihr degradierendes Verhalten nicht länger ertragen konnte. Sein Gesicht sah aus, als wenn es gleich platzen würde. Er packte die erstaunte Prinzessin um die Taille, stemmte sie über seinen Kopf und schleuderte sie in hohem Bogen vom Schiff ins Meer hinunter. Gute fünf Meter. Die Prinzessin ging unter wie ein Stein. Die Wassertemperaturen im Nordland waren nicht so, daß der Schwimmsport sich dort hätte etablieren können.

»So«, sagte König Leo. »Jetzt ist Ruhe!«

Im selben Augenblick sprang Prinz Diego der Prinzessin hinterher. Das Meer um Baskos Hafen war fast das ganze Jahr über mollig temperiert, aber das bedeutete nicht, daß die Baskaren schwimmen konnten. Erst recht nicht die königliche Familie. Man hielt es damals für schädlich, allzuviel Wasser an den Körper kommen zu lassen. Der Prinz ging ebenfalls unter wie ein Stein. Glücklicherweise wimmelte es um die Galeone herum ja von bewimpelten Barken, und mit dem Haken einer langen Stange erwischte ein geistesgegenwärtiger Bootsführer den Prinzen am Fußgelenk.

Er zog und zog, der Prinz war erstaunlich schwer, sein Samtanzug hatte sich natürlich mit Wasser vollgesogen, aber das allein konnte solch ein Gewicht nicht ausmachen. Die halbe Bootsbesatzung mußte beim Einholen des Thronfolgers helfen. Man zog mit aller Kraft, der Fuß erschien, die Wade und das Knie, und dann stellte man zum allseitigen Staunen und Entzücken fest, daß der Prinz seine Braut in den Armen hielt. Lisvana schien nun gegen seine Berührung keine Einwände mehr zu erheben, sondern klammerte sich an ihn, daß die Knöchel ihrer Hände weiß hervortraten. Prinz und Prinzessin schnappten nach Luft. Auf den Barken brachen Jubelrufe aus.

»Na Gott sei Dank«, murmelte König Leo, der seinen Wutanfall bereits wieder bereute.

»Du hast mich beinahe getötet!« schrie Prinz Diego, als das triefende Paar an Bord der Esperanto gezogen worden war.

»Willst du etwa behaupten, ich bin schuld, wenn du vom Schiff springst?« knurrte König Leo verlegen.

Woraufhin der Prinz brüllte, ob sein Vater denn nicht begreifen könne, daß er ihn mittöten würde, wenn er Prinzessin Lisvana etwas zuleide täte.

Die Prinzessin selber äußerte sich gar nicht. Sie hustete und spuckte Wasser, während Rosamonde ihr den Rücken klopfte.

Und als König Leo zu ihr sagte: »Geht Euch umziehen. Das Kleid klebt ja an Euch wie die schreiendste Nacktheit«, starrte sie ihn mit schreckgeweiteten Augen an und verschwand widerspruchslos in ihrer Kajüte.

DIE PASTETE

uch als die Esperanto in den Hafen von Basko einlief und König Leo die Prinzessin zurückholen ließ, erschien Lisvana widerspruchslos an Deck, mit nur noch leicht feuchten Haaren und in Rosamondes gelbem Kleid. Widerspruchslos ging sie mit Prinz Diego an Land, und widerspruchslos ließ sie sich von einer aufgeregten Tochter des Volkes ein Körbchen mit den regionalen Spezialitäten – Pfeffer, Weintrauben und grünen Keksen – überreichen.

»Hoch«, riefen die äußerst zahlreich erschienenen Baskaren, »Prinzessin Lisvana und Prinz Diego, sie leben hoch! Die junge Braut, sie lebe hoch, hoch, hoch!«

Bei dem Wort ›Braut‹ war Lisvana kurz versucht, den Korb in das stinkende Hafenbecken zu kippen, aber just in diesem Moment trat Prinz Diegos cholerischer Vater hinter sie, und sie reichte den Korb stattdessen einem der vielen Schloßdiener, die eine Kette zu bilden versuchten, um die jubelnde Menschenmenge zurückzudrängen.

Königin Isabella hatte ihrer zukünftigen Schwiegertochter zwölf schöne Jungfrauen in silbernen Kleidern entgegengeschickt, die ritten auf zwölf kohlschwarzen Pferden. Für die Prinzessin hatten sie ein Freudenpferd mitgebracht, das war schneeweiß und über und über mit kleinen schwarzen Punkten gesprenkelt. Lisvana ließ sich hinaufheben. Die silbernen Jungfrauen legten ihr einen nachtblauen Umhang, bestickt mit glitzernden Diamantsternen, um, dann öffneten sie die silbernen Körbe, die an den Sätteln ihrer Rappen hingen, und Hunderte weißer Tauben flogen gen Himmel.

Prinz Diego und sein Vater nahmen in einer bereitgestellten Kutsche Platz.

»Und ich«, rief Rosamonde, die aus Mangel an trockenen Kleidern wieder ihr altes Nachthemd trug, »wo soll ich denn hin? Ich bin doch ihre Ehrenjungfer.«

»Du folgst im Gefolge«, sagte Pedsi, der plötzlich neben ihr stand, »deswegen heißt das nämlich so.«

»Gibt's dich auch noch, du Wichtel?«

Aber bevor sie nach ihm treten konnte, winkte König Leo den Zwerg zu sich.

»Komm her, wir müssen dich im Gepäck verstecken, schließlich sollst du eine Überraschung sein.«

Pedsi kroch in die große Reisetruhe, die hinten an der Kutsche festgeschnallt war. Von dem rauschenden Empfang, der Lisvana in Basko bereitet wurde, von den Fahnenwäldern, den Triumphbögen aus Buchsbaum und Rosenranken, den hysterisch jubelnden Menschenmassen, die durch jede Straße schwappten, bekam er gerade mal das Glockengeläut und den Kanonendonner mit. In muffige Dunkelheit gebettet, hielt Pedsi Einzug in sein neues Leben.

Endlich wurde der Deckel der Truhe wieder geöffnet, und er sah sich zwei freundlichen, stumpfnasigen Gesichtern gegenüber.

»Willkommen, mein Lieber! Ich bin Ozamu, der Sohn des Takasue, und das ist die Bernadotte«, sagte das linke Gesicht. Ozamu sah fremdländisch aus und trug ein oranges Käppchen wie eine halbierte Apfelsinenschale auf den schwarzen Haaren. »Wir sind die Lieblingszwerge der Königin Isabella, aber wenn ich dich so anschaue, dann sind wir ab morgen wohl nur noch die Zweitlieblingszwerge. Na, was soll's. Kann ich mich wieder mehr um meine Bonsais kümmern.«

»Schönheitsvergleiche könnt ihr später noch anstellen«, unterbrach ihn die Bernadotte, die mit ihrem eleganten, weit ausgestelltes Kleid wie eine Glocke über den Boden schwang. »Schnell, schnell, er muß sich doch noch umziehen. Jetzt steig heraus, wie auch immer du heißen magst.«

Pedsi stellte sich vor und krabbelte aus seiner Reisekiste. Er fand sich in einem zierlich eingerichteten Zimmer wieder, in dem alles auf ungewohnte Weise richtig und passend schien. Selbst die Fenster waren so niedrig eingebaut, daß er bequem hinausschauen konnte, ohne auf einen Schemel steigen zu müssen. Der Tisch mit den gebogenen Beinen reichte ihm nicht einmal bis zur Hüfte, und die mit gelben, glänzenden Stoffen gepolsterten Stühle waren gerade so hoch, daß er sich ohne jede Schwierigkeit darauf setzen konnte. Er brauchte einfach nur die Knie ein wenig zu beugen.

»Dafür ist keine Zeit«, rief die Bernadotte ungeduldig.

»Oh doch, so viel Zeit muß sein«, erwiderte Pedsi und seufzte. »Ich habe noch nie auf einem Stuhl gesessen, während gleichzeitig meine Füße den Boden berührten.«

»Das kannst du von nun an immer haben«, sagte der Sohn des Takasue freundlich, »denn das hier sind die Zwergengemächer. Und ich gehe mal davon aus, daß du hier einziehen wirst.«

Pedsi griff sich ein Glas vom Tisch. Das Glas hatte genau die richtige Größe für seine Hand, und das gleiche galt für die Pfeife und die Spielkarten, die auf dem Tisch lagen, für die Geige an der Wand und die Holzscheite neben dem Kamin. Die Bernadotte nahm ihm das Glas wieder fort, scheuchte ihn hoch und streifte seine alte Narrenjacke ab. Sie reichte ihm stattdessen ein weißes Hemd mit einem großen, eckigen Kragen und ein braunes Samtwams, samtene Kniehosen und blaue Schnallenschuhe, alles neu und fein. Der Sohn des Takasue wischte Pedsi mit einem parfümierten Lappen übers Gesicht. Das Wams war ein bißchen groß, das ließ sich mit einem Gürtel kaschieren, die Schuhe kniffen, das mußte Pedsi eben aushalten.

»Jetzt ab in die Küche!«

»In die Küche? Ja, ist denn noch Zeit zum Essen?«

Der Sohn des Takasue und die Bernadotte nahmen ihn bei der Hand. Treppauf, treppab, und eh er es sich versah, stand Pedsi in der Schloßküche. Zehn Herde spuckten Feuer, es zischte, spritzte, dampfte und brodelte, und ein Heer von Köchen, Kuchenbäckern, Zuckerkonstrukteuren, Tafeldienern und Küchenjungen wirbelte durcheinander.

»Da ist er ja endlich«, rief der Oberküchenmeister und winkte sie mit einer Pfanne weiter zu einem Tisch voller Kupferschüsseln – jetzt alles wieder in den altbekannten Dimensionen. Ein dürrer Koch, der einen Schaumlöffel im Gürtel trug, packte Pedsi unter den Achseln, hob ihn hoch und stellte ihn auf den Tisch – mitten in eine riesige Blätterteighülle.

»Knie dich hin! Dein Stichwort ist ›… meine holde Gemahlin, unsere vielgeliebte Königin Isabella …‹ Wenn der König das sagt, springst du aus der Pastete, stellst dich neben den Teller der Königin und hältst eine launige Rede – respektvoll, versteht sich.«

»Eine launige Rede? Was denn für eine launige Rede? Was soll ich denn sagen? Und woran erkenne ich überhaupt die Königin?«

»Dir fällt schon was ein. Die Königin ist die mit der Krone.«

Und damit legte der dürre Koch den Deckel auf die Pastete, verklebte den Rand mit einer Girlande aus grünen Marzipanblättern, und vier Tafeldiener trugen die Pastete auf einem goldenen Tablett zur königlichen Tafel.

Eine volle Stunde mußte Pedsi in dem unbequemen Gebäck ausharren. Während er seine schmerzenden Knie massierte und sich verzweifelt eine Rede auszudenken versuchte, war er sich gar nicht mehr so sicher, daß sich sein Los zum Besseren gewendet hatte. Endlich sagte König Leo die verabredeten Worte. Pedsi versuchte aufzuspringen, aber seine überdehnten Kniesehnen versagten den Dienst. Er taumelte, fiel und brach zum allgemeinen Gelächter seitlich und kopfüber aus der Pastete heraus. Das Entzücken der Königin schmälerte das nicht. Sie klatschte vor Freude in die Hände und warf ihrem Mann einen gerührten Blick zu. König Leo war sehr mit sich zufrieden. Nun hatte sich Pedsi wieder gefangen. Er blinzelte, geblendet von den vielen Kerzen, umkurvte aber elegant eine überzuckerte Früchtepyramide und einen gebratenen Pfau und verbeugte sich neben dem Teller der Königin Isabella. Die war dünn und großnasig und trug ein cremefarbenes Brokatkleid von erlesenem Geschmack.

»Hochwohlgeborene Königin des Baskarenlandes, es ist mir ...«, begann Pedsi.

»Er ist zwar nicht der kleinste, aber hübscher als alle meine Zwerge!« unterbrach ihn Isabella. »Man muß ihn einfach liebhaben.«

»Ihr Diener, Frau Königin«, erwiderte Pedsi und machte den Kratzfuß nach, den er bei Prinz Diego gesehen hatte.

»So ist es recht. Gleich morgen sollst du mich bei meinem Ausritt durch die Gärten begleiten. Finde dich nachmittags Punkt zwei bei den Ställen ein, und melde dich bei Laurentius. Sag ihm, daß ihr alle in hellblau gekleidet sein sollt. Die Farbprobe liegt beim Stallmeister. Nicht, daß ihr in einem falschen Blau erscheint.«

Ehe Pedsi etwas erwidern oder fragen konnte, kam ein würdig aussehender Herr mit Brille und silbergrauer Perücke und winkte ihm, vom Tisch zu steigen. Die Königin packte bereits ein neues Geschenk aus.

»Oh, Spectabilis-Knollen! Und Maganten-Rhizome! Leo, du Schatz, woher wußtest du nur, daß ich mir genau die wünsche?«

Pedsi war nicht besonders unglücklich, um seine Rede gebracht worden zu sein. Er verbeugte sich noch einmal vor sämtlichen Hoheiten, wobei er feststellte, daß Prinzessin Lisvana fehlte, und kletterte dann den Tritt hinunter, den zwei Tafeljungen an den Tisch hielten. Er hatte geglaubt, den Speisesaal verlassen zu müssen, aber der würdig aussehende Herr mit der Perücke führte ihn zu einer zweiten, viel niedrigeren Tafel ganz in der Nähe, die er bisher nicht bemerkt hatte und an der ein Platz für ihn freigehalten worden war. Hier saßen bereits die dreizehn anderen Schaustücke aus der Zwergensammlung der Königin auf entsprechend kleineren Stühlen und aßen die entsprechend kleinere Ausführung der Mahlzeit der hohen Herrschaften. Wo auf dem Tisch des Königs eine Brabantgans stand, da hatte man ihnen eine fette Ente hingestellt, auf die gleiche Art zubereitet und auch genauso dekoriert, mit Fußmanschetten, Zuckerguß und Mandarinen- statt Apfelsinenscheiben. In der Gemüseschüssel der Zwerge lagen die allerkleinsten Erbsen und winzigsten Wurzeln, die zartesten Bohnen, die Pedsi je vor Augen gekommen waren. Auch die Gemüseschüssel selbst und die Teller und Messer und Gabeln, die Servietten und Gläser, die Kuchen und Pasteten und der Blumenschmuck waren das getreue Abbild der Gemüseschüssel, Teller, Messer, Gabeln, Gläser, Servietten, Kuchen, Pasteten und Blumen auf dem Königstisch – zu halber Größe geschrumpft.

Der Sohn des Takasue und die Bernadotte, die ihm schräg gegenübersaßen, nickten Pedsi freundlich zu, und alle Zwerge hoben ihre Gläser. Obwohl sie saßen, bemerkte Pedsi gleich, daß die meisten von ihnen irgendein Gebrechen hatten, einen Buckel oder ein Gekröpf, der Sohn des Takasue hatte kurze krumme Beine, ein anderer eine Gänsebrust, und wieder ein anderer einen übermäßig dicken Kopf. Zwei von den Zwergen, mit breiten Lippen und gedunsenen Gesichtern, waren offensichtlich schwachsinnig. Die Bernadotte hingegen war gesund und wohlgestaltet. Niemand sprach, und darum sagte auch Pedsi nichts, ließ sich aber gern von einem großgewachsenen Diener den Miniaturteller füllen.

»Aber das schönste Geschenk ist doch der Zwerg«, kam es vom Königstisch herüber. »Damit hast du mir eine so große Freude gemacht, mein lieber Leo, ich kann dir gar nicht sagen, was für eine. Und weißt du was – ich habe bereits eine fantastische Idee, was die Hochzeit unseres Sohnes betrifft!«

»Laß mich raten: Es hat etwas mit deinem Garten zu tun«, sagte König Leo.

»Oh, nein. Obwohl … der Garten muß natürlich auch umgestaltet werden, besonders der Kapellenteil. Die Gärtner sollen ausgewachsene Heckenrosen beschaffen und zurechtschneiden, damit die beiden sich in einer blühenden Kapelle ganz aus Strauchwerk das Jawort geben können. Alle farbigen Blüten werden aus den Beeten entfernt und stattdessen durch weiße und silberfarbene ersetzt, passend zum Brautkleid der Prinzessin. Es wird schneeweiß sein, weil sie doch aus dem Norden kommt. Wir setzen Pfauentauben aus und weiße Kaninchen und Albinohirsche, die Papageien müssen natürlich durch Kakadus ersetzt werden, und wir kaufen weiße Pferde und lassen ihnen Ziegenhörner in die Stirn pflanzen, damit sie wie Einhörner aussehen.«

»Sie werden vor Schmerzen halbverrückt sein und alles zertrampeln«, sagte König Leo.

»Dann lassen wir ihnen eben auch noch die Augen ausstechen und durch blaues Glas ersetzen. Dann bleiben sie da, wo wir sie hinstellen. Das Wichtigste von allem, die Krönung des Festes, aber wird eine Goronzie sein. Wir müssen sie an einen ganz zentralen Punkt setzen, damit alle Gäste sie gleich sehen. Oh Leo, du mußt endlich ein Schiff für die Expedition zur Verfügung stellen. Mein Pflanzenforscher steht schon seit Wochen bereit. Und ohne Goronzie wird die Hochzeit unseres Sohnes nur eine halbe Sache sein.«

»Fängst du schon wieder von deiner gräßlichen Goronzie an«, knurrte König Leo, »ich kann jetzt noch viel weniger ein Schiff entbehren als sonst. Vielleicht greifen demnächst die Nordlandritter an.«

»Oh Diego, du mußt mir helfen, deinen knauserigen Vater zu überreden. Er will mir einfach kein Schiff überlassen. Nicht einmal, wenn es um deine Hochzeit geht. Und ohne Goronzie ist alles zunichte. Und dabei hatte ich einen so schönen Plan: Wir könnten gleichzeitig eine Zwergenhochzeit abhalten! Wir könnten den neuen Zwerg mit meiner Bernadotte verheiraten.«

Am Zwergentisch verschluckte sich Pedsi an seinem Kuchenstück und sah erschrocken hustend zur Bernadotte hinüber, aber die schien dieses Vorhaben bei weitem nicht als so einschneidend zu empfinden wie er und lächelte ihm gelassen zu. Auch Ozamu wirkte keineswegs erschrocken, sondern nahm bloß die Hand seiner Freundin, führte sie an den Mund und küßte ihre Finger, wobei er Pedsi ansah.

»Sie werden genauso geschminkt und gekleidet sein wie du und deine Lisvana«, fuhr die Königin fort, »und sie werden die genau gleiche Prozedur durchlaufen, immer um zehn Minuten versetzt. Wir lassen auch die Hochzeitskutsche noch einmal in klein bauen, und sie soll von Ponys gezogen hinter der richtigen Hochzeitskutsche herfahren. Ein Jammer, daß deine Braut nicht bei uns ist, dann könnte ich jetzt mit ihr den Schnitt ihres Brautkleids besprechen und eine passende Kutsche dazu entwerfen. Ich finde, sie hätte sich ruhig etwas zusammenreißen können. Hat sie der kleine Sturz wirklich so mitgenommen?«

»Aber Mama, sie wäre beinahe ertrunken. Und es war dein Mann, der sie ins Meer geworfen hat. Da ist es vielleicht verständlich, daß sie heute abend nicht mit uns essen möchte«, erwiderte Prinz Diego,

»Nun ja, auf mich wirkte sie eigentlich ganz robust«, fand die Königin, »vielleicht sogar etwas zu robust. Mit ein paar Schönheitspflästerchen und einem Pfund Puder ist da gewiß etwas zu machen. Übrigens hat unser Hofschreiber ihr ein Gedicht überreicht, das sie nicht einmal angesehen hat. Kann sie womöglich gar nicht lesen?«

»Natürlich kann sie lesen«, sagte Prinz Diego, »sonst werde ich eben vier Vorleser für sie einstellen.«

DIE GRÄFIN TOLSTERAN

Am nächsten Morgen erwachte Lisvana in einem Bett aus blauem Glas. Säulen hielten ein mit grünem Damast behangenes Dach, und die Prinzessin ruhte auf den weichsten Kissen, die sich nur denken ließen. Gegen ihr Bett im Nordlandschloß war schon das Bett in der Kajüte der Esperanto eine Sensation gewesen, aber dieses hier erschien ihr wie das Himmelreich.

Die Wände des Zimmers waren mit Brokat tapeziert, und von der Decke hingen Kristallüster, deren Licht von unzähligen Spiegeln zurückgeworfen wurde. Neben jedem Spiegel stand eine chinesische Vase voll der schönsten Blumen aus den Gärten der Königin. Über einem Sessel lagen drei Kleider, ein silbernes, ein goldenes und eines in rosa. Sie waren mit Perlen bestickt und noch um vieles prächtiger als das Kleid, das sie auf dem Schiff getragen hatte – das reinste Feenwerk.

Die Prinzessin war kaum erwacht, als Rosamonde eintrat und darauf drängte, die königlichen Schneider und Schuhmacher einzulassen, die seit Stunden vor der Tür standen, um Maß für weitere Kleider und Schuhe zu nehmen. Rosamonde selber trug schimmerndes Grau und hatte ihre Bestellungen schon aufgegeben. Ihre braunen

Haare lagen in vier graziösen Lockenreihen am Kopf und waren mit Schleifen und Bändern geschmückt. Offenbar hoffte der Prinz, über das Herz der Ehrenjungfer auch das der Prinzessin zu erobern.

Zehn Minuten später saß Lisvana – in rosa – vor einem Spiegeltischchen und war von zehn Kammerzofen, dem Hoffriseur, von vier Stoffhändlerinnen und zwei Schneidern umgeben. Ihr zu Füßen häuften sich Seiden- und Atlasballen, geklöppelte Spitzen, Mieder und Hüftpolster, Quasten, Troddeln, schwarze Seidenstrümpfe, Schirme, Fächer, Maroquinleder, gläserne Absätze, Diamantschnallen, weiche Kitzhäute und silberne Schuhe. So vieles, das das weibliche Auge leuchten machte und angenehm durch die Hände glitt.

»Das«, sagte Prinzessin Lisvana, »das da und das und das, und das auch. Und davon zehn Meter. Und es soll damit bestickt werden. Wie heißt das Zeug? Mattgold-Pailletten? Na meinetwegen.«

Ein milde lächelnder Fettwanst, der sich als der Verwalter der königlichen Juwelen vorstellte, hielt ihr abwechselnd Kästchen voller Ringe, Ketten, Armbänder, Ohrgehänge oder Diademe unter die Nase. Die Prinzessin rührte mit dem Zeigefinger darin herum, während die Zofen ihr das Gesicht puderten und unter der Anleitung des Hoffriseurs das Haar über ein Lockenholz bürsteten, auf dem Hinterkopf zusammenfaßten und mit einem kronenartigen Diadem feststeckten. Rosamonde wand ihr noch eine Reihe aufgefädelter Perlen hinein.

Friseur, Schneider und Händlerinnen waren kaum fort, da standen bereits die zwölf silbernen Jungfrauen vor der Tür, heute allerdings in hellblau, und wollten den edlen

Gast zu einer Spazierfahrt in die Gärten der Königin abholen.

»Edler Gast? Von wegen. Schick sie weg«, sagte Lisvana zu Rosamonde, »eine Hofdame Baskariens kann niemals meine Hofdame sein.«

»Aber die Gärten sollten wir trotzdem anschauen«, meinte Rosamonde, nachdem die Jungfrauen äußerst beleidigt abgerauscht waren. »Es soll nichts Schöneres je erdacht worden sein als die Gärten der Königin.«

»Meinetwegen. Da wir nun schon einmal Gefangene sind, sollten wir die Gefangenschaft immerhin so angenehm wie möglich hinter uns bringen. Es nützt ja niemandem, wenn wir leiden und darben«, sagte Lisvana und nahm von den Weintrauben, die aus einem Porzellanfüllhorn quollen.

Es war schon weit nach Mittag, und die Sonne brannte vom Himmel, als die Prinzessin und Rosamonde auf einen der wohlunterhaltenen Hauptwege der königlichen Anlagen traten. Rechts und links der feinen Schotterung schaukelten bunte Papageien in freihängenden Bögen. Jasmin und Rosen rankten sich die dazugehörigen Gerüste hinauf, und Orangenbäume voller Blüten und Früchte in allen Reifestadien säumten den Weg und hüllten ihn in Wohlgeruch. Ein Mohrenknabe mit Turban, knappem Jäckchen und blauer Pumphose stand neben einer Palme, spielte mit einem Äffchen und gab sich Mühe, exotisch auszusehen. Dahinter wechselten Buchsbaumpyramiden sich ab mit Blumenpartien, deren Farbzusammenstellung verschiedene Wappen wiedergab. Lisvana entdeckte sogar das weißgraue Hoheitszeichen des Nordlands – samt Eisbär aus gefüllten Veilchen.

Der Weg führte auf ein Rondell mit Fontäne zu. Nach und nach kam ihnen der halbe Hofstaat entgegen, der dort oder in einem der angrenzenden Schattengänge Kühlung und Gespräch gesucht hatte und jetzt auf dem Rückweg war. Die geputzten Herren verbeugten sich lächelnd und zogen ihre großen Hüte. Die Damen musterten neugierig die widerspenstige Braut aus dem Norden und steckten die Köpfe zusammen, sowie sie ein paar Meter weiter waren. Lisvana klappte ihren Fächer auf und bewedelte so gleichmütig wie möglich ihren Hals.

In diesem Moment begegnete ihnen die allerprächtigste aller Damen. Sie war ein wenig voll von Gestalt, und ihr Kleid schien doppelt so ausladend wie Lisvanas zu sein. Blütenweiß und über und über mit rosa Schleifen besetzt, glich es einer riesigen Torte. Die dazugehörigen russischen Windhunde mußte ein Page führen, denn der Radius des Rocksaums übertraf die Länge der Leine. Die Haare der bemerkenswerten Dame waren rot, aufgetürmt und von einem Bouquet aus Edelsteinen gekrönt. Das Gesicht war rund und undefinierbaren Alters, kalkweiß gepudert und mit aufgemalten Brauen, ein grelles Rot auf den Wangen. Anstelle eines Schönheitsflecks klebte links neben dem Mundwinkel ein Spielkartenemblem aus schwarzem Samt – das Pik As. Prinzessin Lisvana war dermaßen beeindruckt, daß sie ganz vergaß, arrogant und abweisend zu sein, als die Dame auf sie zusteuerte.

»Verzeiht, Prinzessin, wenn ich Euch einfach anspreche, ohne daß ich vorgestellt worden bin – aber solange Euch die geheime Zeichensprache des Fächers noch nicht bekannt ist, solltet Ihr nicht so unvorsichtig damit umgehen. Gräfin von Tolsteran, zu Euren Diensten.«

»Was meint Ihr? Was habe ich denn getan?« fragte Lisvana verblüfft.

»Nun, so wie Ihr den Fächer gerade gehalten habt, Kinn und Mund verdeckend und auf Euch zu fächelnd, habt Ihr zum Ausdruck gebracht, daß Ihr auf der Suche nach einem Liebhaber seid. Und das lag doch gewiß nicht in Eurer Absicht.«

Die Gräfin von Tolsteran schwenkte in einen mit Weinlaub bewachsenen Schattengang ein, und Prinzessin Lisvana und Rosamonde mußten mit ihr abbiegen, wollten sie nicht von ihrem mächtigen Rock zur Seite gefegt werden.

»Wo Ihr doch gerade erst heiraten wollt, und noch dazu den schönsten Bräutigam, der sich denken läßt.«

»Was fällt Euch ein?« rief die Prinzessin. »Ich kann zu Eurer Entschuldigung nur annehmen, daß Ihr nicht wißt, daß ich gegen meinen Willen hierher verschleppt worden bin. Diese Heirat findet nicht statt! Mein Vater wird kommen und mich befreien.«

»Ach Kindchen, warum leistet Ihr denn solchen Widerstand?«

Die Gräfin legte ihre dicke Hand auf den Arm der Prinzessin.

»Ihr solltet hoffen, daß Ihr Euren Vater nie wieder zu sehen braucht. Ein Vater, der nicht will, daß Ihr Prinz Diego heiratet, will Euer Glück nicht, und Ihr seid ihm nichts schuldig.«

»Ich selber will den Prinzen nicht. Er ist mir zuwider«, fuhr Lisvana auf.

»Seit wann geht es bei einer Ehe um den Ehemann?« sagte die Gräfin. »Wen Ihr heiratet, ist doch völlig gleichgültig. Es geht um das Ansehen, das Euer Gemahl Euch verschafft, und den Luxus, den er Euch bieten kann. Als Prinzessin müßt Ihr einen Schwarm von Leuten unterhalten, die wenig arbeiten und gut bezahlt werden wollen. Ich weiß ja nicht, wen Ihr statt Prinz Diego im Herzen tragt, aber spätestens ein Jahr nach der Vermählung ist auch der schönste und liebevollste Mann bloß noch wie ein Bild, das schon seit Ewigkeiten an derselben Stelle hängt und das man nicht anschauen kann, ohne zu gähnen. Und dann ist der eine so gut wie der andere. Wobei mir nicht klar ist, was es an der Gestalt oder dem Charakter des Prinzen eigentlich auszusetzen gibt.«

»Es ist eine Frage der Ehre«, sagte Lisvana trotzig.

Die Gräfin lächelte mitleidig.

»Ehre, Würde, Stolz ... seit wann haben wir Frauen denn daran Anteil? Ist es nicht der schlimmste Schimpf, wenn ein Ritter oder ein Soldat zu einem anderen sagt, er benehme sich wie ein Weib? Entbindet uns das nicht von jeder Verpflichtung? Genießt die bodenlosen Vorteile der Schande, ein Weib zu sein. Würde Euer Vater denn nach Eurer Meinung fragen, wenn er Euch verheiraten wollte? Wer nicht gefragt wird, braucht sich auch nicht mit Stolz und Ehre herumzuplagen. Und wollt Ihr im Ernst lieber mit einem – ich bitte um Entschuldigung, aber ist es nicht so? – haarigen Nordlandfürsten verheiratet werden als mit dem Thronfolger Baskariens?«

Die Gräfin Tolsteran ließ Lisvanas Arm wieder los.

»Da ist was dran«, sagte Rosamonde.

»Tolsteran ... Tolsteran ... Wo liegt das eigentlich?« fragte Prinzessin Lisvana in plötzlichem Begreifen.

»Komm«, sagte sie zu Rosamonde und ließ die Gräfin samt Hunden und Page ohne Abschied stehen.

»Pah, die Meinung einer Hure«, rief sie, während sie noch in Hörweite waren.

»Aber das Kleid ist fantastisch«, murmelte Rosamonde.

Als sie wieder aus dem Schattengang heraustraten, schlug ihnen die Hitze wie ein heißer Lappen entgegen. Lisvana wagte jedoch nicht, noch einmal ihren Fächer zu benutzen. Auf dem Weg zurück zum Schloß kam die Königin mit ihrer Zwergeneskorte an ihnen vorbeigaloppiert. Sie trug ein hellblaues Reitkleid mit dazupassendem Dreispitz und ritt einen mächtigen Schimmel, dessen Mähne mit hellblauen Schleifen und Seidenbändern durchflochten war. Auch die sieben Zwerge, die ihr folgten, trugen alle Reitkleidung im selben Blau und ritten auf weißen Shetlandponys, deren Mähnen genauso verziert waren wie die des großen Pferdes. Rosamonde klopfte ihrer Herrin den Staub vom Kleid und sah der Zwergeneskorte hinterher. An den Schweifen der Ponys wippten Rosetten – ebenfalls im vielfach verwendeten Blau.

»Hol mich der Teufel, wenn der, der da so schief auf dem Pony hängt, nicht Pedsi ist. Wieso darf der Kerl jetzt mit der Königin ausreiten? Das möchte ich doch wirklich gerne wissen.«

»Sie hat mich nicht gegrüßt. Sie hat nicht einmal angehalten, um mich zu grüßen. Das ist ja wohl das Letzte«, sagte Lisvana.

»Ja, hättet Ihr denn zurückgegrüßt?« fragte Rosamonde.

»Natürlich nicht. Aber sie hätte es ja wenigstens versuchen können.«

GESCHENKE

Am Abend klopfte Prinz Diego an die Tür.
»Ah, der tölpelhafte Tänzer«, sagte Lisvana.
»Kommt ruhig herein – das gehört Euch hier ja so-
wieso alles mehr oder weniger. Die Mätresse Eures
Vaters hat mir auch schon gesteckt, was für eine gute Partie
Ihr seid. Hat alles aufgeboten, die brave Gräfin Tolsteran; ist
nicht ihre Schuld, wenn nichts dabei herausgekommen
ist.«

Der Prinz räusperte sich. Er trug einen kleinen schwarzen
Mops unter dem Arm. Der Mops war wie ein Mensch gekleidet. Er hatte sogar einen Hut mit Federn auf dem Kopf.

»Ich dachte … vielleicht möchtet Ihr gern … damit Ihr
Euch hier nicht so einsam fühlt.«

»Ich kann solche Köter nicht ausstehen.«

»Dann vielleicht eine Katze?«

»Davon muß ich niesen.«

»Ja … dann natürlich keine Katze. Aber ich darf Euch
heute zum Essen hinunterführen? Meine Mutter möchte
Euch gerne sprechen.«

»Aber ich will sie nicht sprechen. Wir speisen hier oben.
Allein.«

»Wollt Ihr mir nicht endlich verzeihen«, fragte der Prinz
sehr leise, während er die Jacke des Mopses streichelte.

Die Prinzessin drehte ihm stumm den Rücken zu. Rosamonde sah ihn teilnahmsvoll an und hob gleichzeitig die Schultern. Der Prinz nahm den Hund wieder mit hinaus.

»Mach dir nichts draus«, sagte die Königin, als er sich an den Tisch setzte. »Das sind bloß Launen, die sich legen werden, wenn du deine Braut nur mit genügend Geschenken traktierst. Was hälst du übrigens davon, wenn wir bei deiner Hochzeit auf Gläser und Teller verzichten und Geschirr und Trinkgefäße aus Eis herstellen lassen? Als Anspielung auf das frostige Verhalten deiner Zukünftigen. Und weil sie doch praktisch aus dem Land des Eises kommt. Für die Teller nehmen wir zerstoßenes und anschließend überfrorenes Eis, dadurch könnten wir einen milchigen Porzellanschimmer imitieren.«

»Herrgott, Isabella, jetzt denk doch mal nach«, sagte König Leo, »wie willst du denn heiße Suppe in einer Terrine aus Eis servieren!«

»Du hast wie immer recht, Lieber, aber vielleicht könnten wir beim Nachtisch …«

Prinz Diego winkte einen der Tafeldiener heran und übergab ihm zwei Teller mit Wachtelragout, zwei Puddingschalen und eine Flasche Wein.

»Zur Prinzessin bringen! Rasch, bevor es abkühlt!«

Die nächsten Wochen vergingen für Lisvana und Rosamonde überaus vergnüglich. Keinen Tag wurde man vor elf Uhr geweckt, bis dahin war es am baskarischen Hof noch nicht Morgen. Von elf bis eins empfing Lisvana im Nachthemd Händlerinnen und Schneider, die ihre Ware vor ihr auf dem Bett ausbreiten mußten. Anschließend badete sie in warmer Eselsmilch – Milch war nicht so verpönt wie Wasser –, aß ein wenig Obst und Kuchen und ließ sich von ihren zehn Zofen anziehen, frisieren und mit Schleifen schmücken. Am Nachmittag ging sie mit Rosamonde in die Gärten, die Kleider der Hofdamen besehen, oder sie ritt auf ihrem getüpfelten Pferd aus.

»Wir fliehen bei der ersten Gelegenheit«, sagte Lisvana zu Rosamonde, die sie auf einem Rappen begleitete, »falls es im Nordland schon geschneit hat, kann es Monate dauern, bis die Unsrigen angreifen.«

»Mir ist es damit nicht so eilig«, antwortete Rosamonde. »Wozu denn? Um mich am Nordlandhof in Filz und Wolle zu hüllen und Ritter Luntrams Frostbeulen mit Robbenfett einzuschmieren?«

Eine Flucht vom Schloßgelände war zudem kaum denkbar. Die Mauern rund um den Park waren hoch und glatt, und die voluminösen Kleider, die sie jetzt trugen, machten es schon schwierig genug, auch nur aufs Pferd zu kommen. Rosamonde hatte sich inzwischen vierzehn solcher Kleider anfertigen lassen, Prinzessin Lisvana zweiunddreißig. Schuhe besaß sie vierundfünfzig Paar, jene acht nicht eingerechnet, die noch in Arbeit waren. Damit sie ihre jeweils neuesten Roben auch vorführen konnten, ließ Prinz Diego Opern und Komödien für sie aufführen, veranstaltete Bälle und Maskeraden.

»Das wird man uns ja wohl nicht vorwerfen können, daß wir uns ein bißchen von unserem Kummer ablenken lassen«, sagte die Prinzessin.

Prinz Diego trug bei diesen Festen entweder die schwarzrote baskarische Gala-Uniform oder einen schwarzen, mit Diamanten übersäten Anzug – jeder Diamant funkelte auf einem silbern eingefaßten Stern. Sogar Lisvana mußte insgeheim zugeben, daß er sehr hübsch war und außerordentlich vornehm und liebenswürdig, und ein guter Tänzer obendrein – gar nicht tölpelhaft. Aber nett zu ihm zu sein, das war ja nun einmal unmöglich. Wenn er sie aufforderte, erteilte sie ihm vor allen eine patzige Abfuhr.

Trotzdem erschien Prinz Diego jeden Abend wieder mit anderen kostbaren Geschenken vor Lisvanas Tür, flehte so heftig wie vergeblich um ihre Liebe und ließ sich von ihr kränken. Wenn Diego sagte: »Dieser dicke Diamant sprüht Feuer, allein er kann sich mit dem Glanz Eurer Augen nicht messen«, so antwortete Lisvana: »Tut ihn in die Kiste da, zu dem übrigen Plunder. Ich will ihn nicht.«

Dem Argument des dicken Diamanten folgte ein Flehen aus Smaragd und eine Totalkapitulation von Rubin, bestehend aus Diadem, Ohrgehänge, Halsgeschmeide, Brosche, Ring, Armband und Gürtelschnalle.

»Das ist wirklich eine sagenhafte Rubinausstattung, besonders das Armband«, sagte Rosamonde später zu Lisvana, während sie in den Gemächern der Prinzessin saßen und das Fasanenfleisch, das der Prinz ihnen hatte herauftragen lassen, auf fein ziselierte Gabeln spießten.

»Ja, geht so«, antwortete Lisvana, »wenn erst die Unsrigen gekommen sind und uns befreit haben, werde ich es dem dreckigsten Hund als Halsband umlegen. Wir nehmen nichts davon mit.«

»Seid Ihr denn so sicher, daß die Unsrigen kommen?«

»Völlig sicher. Und dann wird der tapfere Herr Bredur mich befreien«, sagte Lisvana, die sich seit neuestem darauf versteifte, Ritter Bredur zu lieben. Rosamonde nahm diese Ankündigung gelassen hin. Inzwischen hatte sie in Erfahrung gebracht, daß ein Angriff der Nordlandritter auf Baskarien ganz und gar aussichtslos wäre und ihre Gefangenschaft sich noch ewig hinziehen konnte. Was ihr nicht ungelegen kam. Ihr patriotisches Gewissen beruhigte Rosamonde, indem sie weiterhin nach Zwerg Pedsi trat.

DER HÜGEL DES EHRGEIZES

uch Pedsi richtete sich am baskarischen Hof ein, festigte und verbesserte seine Position. Zuerst hatte er die üblichen Zwergendienste verrichtet, war mit einer Kerze der Königin vorangegangen, wenn sie und ihre Damen sich abends durch die dunklen Gänge des Schlosses bewegten, hatte bei Festen ihre Schleppe getragen, und wenn sie zur Jagd ritt, hatte er sie in der Pony-Eskorte begleitet. Als sich herausstellte, daß die Spaniels der Königin ihn gut leiden konnten, stieg er zum Drittlieblingszwerg auf. Königin Isabella schenkte ihm einen Silberbecher mit Futteral, und er durfte nicht nur ihre Hunde spazierenführen, sondern sie auch bei ihren Garteninspektionen begleiten. Pedsi gefiel der Aufenthalt im Freien, auch wenn er hier vorerst nur die einfachsten und niedrigsten Arbeiten verrichtete. Bei den vielen Tieren, die in einigen Bereichen des Gartens herumliefen, ließ es sich natürlich nicht vermeiden, daß man hin und wieder auf etwas Unschönes stieß. Dafür war in jedem zehnten Strauch ein kleiner Eimer mit Schaufel versteckt, den der Zwerg dann zu füllen und wieder unter dem Strauch zu verstauen hatte.

Als Pedsi äußerte, daß er gern mehr Aufgaben im Garten verrichten würde, stieg er sofort zum Zweitlieblingszwerg auf. Die Königin schenkte ihm eine kleine, von zwei wolkenweißen Schafen gezogene Kutsche, mit der er die entlegensten Winkel der Anlage erreichen konnte, und stellte ihn ganz und gar für die Gärten ab. Richtig arbeiten mußte Pedsi auch dort nicht. Dienstags hockte er neben der gärtnernden Königin, reichte ihr Schaufel und Hacke und zupfte gleichzeitig das minderwertige Kraut aus einem Beet. Freitags war er für die Schildkröten zuständig. Etwa zwanzig Riesenschildkröten durchstreiften den ostakischen und den chinesischen Garten. Innerhalb der großen Gartenanlage befanden sich mehrere kleine, in sich abgeschlossene und doch in den großen Entwurf integrierte Gärten, ein ostakischer, ein afrikanischer, ein chinesischer, ein japanischer und einer für Gemüse, die alle vom Sohn des Takasue betreut wurden. Er war der Lieblingszwerg und der einzige Zwerg am Hof, der tatsächlich arbeitete. Freiwillig.

»Sonst würde ich hier einen an der Jacke kriegen«, pflegte er zu sagen.

Pedsis Aufgabe war es, in den Bambusbüschen, unter dem chinesischen ›Pavillon der gemusterten Aprikose‹ und unter dem ostakischen Kiosk herumzukriechen und die Schildkrötenpopulation auf Vollständigkeit zu überprüfen. Die Riesenschildkröten waren auf der Bauchseite numeriert. Die Königin hatte ihnen Löcher in den Panzer stanzen und Edelsteine einsetzen lassen. Pedsi mußte melden, wenn eine Schildkröte eingegangen war oder wieder mal jemand die Edelsteine aus einem Panzer gepult hatte. Der praktische Ozamu hatte sämtlichen Schildkröten Glöckchen um den Hals gebunden. Sie waren aber trotzdem nicht einfach aufzuspüren, weil ihre traumwandlerischen Bewegungen die Glöckchen kaum anschlagen ließen.

Der Sonntag war der härteste Tag. Dann mußte Pedsi

sich auf der Terrasse hinter dem Amphitheater auf eine Bank setzen und von Mittag bis zum Einbruch der Dunkelheit dort bleiben. Von der Bank aus hatte man einen wunderschönen Blick in ein sanftes, grünes Ulmental und auf einen gegenüberliegenden Felsen mit künstlichem, zehn Meter hohem Wasserfall und einer Schloßruine, die niemals ein Schloß gewesen war. Von der Terrasse aus hatte man auch noch den Blick auf einen Zwerg, der vor dieser Kulisse malerisch auf einer Bank zwischen zwei Kugelbäumchen hockte. Da es eine einfache, aber auch ein wenig langweilige Aufgabe war, einen Panoramablick zu komplementieren, gewöhnte Pedsi es sich bald an, eine Taschenflasche bei sich zu tragen, aus der er sich hin und wieder einen genehmigte.

Montags, mittwochs, donnerstags und sonnabends konnte Pedsi tun und lassen, was ihm gefiel, und dann gondelte er meist in seiner Schafskutsche durch den Garten.

Eines Sonntagnachmittags, als der Sohn des Takasue mit seiner Schubkarre am Panoramablick vorbeikam, sah er Pedsi vornübergebeugt und mit hochgezogenen Schultern auf der Bank zwischen den Kugelbäumchen sitzen, und weil er ihn für betrunken hielt, ging er hin, knuffte ihn in die Seite und raunzte ihn an: »Sitz gerade, du verdirbst die ganze Landschaft.«

Aber wie Pedsi sich zu ihm umdrehte und Ozamu sein kummervolles Gesicht sah, änderte er sogleich seinen Ton, setzte sich neben ihn und legte ihm seinen kurzen Arm um die Schulter.

»Ich weiß, ich weiß. Es ist nicht ganz einfach, das alles hier über sich ergehen zu lassen. Sie behandeln uns wie

Spielzeug, als Teil ihrer Menagerie. Ich habe rausgekriegt, daß wir in den Rechnungsbüchern zusammen mit den Hunden und Falken geführt werden. Sie kommen überhaupt nicht auf die Idee, daß wir irgendwelche Gefühle haben könnten. Sei nur froh, daß du nicht noch kleiner bist. Der Ludovico, er ist im letzten Jahr gestorben, der arme Kerl, er war der kleinste von uns allen, kaum über einen halben Meter, und die Königin ließ ihn in einem Papageienkäfig hinter sich hertragen. Aber bedenke, wie wir leben, wie wir wohnen, was wir essen und wie wir gekleidet sind. Und müssen uns nicht die geringsten Sorgen machen, was wird.«

»Darum geht's mir doch gar nicht«, sagte Pedsi grämlich, »ich habe ja überhaupt nichts dagegen, ein Zwerg zu sein, vor allem nicht hier. Es ist wegen Rosamonde. Sie haßt mich.«

»Rosamonde? Eine von den Großen etwa?«

Pedsi nickte.

»Sie ist die Hofdame von Prinzessin Lisvana. Ich dachte, wenn wir erst einmal aus dem Nordland heraus sind, wird sie mich schon liebgewinnen. Immerhin hat sie es mir zu verdanken, daß sie überhaupt mitgenommen wurde. Aber sie tritt immer noch nach mir. Vor dem ganzen Hof. Und sie nennt mich einen Wichtel.«

»Warum suchst du dir nicht eine Zwergin? Pippa und Girondella sind noch nicht in festen Händen. Was ist denn so toll an deiner Großen?«

»Sie ist schön, gehässig wie hundert Teufel, erschreckend oberflächlich und hat einen entzückenden kleinen Spalt zwischen den Schneidezähnen. Ich finde sie unwiderstehlich.«

»Was du brauchst, ist eine Aufgabe«, sagte Ozamu, »eine

richtige Aufgabe, bei der du nicht bloß stundenlang auf einer Bank herumsitzt. Mach's wie ich. Frag die Königin, ob du nicht einen Teil ihres Gartens gestalten darfst. Sie wird begeistert sein, und wenn du die Sache nur einigermaßen hinkriegst, wird sie dich mit Geschenken überhäufen. Wenn man irgendetwas an diesem Hof erreichen will, muß man sich in den Gärten hervortun. Außerdem hättest du endlich genug um die Ohren, daß du nicht ständig an diese Rosamonde denken mußt.«

»Aber ich will an Rosamonde denken. Und ich will, daß sie mich liebt. Ich will mich nicht mit Arbeit betäuben, sondern endlich glücklich sein.«

»In China haben wir da ein Sprichwort: Wer einen Tag glücklich sein will, sollte sich betrinken, wer ein Jahr lang glücklich sein will, sollte heiraten, und wer sein Leben lang glücklich sein will, sollte einen Garten anlegen.«

»Ich dachte, du bist Japaner?«

»Mal so, mal so«, sagte der Sohn des Takasue.

»Aber ich verstehe nichts vom Gärtnern.«

»Ich bring's dir bei. Die erste Stunde kriegst du gleich jetzt. Heute wird sowieso niemand mehr auf die Terrasse treten. Komm, ich erkläre dir den japanischen Garten.«

Er stand auf und zog Pedsi mit hoch.

»Ein japanischer Garten ist kein Blumengarten«, begann Ozamu, während sie hinübergingen, »er ist nicht zum Zweck der Pflanzenkultur angelegt, und bunte Beete wirst du vergeblich in ihm suchen. Du mußt ein Auge für die Schönheit der Steine entwickeln. Solange du die Schönheit der Steine nicht erfaßt, bleibt dir auch die Schönheit eines japanischen Gartens verborgen. Jeder Stein in diesem Gelände ist nach der Ausdrucksfähigkeit seiner Form ausgewählt und hat einen Namen, der auf seinen Zweck hinweist. Die beiden am Eingang heißen die Pforte des Vergessens.«

Sie traten zwischen zwei gewaltigen Felsblöcken hindurch, die ihre Spitzen gegeneinanderneigten.

»Dieser spezielle Garten hier symbolisiert das Leben des Menschen, und nach der japanischen Religion beginnt es mit der Pforte des Vergessens. Frag mich nicht warum, ich hasse religiöse Diskussionen, sie enden immer mit Streit. Nach der Pforte des Vergessens folgt jedenfalls der Aufenthalt im Mutterleib, deswegen habe ich dort den Keller angelegt. Ich bewahre die Gartengeräte darin auf. Und das ist der Pfad des Lebens.«

»So schmal?« fragte Pedsi.

»Beachte den kleinen Weg links. Er verliert sich im Bambushain. Du wirst immer wieder auf solche Abzweigungen stoßen, die ins Nichts führen. Sie sind die Versuchungen, die uns im Laufe des Lebens vom rechten Pfad abzubringen versuchen.«

»Ah«, rief Pedsi, »und dieser enge, dunkle Schattengang ist natürlich die Geburt?«

»Falsch«, sagte der Sohn des Takasue, »die Geburt haben wir längst hinter uns. Wir gelangen gerade durch den Tunnel der Unwissenheit zum Licht der Bildung. Beachte die kleinen, leuchtenden Steine zu deinen Füßen – es sind die Leitsterne des Geistes.«

Der Weg führte immer weiter bergauf, bis sich ihnen auf dem Gipfel ein schöner Überblick über zwei angrenzende Gärten mit ihren Pavillons, Wasserspielen und Schaukeln bot. In diesem Moment trat Pedsi in ein Loch und fiel der Länge nach hin.

»Das ist beabsichtigt«, erläuterte Ozamu, »wir befinden uns auf dem Pfad der Wachsamkeit. Das Leben ist voller Fallen und Hinterhalte, gerade wenn man denkt, daß man den großen Überblick gewonnen hätte.«

Er half seinem Freund wieder auf.

»Achte auf deine Füße. Hier sind noch mehr Löcher, und da vorne, im Schatten der Kiefer, schlängelt sich noch eine dicke Baumwurzel über den Weg. Das Plateau da unten heißt Niveau des Durchschnittsmenschen. Ab da ist der Weg wieder sicher. Achtung Stufe! Jede Stufe bedeutet übrigens ein weiteres Lebensjahr.«

Als sie an eine Kreuzung kamen, ließ Ozamu seinem Freund die Wahl, ob er den breiten, sonnigen, aber etwas nachlässig gepflegten Weg nehmen wollte oder den rauhen, schmalen Pfad, auf dem man nur einzeln gehen konnte, oder die leuchtend rote Brücke, die über einen Lotusteich führte. Pedsi betrachtete sie mißtrauisch.

»Ist das eine Falle? Sag mir erst, wie die Brücke heißt. Ist es die Brücke des großen Irrtums und Verderbens oder so etwas Ähnliches?«

»Nein. Es ist die Brücke der Erwartung, und sie führt zur Insel der Wunder und Freuden.«

»Nichts wie hin.«

Pedsi war ein bißchen enttäuscht, und Ozamu erklärte, daß sich die größten Wunder und Freuden nur im Frühling genießen ließen, wenn die japanischen Kirschbäume in voller Blüte standen und aussahen, als wären rosa Wolken vom Himmel herabgeschwebt und hätten sich in die Baumkronen geschmiegt. Die beiden Zwerge ließen sich auf einem schönen dunkelgrünen Moosteppich nieder, aus dem zarte weiße Blüten wuchsen.

»Du bist doch mit der Bernadotte zusammen, nicht wahr?« fragte Pedsi.

Der Sohn des Takasue lächelte und steckte sich einen Halm in den Mund.

»Wie hast du sie gekriegt? Ich meine, sie ist doch schon am längsten von uns allen am Hof und die hübscheste Zwergin. Und die Lieblingszwergin der Königin ist sie außerdem. Und gestern hat mir Laurentius« – Laurentius war der Vorreiter in der Pony-Eskorte der Königin – »erzählt, daß du noch keine zwei Jahre hier bist, und außerdem …«

Er verstummte.

»Du meinst, weil ich Japaner bin?«

Pedsi nickte.

»Gerade weil ich Japaner bin! Du mußt eines mal begreifen, mein lieber Pedsi: Am baskarischen Hof liebt man das Neuartige und Abweichende. Außerdem gibt es fast keine Frau auf der Welt, die man nicht haben könnte, wenn man sich richtig darauf konzentriert. Du mußt von dir selbst überzeugt sein, und du mußt deine Rosamonde wirklich haben wollen, mehr als alles andere. Dann kriegst du sie auch. Du hast doch ein schönes Gesicht und bist von harmonischer Leibesproportion. Sei nicht so trübselig, sei ein bißchen charmant, und in kürzester Zeit werden sich die Hofdamen um deine Gesellschaft reißen.«

»Ich glaub, es wird schon dunkel«, sagte Pedsi, »wir sollten langsam zurückgehen.«

»Na gut, dann kürzen wir eben ab«, entgegnete Ozamu und stand auf. »Den Weg der Ehe samt Abstecher ins Geisha-Haus lassen wir weg und besteigen gleich den Hügel des Ehrgeizes. Von dort hat man eine phantastische Aussicht auf die Brücke der Verlobung.«

Der Hügel des Ehrgeizes erwies sich als steile Angelegenheit. Pedsi mußte sich auf der Hügelkuppe erst einmal setzen. Als er wieder zu Atem kam, hatte er auch Augen für das Panorama.

»Hier oben, am Ziel des Ehrgeizes, ist alles aus solidestem Fels«, erklärte Ozamu, »und du kannst den gesamten japanischen Garten übersehen. Du kannst zurückblicken auf den Weg, der bei der Geburt und dem Tor des Vergessens begann, oder vorwärts schauen, wo das weitere Leben vor dir ausgebreitet liegt.«

Pedsie sah nach vorn. Er sah den Abstieg des Alters, hier folgten die Stufen in immer kürzeren Abständen aufeinander. Eine Brücke spannte sich über einen trägen, breiten Fluß, dahinter führten Trittsteine über ein weites Rasenstück, in kleinen Steinlaternen blakten Feuer. Trauerweiden warteten am Ende des Rasens, und wie das düstere Tor dahinter hieß, konnte Pedsi sich denken.

»Schau zurück«, sagte Ozamu, »da liegt die Brücke der Verlobung.«

Die Brücke der Verlobung bestand aus zwei leuchtend roten, einander zustrebenden Brückenhälften mit schwarzen Geländern.

»Ich mach's«, sagte Pedsi plötzlich. »Ich frag die Königin, ob ich nicht einen neuen Garten für sie entwerfen darf. Wenn ich sie heute nicht mehr erwische, frag ich sie gleich morgen früh. Womit mach ich am meisten Eindruck? Was hat sie noch nicht?«

»Sie hat bereits alles. Außer Pilzen. Aber davon laß lieber die Finger. Mit Pilzen ist noch jeder auf die Nase gefallen. Kümmer dich doch um die Farnbeete, die könnten einige Verbesserungen vertragen.«

»Ich leg der Königin einen Pilzgarten an, der sie um-
hauen wird. Ich sag, daß ich aus einer alten Gärtnerfamilie
komme. Ich sag, daß das Nordland berühmt für seine Pilzgärten ist und daß mein Großvater Obergärtner im allerbe-
rühmtesten Pilzgarten war. Es gibt nichts, was man nicht
anpflanzen könnte, wenn man es wirklich will. Ich leg einen Garten an, daß die Königin mich mit Ehren und Geschenken überhäuft.«

»Na also, so gefällst du mir schon viel besser«, sagte Ozamu, »wenn es nur nicht ausgerechnet Pilze wären.«

»Gerade Pilze«, rief Pedsi. »Ich schaff das schon. Ich
glaub, ich hab dafür ein Händchen, ein Pilzhändchen,
hähä. Übrigens, ich will dich ja nicht kritisieren, aber mit
deinen Bäumen hier ist was schiefgegangen. Die sind ja alle
so mickrig und krüppelig. Ist mir die ganze Zeit schon aufgefallen. Die mußt du mal düngen. Und umtopfen.«

»Das mit den Bäumen erklär ich dir das nächste Mal«,
sagte der Sohn des Takasue.

uch an diesem Abend saß die königliche Familie wieder ohne Lisvana zu Tisch. König Leo räusperte sich und nickte seiner Frau auffordernd zu.

»Du hast mir ja gar nicht erzählt, daß das Nordland für seine Pilzgärten berühmt ist«, sagte Königin Isabella zu ihrem Sohn.

Prinz Diego zuckte die Achseln, und am Zwergentisch tauschten Pedsi und der Sohn des Takasue einen langen Blick.

»Ich würde gerne deine Braut dazu befragen«, fuhr die Königin fort. »Warum ißt sie immer noch nicht mit uns?«

Prinz Diego seufzte und zuckte noch einmal mit den Schultern.

»Einer der Tafeldiener soll ihren Zofen Bescheid sagen. Wenn dieses Biest nicht sofort herunterkommt und mit uns am selben Tisch ißt, soll sie von morgen an nur noch Grütze und Wasser bekommen. Ich finde, sie hat uns jetzt lange genug zum Besten gehalten.«

»Allerdings«, nahm König Leo den Faden auf, »sie wird ja schon fett, deine kleine Prinzessin, von all dem Müßiggang und dem guten Essen.«

Es stimmte. Lisvana sah von Tag zu Tag blühender aus.

Die Gefangenschaft schien ihr zu bekommen, während ihr Entführer und Kerkermeister zunehmend verfiel.

»Du mußt dich aus der Sklaverei dieses Trampels befreien. Sie behandelt dich wie einen Knecht, du läßt ihr viel zuviel durchgehen«, eiferte die Königin.

»Ich bin sicher, daß Prinzessin Lisvana zugänglicher wird, wenn wir ihr noch ein bißchen Zeit lassen«, erwiderte Diego.

»Was nicht im Gutem folgt, das zwingt man im Bösen. Du hast die Prinzessin doch ohnehin schon geraubt, also nimm sie dir auch mit Gewalt. Hinterher wird sie froh sein, wenn du sie heiratest. Falls du sie dann überhaupt noch heiraten willst.«

Natürlich wies Prinz Diego diese Idee empört von sich. Hatte er sich einmal unritterlich benommen, so war er deswegen doch erst recht verpflichtet, seine schöne Gefangene redlich und respektvoll zu behandeln.

»Die Hochzeit muß stattfinden«, insistierte die Königin. »Ich bereite sie schon seit Wochen vor, und ich werde nicht darauf verzichten, weil so eine kleine unscheinbare Göre aus einem Bettelreich meint, daß mein Sohn nicht gut genug für sie wäre. Es wird ein Gartenfest von noch nie dagewesenen Ausmaßen. Meine Mohrenjungen werden sich als Pflanzen verkleidet in die Beete mischen und in einem unerwarteten Moment aufspringen und zu tanzen oder zu singen beginnen. Wir nehmen lieber doch keine weißen Tiere, sondern suchen sie passend zu deinem Hochzeitsanzug aus – schwarz, nehme ich an. Wir werden alles mit schwarzen Schafen, Raben und Kaninchen bestücken und sämtliche Bäume mit roten Lampions behängen. Dazu ausschließlich rote Blumen. Und das Brautkleid muß natürlich auch rot sein. Der König von Rapunzien hat zugesagt, mir seinen Meister an der Wasserorgel zu schicken, und für den berühmten Pennegrillo lassen wir nachts eine funkensprühende Barke an einem Drahtseil über den chinesischen See schweben. Während er in der Barke singt, werden links und rechts vom Amphitheater künstliche Vulkane ausbrechen, und dahinter wird das Feuerwerk losgehen. Dazu sollen fünfzig schwarzlackierte Riesenschildkröten mit Kerzen auf dem Rückenpanzer zwischen den Gästen herumkriechen und ihnen die Füße beleuchten …«

»… und die Röcke ansengen«, ergänzte König Leo und gähnte.

»Mach dein Fest doch einfach ohne Anlaß«, sagte Diego. »Zwingen kann ich sie nicht.«

»Aber es ist alles auf eine Hochzeit abgestimmt! Sie muß dich einfach heiraten, diese Kuh! Du stehst dreimal über ihr. Und du bist ja schließlich auch kein widerwärtiger Greis. Sie soll froh sein, daß sie dich kriegt.«

»Diego, Diego«, sagte König Leo, »wenn hier je wieder Frieden einkehren soll, mußt du heiraten. Deine Mutter gibt so schnell nicht wieder Ruhe. Also entweder verpaßt du jetzt der Kleinen aus dem Nordland eine gehörige Tracht Prügel, bis ihr einfällt, daß sie dich eigentlich doch liebt, oder du schlägst sie dir endlich aus dem Kopf und heiratest eine andere Prinzessin. Aber geheiratet werden muß.«

»Aber ich liebe keine andere«, rief Prinz Diego wild.

»Dann heiratest du eben jemanden, den du nicht liebst«, brüllte König Leo zurück und haute auf den Tisch. »Unser Geschlecht macht das seit Generationen so und ist damit immer gut gefahren.«

»Jawohl«, stimmte die Königin ihrem Gemahl zu, »Reiche und Mächtige müssen sich Reichtum und Macht durch persönliches Unglück erkaufen. Man beneidet unsereiner völlig zu Unrecht.«

König Leo faßte in seine Tasche und holte ein sehr abgegriffenes Exemplar der aktuellen Liste heiratsfähiger Königs- und Fürstentöchter heraus.

»Was ist das denn?« rief Prinz Diego. »Wo kommt denn auf einmal die Liste her? Das ist doch ein Komplott!«

»Du solltest allmählich auch etwas Aufmerksamkeit auf die Frage deiner Nachkommenschaft verwenden«, sagte König Leo.

»Davon war bisher noch nie die Rede!«

»Aber jetzt. Daß du keine Geschwister hast, macht die Thronfolge sehr unsicher. Ich will Enkel, und meiner Meinung nach tun sich vor allem vier Möglichkeiten auf: Erstens die Prinzessin von Tesbetanien, ein sehr hübscher Albino, 40 000 Talente, eine Silbermine, und sticken kann sie auch noch; zweitens die verwitwete Gräfin Sauberbeutel, leider häßlich, aber 300 000 Dukaten, ein vortreffliches Jagdgebiet über 700 Morgen Hirsch und Wildschwein, dazu ein Lustschlößchen vom Achitekten Minokes; drittens die Prinzessin Lilabella von Septimenien, hübsch, sanft und klug, nur 20 000 Taler, aber was soll's, wir sind ja bereits steinreich; und viertens eine weitere Prinzessin, hübsch, aber streitsüchtig, aus Pomponesien, Name ist schwer zu entziffern, da ist mir irgendwie Marmelade draufgekommen, streitsüchtig jedenfalls, aber streitsüchtig bist du ja auch, wahrscheinlich würdet ihr euch prima verstehen. 200 Morgen Zuckerrohr. Außerdem kämen da noch drei polnische Prinzessinnen in Frage ...«

»Und Lisvana?« rief Prinz Diego, »was soll dann bitte-
schön aus Prinzessin Lisvana werden? Jetzt, wo wir sie aus
ihrer Heimat entführt und in dieses für sie völlig fremde
Land gebracht haben.«

»Wir verkaufen sie in die Sklaverei«, sagte Königin Isabella, »oder – ehe du dich wieder aufregst – wir schicken
sie zurück. Zusammen mit ein paar Geschenken. Sie ist ja
so gut wie neu. Vielleicht könntest du noch einen Ent-
schuldigungsbrief dazu schreiben.«

»Niemals«, schrie Prinz Diego, sprang vom Tisch auf,
nahm eine der chinesischen Vasen und schmetterte sie zu
Boden.

»Du wirst deinem cholerischen Vater immer ähnlicher«,
sagte die Königin.

»Wenn ich Lisvana nicht haben kann, werde ich gar
nicht heiraten«, schrie Prinz Diego. »Ich geh ins Kloster.
Soll hier doch regieren, wer will. Meinetwegen einer von
deinen Zwergen.«

»Man muß auch loslassen können«, lenkte jetzt König
Leo ein, der, wenn zur Abwechslung mal ein anderer tobte,
vor Überraschung selbst immer gleich ganz sanft wurde.
»Wenn sie dich nun einmal nicht liebt. Vielleicht ist sie zur
Liebe gar nicht fähig? Du solltest einsehen, daß du einen
Fehler gemacht hast.«

»Das ist es ja«, sagte Prinz Diego, »ich bin sicher, daß sie
mich liebt. Sie kann es bloß nicht richtig zeigen.«

Die Königin lachte spitz.

»Wie bitte? Sie kann es bloß nicht zeigen?«

»Ihr edler Trotz erlaubt es nicht. Es sind der Starrsinn
und der Stolz ihres Volkes, die die zärtlichen Leidenschaf-
ten in ihr unterdrücken.«

»Wenn es nur das ist«, sagte seine Mutter, »dann werden wir ihren Stolz eben brechen. Überlaß sie mir. Jedenfalls will ich in diesem Jahr noch ein Hochzeitsfest feiern, wer auch immer die Braut ist. Und im Mittelpunkt des Festes wird eine Goronzie stehen.«

»Ich laß nicht zu, daß du Lisvana etwas antust«, sagte Prinz Diego finster.

König Leo mischte sich erneut ein.

»Also entweder gibst du Prinzessin Lisvana für die nächste Zeit in die Obhut deiner Mutter, oder wir schikken sie gleich wieder ins Nordland zurück. Du kannst es dir aussuchen. Für dich steht morgen jedenfalls eine Kutsche bereit, die dich zu deinen drei hübschen Cousinen nach Pargo bringen wird.«

»Nach Pargo? Was soll ich denn in Pargo?«

»Cousine Luise-Augusta hat bei ihrem letzten Besuch eine goldene Haarspange hier liegen lassen, die wirst du ihr bringen.«

»Ihr letzter Besuch ist zwölf Jahre her!«

»Na, siehst du! Es wird Zeit, daß sie ihre Haarspange zurückbekommt.«

»Die Kutsche braucht mindestens zwei Wochen.«

»Entweder du fährst morgen früh nach Pargo, oder Prinzessin Lisvana fährt morgen nach Hause!«

»Kann ich mich wenigstens noch von ihr verabschieden?«

»Nichts da!« sagte die Königin. »Es soll sie unvorbereitet treffen.«

DAS GLÖCKCHEN

Ritter Bredur, den es ja auch noch gab, befand sich inzwischen sechs Tagesritte hinter der südlichen Grenze des Nebelreichs, in Slunzien, wenn er sich nicht irrte. Abgesehen von den jährlichen Februarkriegen hatte der Ritter seine engste Heimat nie zuvor verlassen, und seine geographischen Kenntnisse beschränkten sich auf das Wiederauffinden guter Wildwechsel und Pilzgründe. Die Durchquerung des Nordlands und des Nebelreichs war deutlich länger ausgefallen, als er sich das vorgestellt hatte. Kurz nachdem er sich davongestohlen hatte, war der Winter hereingebrochen. Mehrere Wochen zu früh — wie von seinem Vater vorhergesagt. Sein Vater hatte immer recht, so war das nun einmal. Der Schnee sorgte für aufgeweichte Wege und unpassierbare Verwehungen, und Bredur hatte keine Schneeschuhe für sein Pferd dabeigehabt. Der sich mal wieder geltend machende Vulkanismus und die Begegnung mit einem Eisbären waren der Reisegeschwindigkeit auch nicht gerade förderlich gewesen. Nur selten hatte der Ritter ein Obdach und eine gute Streu für die Nacht gefunden. Meist mußte er sich einen windgeschützten Platz im Freien suchen. Zum Glück gehörte Kelpie zu jenen Nordlandpferden, die es bei strenger Witterung und wenig Futter nicht verschmähten, sich hin und wieder einen Hasen oder ein Schneehuhn zu erjagen. Es war in Bredurs Heimat kein ungewöhnlicher Anblick, daß ein Pferd auf der Schneeweide stand, dem das warme Blut aus dem Maul troff, während es große Stücke aus einem aufgebrochenen Hasen riß. Auf Reisen in der kalten Jahreszeit war so ein Pferd Gold wert. Abends saßen Bredur und Kelpie gemeinsam am Lagerfeuer, das Pferd die Beine unter den Bauch gezogen und einen Knochen benagend, während der Ritter den saftigeren Teil der Beute grillte und sich vorstellte, wie man ihn feiern würde, wenn er mit der befreiten Prinzessin zurückkäme.

Im Nebelreich hatte zwar kein Schnee mehr gelegen, aber als Ritter Bredur die schützenden dichten Kiefernwälder verließ, war er auf das gestoßen, womit man hier im Winter immer rechnen mußte – überfrierende Nässe. Eine tückische Witterung. Dicke Nebel krochen über den Boden und legten eine makellose Eisschicht über die andere. Bredur hatte absteigen und Kelpie hinter sich herführen müssen. Alle paar Meter war das kleine gelbe Pferd hingefallen, die Hufe griffen auf der glatten Fläche einfach nicht. Und wenn Bredur es am Zügel hochziehen wollte, rutschte es wie ein Schlitten auf ihn zu. Tagelang waren sie so vorangestolpert, und einmal, als Kelpie sich zwei Stunden lang geweigert hatte, wieder aufzustehen, und ergeben schnaufend auf der spiegelglatten Eisfläche liegengeblieben war, hatte es ausgesehen, als wäre nun alles vorbei. Es war ein rechter Jammer. So kurz vor der Grenze. Noch ein, zwei Tagesritte höchstens, und sie wären den Nebeln entkommen. Bredur mochte Kelpie nicht zurücklassen. Er hatte sich auf die Schulter seines Pferdes gesetzt und darauf gewartet, daß die Eisnebel sich Schicht für Schicht über sie legen und sie schließlich enden würden wie die Mücke im Bernstein. Dann war Kelpie doch wieder aufgestanden, und sie hatten noch am selben Abend einen schützenden Waldstreifen erreicht, der vielleicht bereits zu Slunzien gehörte.

Als Bredur am nächsten Morgen auf der anderen Seite des Waldes herausritt, war vom Eis nichts mehr zu sehen. Er ließ sein Pferd in Trab fallen und hielt nach Höfen Ausschau, um seinen Proviant aufzufüllen. Aber als er das erste Dorf erreichte, waren die Häuser verwüstet oder verbrannt, das tote Vieh lag mit gedunsenen Bäuchen in den Gräben, und auf dem Kirchacker wurden fleißig Gruben ausgehoben. Auch die nächsten beiden Dörfer hatte der Krieg heimgesucht. Zerbrochene Stühle und aufgeschlitzte Federbetten lagen noch vor den Häusern. Scheunen und Kammern waren geplündert worden. Die Tore standen auf wie schreiende Mäuler. Wer mit dem Leben und beiden Beinen davongekommen war, irrte hungrig auf den Wegen, und jeder Hof, bei dem Bredur um eine warme Mahlzeit hätte einkehren können, war zu einer rauchende Ruine geworden, aus der ihm zerlumpte Kinder die Arme entgegenstreckten. Hier hatte das marodierende Heer das Vieh nicht erschlagen, sondern mitgenommen. Nicht einmal ein Huhn und kein einziger Sack Korn war den Bauern geblieben. Was den Soldaten beim Tragen zu schwer geworden war, hatten sie unterwegs in den Dreck geworfen und draufgepißt. Selbst Kelpie konnte Bredur keine Fleischmahlzeit mehr fangen, weil alles, was sich in Feld und Flur hätte regen können, bereits in einem Kochtopf gelandet war. Das Pferd mußte sich mit lappigem braunem Wintergras begnügen, und sein Herr löffelte warmes Wasser, in das er ein paar Tannennadeln warf. Fünf Tage war der Ritter so gereist, ohne etwas Eßbarem zu begegnen. Mit Leere im Magen, einem Ziehen in den Gliedern und Müdigkeit in den Augen gelangte er nun, um die Mittagsstunde des sechsten, an ein verlassenes Gehöft, dessen Fensterläden noch in den Angeln hingen und dessen Dach erstaunlicherweise noch nicht in Flammen aufgegangen war. Bredur ließ sein Pferd im Hof stehen, trat mit gezogenem Schwert ein und fand ein weiteres Wunder. Unter einem Tisch lag ein ganzer Laib Brot. Hart natürlich, muffig und schimmlig, und es waren auch ein paar Blutspritzer darauf, aber für Bredur war er so begehrenswert wie das feinste Marzipan. Er nahm das Brot und flüchtete aus dem Gebäude, ehe ein Bewohner auftauchen und es ihm streitig machen konnte. Draußen schlug er es gegen den Brunnenrand, um es handlich zu machen, aber als sich das erste Stück gelöst hatte und er davon abbeißen wollte, kam ein Mann auf Krücken hinter der halbverbrannten Scheune hervor und rief:

»Zu essen, gebt mir um Himmels willen zu essen, oder ich bin des Todes. Seit zwanzig Tagen habe ich nichts mehr zwischen die Zähne gekriegt.«

Ritter Bredur, der ein mitleidiges Herz hatte, gab dem Mann den Kanten, den er gerade für sich selbst abgebrochen hatte. Der Kerl schlang den Bissen so hastig in sich hinein, daß Bredur seinen Brotlaib schnell in ein Proviant-tuch wickelte, unter seinem Jacki verstaute und auf Kelpie davonritt, ehe ihm noch mehr abgefordert werden konnte. Er nahm sich vor, mit seiner kostbaren Wegzehrung sparsam umzugehen und jeden Tag nur einen kleinen Teil davon zu essen. An einer Weggabelung auf freiem Feld hielt er an, sah sich nach allen Seiten um, und als er sicher war, daß ihn niemand beobachten konnte, zog er das Brot aus seinem Jacki und wickelte es aus dem Tuch. Kaum aber hatte er mit seinem Schwert ein Stück davon abgeschnitten, kroch eine Frau mit zwei kleinen Kindern an der Hand aus dem Graben. Ihr Kleid war ein einziger Fetzen, und das linke Auge verschwand unter einem beinah schwarzen Bluterguß.

»Guter Herr, habt Erbarmen mit einer Mutter, die nicht für sich, sondern nur für ihre Kinder bittet. Brot, in Herrgotts Namen ein Stück Brot.«

Die Kinder mit Ärmchen wie Zunderholz wischten sich die Rotznasen und starrten unverwandt auf das verschimmelte Lebensmittel. Bredur besann sich kurz, dann schnitt er noch ein zweites Stück ab.

»Da, nimm für deine Kinder! Und nimm auch das für dich selbst.«

Die Frau riß ihm die Brotstücke aus der Hand, rannte ein Stück zur Seite und stopfte sich beide in den Mund.

»Was zum Teufel ...«, rief Ritter Bredur.

Dann machte er sich seufzend daran, noch ein drittes und viertes Stück abzuschneiden. Er hob die Kinder einzeln zu sich aufs Pferd und ließ sie dort essen, während die Mutter ihn mit irre funkelnden Augen beobachtete. Nun war der Brotlaib schon fünfmal geschrumpft, ohne daß er selbst etwas in den Magen bekommen hatte. Er setzte auch das zweite Kind wieder zu Boden, richtete sein Schwert Greinderach auf die Frau, die sich wie eine Katze zum Sprung gekrümmt hatte, stopfte das Brot ins Jacki und galoppierte davon.

Doch es war wie verhext. Wo immer er sich an einem Ort unbeobachtet glaubte und schnell von seinem Fund abbeißen wollte, kroch ein verkrüppelter Soldat hinter einem Gebüsch hervor, oder eine Schar brüllender Kinder ließ sich aus einem Baumwipfel fallen.

Am Ende war ihm nichts geblieben als ein kleiner harter Kanten, den er erst dann herausholen wollte, wenn ihm ganz gewiß niemand dabei zusehen konnte. Deswegen schlug Bredur gegen Abend einen schmalen, überwachsenen Pfad ein, der ihn von allen menschlichen Behausungen weit fort in einen Wald hineinführte. Bald war es rings um ihn her einsam, öde und still. Nur die grün veralgten Bäume knarrten und quietschten. Bredur zügelte sein Pferd bei einer hohlen Eiche, die ihm für die Nacht als Wetterdach dienen sollte und vor der ein wenig Gras stand. Er nahm Kelpie Sattel und Zaum ab, setzte sich fröstelnd in die Eiche und wickelte seinen Brotkanten aus. Wie schwach er schon geworden war! Den Sattel hatte er kaum heben können. Das Brot würde ihn zumindest noch den nächsten Tag überstehen lassen. Ein Zweig knackte. Der grasende Kelpie hob den Kopf und spitzte die Ohren. Als Bredur den Kopf aus der Eiche steckte, sah er ein Hutzelweib vor sich stehen, das krummes Holz für ihren Ofen auf dem Rücken trug. Die Alte machte gelinde gesagt einen unsauberen Eindruck, und kaum hatte sie den Ritter und das Brot in seiner Hand gesehen, leckte sie sich gierig die Lippen und rief:

»Oh lieber, hoher Herr, gebt einer alten Frau, die sich nicht selbst zu helfen weiß, zu essen. Ich bitt Euch sehr!«

Hastig stopfte sich Ritter Bredur den letzten Bissen in den Mund. Aber das schmierige Weiblein mit den sauber geleckten Lippen kaute auf ihrem eigenen Zahnfleisch und sah ihn so erbarmungswürdig an, daß er nicht schlucken mochte, langsam die Kinnlade senkte und das Brot wieder hervorzog:

»Weiß selber, wie Hunger brennt. Iß nur!« murmelte er verschämt und reichte ihr den bespeichelten Brocken, den sie hurtig in ihrem zahnlosen Gaumen verstaute und heftig belutschte.

»Ihr seid ein guter Mensch, Herr Ritter«, schmatzte das Hutzelweib endlich und klopfte ihm auf die Schulter.

»Es ist ja auch eigentlich ganz gleich, ob ich nun schon morgen oder erst übermorgen verhungere«, antwortete Bredur, ohne sich gegen die unerwünschte Berührung zu wehren.

»Und weil Ihr so ein guter Mensch seid, sollt Ihr auch nicht ohne Lohn ausgehen.«

»Ist schon gut. Laß stecken«, wehrte er ab, aber dann beugte er sich doch vor, neugierig, was dieser jämmerliche Schmutzhaufen noch zu verschenken haben mochte. Die Alte griff in ihren Rock und zog ein silbernes Glöckchen aus der Tasche, ganz fein und zart, wie es Edelfräulein ihren Kätzchen umzubinden pflegten.

»Was gibst du mir denn da? Mein Totenglöckchen? Soll mir das läuten, wenn ich vor Hunger vom Pferd fall?«

Das Hutzelweib schüttelte den Kopf.

»Geht achtsam damit um, denn es ist ein Zauberglöckchen. Wenn Ihr es nur fest genug über Eurem Kopf schwenkt, so erfüllt es Euch, was immer Ihr wünscht. Nur muß es auch das sein, was Ihr gerade am dringendsten benötigt, und Ihr müßt es Euch aus ganzem Herzen wünschen, und Ihr könnt das Glöcklein nur dreimal benutzen, dann ist seine Zauberkraft vorbei.«

Ritter Bredur lachte, packte das magische Instrument, schwenkte es über seinem Kopf und rief:»Einen Tisch voll Gebratenem und Gesottenem, ein gutes Honigbier dazu und einen Sack Hafer für mein Pferd!«

Das Glöckchen klingelte mit einem silberhellen Ton, und nichts rührte sich.

Die Alte ruckte ihr Holzbündel zurecht und schlurfte brummend davon.

»Macht nichts«, rief ihr Ritter Bredur hinterher.»War ja immerhin gut gemeint.«

Dann schlug er seine Decke um sich und kroch in den Baum zurück.

Eine halbe Stunde später, als es schon dunkel war, schreckte ihn Lärm und Pferdegetrappel auf. Kelpie wieherte erschrocken. Fünf berittene Soldaten mit Fackeln in den Händen umstanden die Eiche und staunten nicht schlecht, daß sie den Platz bereits besetzt fanden. Ein Kerl mit schwarzen Zähnen und fettigem Haar stieg von seinem Pferd und leuchtete in die Höhle hinein.

»Laßt mich ziehen, ich habe nichts, weswegen es sich lohnen würde, mich umzubringen«, sagte Ritter Bredur.

Der mit den fettigen Haaren lächelte höhnisch, gab seine Fackel an den nebenstehenden und hielt Bredur ein Messer unter das Kinn.

»Ach, mein kleiner Bruder, dein Bitten treibt mir die Tränen in die Augen. Nichts würde ich lieber tun, als dich gehen zu lassen; schon allein um deiner armen Mutter willen, die dich unter Schmerzen geboren hat und schrecklich vermissen wird. Ich würde es wirklich gerne tun, auch deinetwegen, denn ich hab dich bereits liebgewonnen – aber ich kann nicht. Dein hübscher Hals ist schuld. Wenn dein

Hals nur nicht so verlockend glatt und weiß wäre! Unterm Kinn hast du allerdings abscheulich viel Haar.«

Er strich ihm mit der Messerklinge die Kehle hoch, so daß Bredur den Kopf zurücklegen mußte.

»So eine zarte, schmiegsame Gurgel habe ich mein Lebtag noch nicht gesehen. Es tut mir unendlich leid, aber ich fürchte, ich werde nicht auf das Vergnügen verzichten können, sie dir durchzuschneiden.«

»Aber zuerst schlachten wir sein Pferd, und er soll es für uns braten«, krächzte ein zweiter, dessen Visage von mehreren wuchernden Narben entstellt war. »Er sieht aus, als wäre er ein guter Koch.«

»Au ja! Gulasch!« rief einer von hinten.

Ritter Bredur faßte nach Greinderach.

Die häßlichen Gestalten wichen zur Seite, aber nicht, weil sie Bredurs Schwert fürchteten, sondern um ihren Anführer durchzulassen. Der Anführer trug eine völlig zerzauste und verdreckte Perücke, die einmal weiß gewesen war und auf dem Hinterkopf in einen kleinen Zopf mit Schleife auslief. Jedes seiner zerschlissenen Uniformteile stammte aus einem anderen Königreich, und sein Hemd war das einer Frau.

»Laßt ihn«, sagte er. »Er ist doch nur ein armer Hund, so wie wir alle arme Hunde sind. Komm heraus aus deinem Baumstamm, Bruder, du kannst mit uns essen.«

»Was denn«, rief der mit den schlechten Zähnen. »Ich habe ihn als erster entdeckt. Dann darf ich auch mit ihm machen, was ich will. So ist die Abmachung! Und ich will meinen Spaß mit ihm haben! Und ihm dann den Hals durchschneiden!«

»Für heute ist es genug«, sagte der Anführer mit leiser,

aber drohender Stimme, »heute haben wir bereits so viele Menschen erschlagen, daß uns allein dafür die ewige Verdammnis sicher ist.«

»Du hast Glück, mein Bruder«, wandte er sich an den Ritter, »denn für diesmal ist mein Blutdurst mehr als gestillt. Vierzehn Leichen allein heute. Sind es vierzehn? Wer hat mitgezählt? Vierzehn also, und auch nur, wenn's die beiden Mägde überlebt haben sollten. Kinder waren dabei und eben gerade noch so eine alte Vettel mit Holz auf dem Rücken. Heute abend jedenfalls will ich niemanden mehr sterben sehen, hört ihr, Brüder? Stattdessen soll er mit uns essen, und für sein Pferd wird sich auch noch ein bißchen Hafer finden.«

Die Soldaten ließen ihn daraufhin murrend in Frieden, machten ein Feuer, stellten einen Topf voll Hirsebrei darauf und legten eine Bienenwabe hinein. Bredur überlegte, ob er tatsächlich mit den Soldaten essen oder sich lieber gleich davonmachen sollte. Sein Hals wollte so schnell wie möglich verschwinden, aber sein knurrender Magen war entschieden fürs Bleiben.

»Setz dich endlich, Brüderchen«, sagte der Anführer und legte Bredur eine Hand auf die Schulter. »Setz dich und iß! Iß, so schnell du kannst, und dann hau ab! Ich weiß nicht, wie lange meine milde Stimmung noch anhält; sie ist mir selber unheimlich.«

Ritter Bredur hockte sich zu den Soldaten ans Feuer, zog einen der Silberlöffel zweiter Wahl, für die das Nordland so berüchtigt war, aus der Tasche und tauchte ihn gierig in den Hirsebrei. Er versuchte, sich ganz und gar auf seinen Löffel zu konzentrieren und an nichts als den Brei zu denken, denn wenn er nach links schaute, saß da der

Kerl mit den schwarzen Zähnen und dem fettigen Haar, grinste ihn an und fuhr sich mit dem Zeigefinger quer über die Kehle. Und wenn er nach rechts schaute, saß da das Narbengesicht und machte sich mit einem großen Schlachtermesser die Fingernägel sauber. Und wenn er den Kopf hob und geradeaus schaute, dann saß da der Anführer, pustete auf seinen Holzlöffel und murmelte: »Vierzehn, fünfzehn, was macht das eigentlich für einen Unterschied?«

Aber wenn die Gesellschaft auch zu wünschen übrig ließ, der Hirsebrei schmeckte köstlich, daran gab es nichts zu meckern.

»So«, sagte der Anführer, als der Topf fast leer war, nahm seine Perücke vom Kopf und schüttelte die Läuse ins Feuer. »Jetzt hast du gegessen, jetzt mußt du uns verlassen und dir einen neuen Schlafplatz suchen. Ich mag dich nicht mehr sehen. Und paß auf, daß du uns morgen nicht über den Weg läufst, denn morgen werden wir dich nicht mehr kennen.«

Bredur ließ sich nicht zweimal bitten. Er schleckte die Reste von seinem Löffel, steckte ihn ein, sattelte Kelpie, zog ihn vom Hafersack fort und machte sich davon.

Im dunklen Wald sah man die Hand vor Augen nicht. Bredur tastete sich vorwärts, stolperte über Wurzeln, lief gegen Bäume. Hölzerne Finger griffen in sein Haar und zupften an seinem Jacki. Der treue Kelpie marschierte immer hinter ihm her, stolperte über dieselben Wurzeln und krachte gegen dieselben Bäume. Endlich hatte Bredur die Orientierung so vollständig verloren, daß er sich nicht mehr sicher war, ob er sich immer noch vom Lagerplatz der Soldaten entfernte oder ob er sich womöglich bereits wieder darauf zubewegte. Irgendein widerliches Kraut wischte ihm die ganze Zeit durchs Gesicht und wickelte sich um seine Beine. Als der Untergrund auch noch morastig zu werden begann, suchte er sich bloß noch eine trockene Stelle, sattelte Kelpie ab und ließ sich einfach zu Boden fallen. Er schlief sofort ein.

DER DRACHE

Am nächsten Morgen weckten ihn die Waldvögel, die Meisen und Spechte und Amseln. Bredur lag in einem Dickicht von mannshohen Farnwedeln, aus dem zwei erstaunliche Baumriesen herausragten, hoch wie Kirchtürme. Ihm war einen Augenblick, als wäre er mitsamt seinem Pferd über Nacht geschrumpft. Als er sich auf Kelpie setzte, um das Farnkraut zu überschauen, entdeckte er gleich vor sich einen Waldsee, in dessen flachem Wasser weniger hohe, aber ebenfalls reichlich merkwürdige Bäume standen – die einen rautenförmig geschuppt und mit fleischigen Nadeln und fußgroßen Zapfen bestückt, einige andere mit großen lederartigen Blätter. Gigantische Libellen schwirrten über der Wasseroberfläche. Bredur hatte nicht die geringste Ahnung, wie er wieder aus dem Wald herausfinden sollte. Weit und breit war kein Weg zu sehen, und wenn er die falsche Richtung einschlug, breitete sich das Dickicht womöglich endlos vor ihm aus. Immerhin war sein Magen so gut gefüllt, daß er wieder ein paar Tage durchhalten konnte. Als ihm der Hirsebrei und der vergangene Abend in den Sinn kamen, fiel ihm auch das Glöckchen ein, und er fragte sich, ob das eine wohl mit dem anderen zu tun gehabt hatte. Von einem Tischlein-deck-dich mit Gesottenem und Gebratenem, wie bestellt, war das gestrige Mahl ja nun weit entfernt gewesen, aber er konnte nicht leugnen, daß er satt geworden war.

Bredur holte das silberne Glöckchen aus der Tasche.

»Was meinst du, Kelpie? Sollen wir es auf die Probe stellen? Schließlich sieht uns ja keiner, was?«

Und damit schwenkte er das Glöckchen über seinem Kopf und rief:

»Ich brauche jemanden, der aus dem Wald herausfindet und den Weg nach Basko kennt. Am besten jemanden, der mich gleich mitnimmt, und zwar auf dem besten und kürzesten Weg. Einigermaßen bequem. Und er soll Proviant dabeihaben und mir etwas abgeben. Und unterhaltend sollte er auch noch sein. Und … – na, das wär's im großen und ganzen.«

Bredur hatte seinen Wunsch kaum getan, da begann sein Pferd unruhig zu stampfen. Der Ritter stützte sich im Sattel auf und wartete. Jetzt spürte auch er etwas – durch den Sattel und das ganze Tier hindurch: Der Waldboden schütterte. Kelpie verdrehte wild die Augen. Schaum trat ihm vors Maul. Da kein echtes Nordlandpferd sich wegen eines Erdbebens oder eines Vulkanausbruchs aufregen würde, schaute Bredur sich um, was sein Pferd so ängstigen könnte. Nichts als Farnkraut und Bäume. In der Ferne rauschten leise die Wipfel. Leise rauschten die Wipfel? Wieso rauschten die eigentlich? Ansonsten war es doch totenstill. Es wehte überhaupt nicht. Nun gesellte sich zu dem Rauschen das Krachen berstenden Holzes, und dann sah er es: Zwischen den Zweigen schob sich ein Zackenkamm hindurch. Ein Drache, das mußte ein Drache sein. Und er war schon verdammt nah. Zersplitterte Äste krachten zu Boden. Bredur zog sein Schwert, aber im selben Moment machte Kelpie einen mächtigen Satz vorwärts, direkt in den Waldsee hinein und rutschte im Morast aus. Im Stürzen begrub er seinen Reiter halb unter sich. Kelpie schrie wie ein abgestochenes Schwein. Bredur hatte sein Pferd noch nie so viel Lärm machen gehört. Ihm war übel vor Angst. Das Schwert war ihm aus der Hand gefallen, mit einem Bein steckte er unter seinem plärrenden Gaul fest, und Greinderach lag außerhalb seiner Reichweite.

»Steh auf, du Trottel«, brüllte er Kelpie an, spornierte ihn grausam mit dem freien Bein und riß am Zügel.

Vielleicht zwanzig Meter entfernt heulte das Ungetüm triumphierend auf und setzte sich in Trab. Bei jedem Schritt zitterte die Wasseroberfläche.

Bredur hatte von den Gerüchten gehört, daß es im Nebelreich noch Drachen geben sollte, doch falls überhaupt, kamen die dort nur im Herbst vor, und selber gesehen hatte er noch keinen. Aber jetzt! Da war er! Sein erster Drache! Größer als drei aufeinandergestellte Pferde. Er war über und über mit grünen Schuppen bedeckt und besaß Flügel an den Seiten. Die Schnauze war lang und schmal mit Zotteln am Kinn, und das gräßlich große Maul steckte voller kleiner spitzer Zähne – erstaunlich klein für so ein Riesenvieh, aber dafür schien es gleich dreihundert davon zu haben. Seine Nasenlöcher dampften, die gelben Augen quollen unvorteilhaft aus ihren Höhlen, die Maultierohren schlappten im Takt seiner Schritte, und aus den Schultern wuchsen meertangartige Fransen. Der Drache rannte mit aufgesperrtem Maul geradewegs auf ihn zu. Nicht ohnmächtig werden, dachte Bredur, bloß nicht ohnmächtig werden! Wenn er sich das Pferd schnappt, mußt du alle Glieder aus dem Weg nehmen und wegspringen, sowie du freikommst. In

diesem Moment erkannte er, daß es sich bei den meertang-
artigen Fransen um menschliche Beine und Füße handelte,
zu denen noch Rumpf, Arme und Kopf gehörten. Auf dem
Hals des Drachen saß ein Mann mit weißem Bart und vio-
lettem Spitzhut, allem Anschein nach ein Zauberer.

»Keine Aaaangst! Der tuuuuut nichts«, brüllte der Zauberer mit weit offenem Mund gegen den Fahrtwind an.
»Der will nur spiiiielen.«

Kelpie scharrte mit durchdrehenden Hufen im Morast,
versuchte so verzweifelt wie vergeblich, sich auf die andere
Seite zu werfen. Bredur konnte endlich sein Bein befreien,
rappelte sich auf, griff sein Schwert Greinderach und stand
mit zittrigen Knien neben seinem Pferd.

»Steh!« schrie der Zauberer seinen Drachen an. »Bleibst
du wohl stehen!« Er schlug dem Drachen mit einem Knüppel mehrmals auf den Kopf, worauf das reptilische Ungetüm tatsächlich, wenn auch zögerlich, langsamer wurde, in
den baumstammdicken Beinen einknickte und schließlich
den Kopf auf die ungeheuren Tatzen legte.

»Rühr dich ja nicht von der Stelle«, brüllte ihn der Zauberer an. Sein Bart war gar nicht weiß, sondern vom gleichen verschossenen Gelb wie seine buschigen Augenbrau-
en, und wallte ihm bis über die Knie herab. Das letzte
Stück war allerdings gerade noch zwei Finger breit. Als der
Zauberer absprang, riß er sich einige Barthaare an dem
Halsriemen des Untiers aus.

»Alles eine Frage der Dominanz«, sagte er zu Bredur und
schlug dem Drachen mit dem Knüppel auf beide Vordertat-
zen. »Man muß sie immer schon prügeln, bevor sie sich
schlecht benehmen, so daß sie es gar nicht erst versuchen.
Sonst merken sie am Ende noch, daß sie stärker sind. Immer

streng sein, immer grob sein – aber nie grausam! Drachenhaut ist sehr dick. Es tut ihm nicht weh, aber es beeindruckt ihn. Drachen lassen sich leicht beeindrucken, wenn man richtig mit ihnen umspringt.«

Das Pferd Kelpie röchelte nur noch. Blutiger Schaum tropfte aus seinen Nüstern. Bredur starrte den Zauberer bloß fassungslos an.

»Friedlin Gaspajori«, stellte der sich vor, »genannt der Große Gaspajori, aber hier im Wald tut's auch Friedlin. Im ersten Moment habe ich gedacht, du wärst ein Edelfräulein in Not. Von weitem schien es so, als ich deinen Bart noch nicht erkennen konnte. Schade – für meinen Drachen wäre das sehr gut gewesen. Wie auch immer, sieht aus, als hättest du ein Problem. Kann ich irgendwie behilflich sein?«

»Das ist alles deine Schuld!« legte Bredur los, der sich endlich aus seiner Erstarrung löste. »Wie kann man so mit einem Drachen durch die Gegend rasen und anderer Leute Pferde zu Tode erschrecken. Drachenhaltung gehört sowieso verboten!«

»Nicht in diesem Ton«, sagte der Große Gaspajori, »oder ich lasse dich hier stehen, und du kannst sehen, wie du dein Pferd wieder auf die Beine bekommst.«

»Na wenn schon, hau doch ab!«

»Soso«, sagte der Zauberer, »heißt das, du weißt alleine, wie du wieder aus diesem Wald herauskommst? Sehr schön! Für einen Moment hatte ich doch befürchtet, du hättest dich verlaufen.«

Er trug eine Nickelbrille mit dicken, gewölbten Gläsern, die wie zwei Nordmeerquallen auf seinen Augen klebten, sie ins grotesk Große verzerrten und ihm eine gewisse Ähnlichkeit mit seinem glubschäugigen Drachen verliehen. Bredur hatte das Gefühl, durch diese Brille bis in die hintersten Ecken seines Seelenkämmerleins durchschaut zu werden.

»Das hier ist kein Reiseweg«, fuhr der Große Gaspajori ruhig fort. »Du steckst mitten im undurchdringlichsten Urwald, und wenn dich mein kleiner Grendel nicht gewittert hätte, wärst du jetzt erledigt. Ich bin dir grundsätzlich wohlgesonnen und bereit zu helfen, aber ich erwarte auch ein Mindestmaß an Höflichkeit. Zum Beispiel könntest du dich mal vorstellen.«

Bredur seufzte. Langsam hörten seine Knie zu zittern auf.

»Du hast recht, und mein Name ist Bredur von Wackertun.«

»Ach, ein Ritter etwa? Wo steckt denn dein Knappe?«

»Es ist dem unermüdlichen Einsatz meines Vaters zu danken, daß sowohl der König, dem ich diene, als auch mein Knappe, der mir dient, so sehr von meinem Unvermögen überzeugt sind, daß der erste mich nicht ziehen lassen und der zweite mir nicht folgen wollte«, antwortete Bredur förmlich.

Friedlin Gaspajori strich über seinen Bart und blinzelte hinter der Quallenbrille.

»Dann mußt du einen guten Grund haben, trotzdem zu reisen.«

»Kommt auf den Standpunkt an«, sagte Bredur und sah sich nach seinem Pferd um. Kelpies Atem rasselte wie eine Säge.

Der Zauberer ging zum Drachen zurück, wühlte in den riesigen Packtaschen, die dem Untier über die Schulter geschnallt waren und gleichzeitig als Sattel dienten, und brachte eine Tonflasche, eine Walnußschale und ein Schafshorn zum Vorschein. Er entkorkte die Flasche mit den Zähnen, tröpfelte etwas Flüssigkeit in die Nußschale und stäupte mit zwei Fingern Pulver aus dem Schafshorn hinein.

»Ritter Bredur, du faselst! Mit dem Standpunkt hat eine gefährliche Sache wie das Reisen überhaupt nichts zu tun. Was denn nun? Ist es wichtig? Oder nicht? Wenn es nicht wichtig ist, nehme ich dich auch nicht mit.«

Bredur holte tief Luft.

»Es ist wichtig. Es ist sehr wichtig. Die Prinzessin aus dem Nordland ist entführt worden. Und ich muß sie finden und zurückholen.«

»Wozu?«

Friedlin Gaspajori schwenkte die Flüssigkeit in der Nußschale.

»Wie wozu?« sagte Ritter Bredur. »Ich muß es eben. Es war ja doch wohl Unrecht, sie zu entführen. Außerdem ist mein Herz nicht unbeteiligt.«

»Soso, dein Herz ist nicht unbeteiligt.«

Der Zauberer raffte mit einer Hand seinen Mantel, trat ins Wasser zu dem schäumenden Pferd und schüttete ihm mit Schwung den Inhalt der Nußschale in eine Nüster. Augenblicklich hörte Kelpie auf zu toben.

»Wenn dein Herz nicht unbeteiligt ist, dann ist es allerdings wichtig, und ich muß dir helfen.«

»Was machst du da überhaupt mit meinem Pferd?«

Der Große Gaspajori stellte sich neben Kelpie und nahm die Zügel in die Hand, und das Pferd stand vorsichtig auf und blieb neben ihm stehen.

»Ich habe ihm einen Trank verabreicht, der schnell beruhigt und willfährig macht. Möchtest du auch einen? Du könntest ihn gebrauchen.« Er kicherte. »Dein Pferd muß sich erholen. Du kannst mit mir auf Grendel reiten, und wir lassen es nebenherlaufen.«

Er stieg auf die linke Vordertatze des Drachen und von dort über den Hals auf die Schulter und rückte die Packtaschen zurecht.

»Ich reise nach Süden, wird Zeit, daß Grendel in die wärmeren und für sein Temperament anregenderen Zonen kommt. Was dein Ziel ist, weiß ich nicht, doch kann man um diese Jahreszeit von hier aus sowieso nirgendwo anders hinreisen. Führt dein Weg nach Norden, dann kannst du ja später umdrehen, doch jetzt gibt es im Norden nur ein Ziel, das ist der Tod durch Erfrieren.«

»Ich muß nach Basko«, sagte Bredur und kletterte ebenfalls auf den Drachen, »kann ich die ganze Zeit mit dir reisen?«

»Das kannst du«, antwortete Friedlin Gaspajori, »allerdings reise ich nicht nach Baskarien, sondern nach Rapunzien. Zu den großen Drachenwettbewerben. Grendel ist zum ersten Mal gemeldet. Am besten, du setzt dich hinter mich, hinter die Taschen, da ist es am bequemsten, und du kannst die Beine rechts und links runterbaumeln lassen und dich zur Not an der kleinen Rückenzacke festhalten. Ruhig, Grendel, ganz brav, der darf das!«

Als Bredur saß, schlug der Zauberer Grendel wieder mit seinem Knüttel auf den Schädel, und das Untier richtete sich auf, streckte die Beine und marschierte los, wobei es schwankte und stolperte, daß Bredur sich an den knöchernen Rückenauswuchs klammern mußte. Als er der ungewohnten Bewegung ihre Gewohnheit und Regelmäßigkeit abgetrotzt und sich überzeugt hatte, daß sein Kelpie brav folgte, tippte er dem Großen Gaspajori auf die Schulter.

»Sag mal, Friedlin, du bist doch Zauberer ...?«

»Das will ich meinen!«

»Kennst du dich auch mit Zauberglöckchen aus?«

Und nun erzählte ihm Ritter Bredur von dem Glöckchen und wie es in seinen Besitz gekommen war und wie er zweimal einen Wunsch getan und jedesmal etwas bekommen hatte, aber doch nicht eigentlich das, was er gewollt hatte.

»Ich habe mir gewünscht, nach Basko mitgenommen zu werden und bequem zu reisen. Aber nun geht es nach Rapunzien, das liegt doch ganz woanders. Und nichts gegen deinen Grendel, es geht fast genauso schnell, als wenn ich reiten würde, aber wirklich bequem ist er nicht.«

Friedlin Gaspajori wühlte in seinem Bart und erinnerte sich dann, in der Tat, ganz plötzlich einen unerklärlichen Drang verspürt zu haben, von seinem Weg abzuweichen und eine andere, nämlich diese, keinesfalls günstigere Route quer durch die Büsche einzuschlagen, weil sie ihm auf einmal sicherer erschienen war. Er ließ sich von Bredur das Glöckchen aushändigen und besah es genau.

»Sieht für mich wie ein echtes Zauberglöckchen aus. Stellt sich bloß die Frage, warum es nicht das liefert, was du bestellst. Hast du dich auch genau genug ausgedrückt? Oft reden die Leute so wischiwaschi daher, wünschen sich einen Topf voll Geld und beschweren sich, wenn's nachher bloß lauter Pfennige waren.«

»Ich glaub schon«, sagte Bredur. »Jedenfalls habe ich Basko gesagt und nicht Rapunzien. Ich weiß überhaupt nicht, was ich in Rapunzien soll.«

»Von dem Drachenkampfplatz in Rapunzien sind es nur noch fünf Tagesritte bis Basko, ich kenne den Weg. So schlecht hast du es gar nicht getroffen. Vielleicht konnte dein Glöckchen das Gewünschte einfach nicht auftreiben. Immerhin ziehen wir mitten durch Kriegsgebiet.«

Der Zauberer riet ihm, das magische Gerät gut zu verwahren und den dritten Wunsch, weil ja nun bereits zwei vertan waren, doch mit mehr Sorgfalt zu bedenken und nicht für etwas zu verschwenden, was sich womöglich auch ohne Zauberei bewerkstelligen ließe. Ritter Bredur stopfte das Glöckchen in den Saum seines Unterhemdes. Der Drache trabte mit weitausgreifenden Schritten stetig vorwärts, rechts und links splitterte das Holz, und Kelpie mußte so manches Mal über einen geknickten Baumstamm springen.

»Übrigens hat dein Zauberglöckchen eine Beule, daran könnte es natürlich auch liegen. Allerdings kenne ich mich mit Zaubergeräten nur am Rande aus, meine Spezialgebiete sind die Alchimie und die Herstellung und Erziehung von Drachen.«

Der Große Gaspajori stützte sich mit beiden Händen auf den Drachenhals, schwang die Beine erst nach vorn und dann nach hinten und kreuzte sie in der Luft, so daß er plötzlich verkehrt herum saß und Bredur ins Gesicht blicken konnte. Er öffnete die linke Packtasche, zog einen mächtigen Folianten heraus und drückte ihn Bredur, der nur ungern seinen Halt an der Rückenzacke losließ, in die Hände.

»Dies ist mein soeben fertiggestelltes und bahnbrechendes Buch über Drachen. Du darfst es als erster lesen. Aber mach ja keine Flecken hinein.«

Bredur drehte und wendete den Folianten ratlos.

»Ich kann nicht lesen«, gab er schließlich zu.

»Es heißt ›Nützlicher Ratgeber für Drachenfreunde, Drachensammler und Dracheninteressierte, sowohl zur Zerstreuung als auch als unerläßliche Hilfe gedacht bei allen Fragen, die mit der Drachenhaltung zusammenhängen, enthaltend die Kenntnis, Erziehung und Wartung des Drachen, Beschreibung sämtlicher Komplikationen, die im Umgang mit den jeweiligen Rassen auftreten können, mit Schwerpunkt auf dem Problem des gewaltfreien Dominanztrainings, benebst botanischen und historischen Adnotationen, beschrieben von dem wohlerfahrenen und berühmten Magier Friedlin, genannt der Große Gaspajori‹«, sagte der Große Gaspajori.

»Wie wäre es mit einem griffigeren Titel?« schlug Bredur vor. »Wie findest du zum Beispiel ›Mit Drachen tanzen‹? Da ist doch alles drin, das reißt die Leute mit …«

»Gib es wieder her! Wenn du doch alles besser weißt«, raunzte der Zauberer und riß ihm das Buch aus den Händen. Beleidigt packte er es zurück in die Packtasche, drehte sich nach vorn und sprach die nächsten zwei Stunden kein Wort.

Erst als sie anhalten mußten, damit Grendel einige Baumwipfel abäsen konnte, taute Friedlin Gaspajori wieder auf, und weil Bredur so nett bat, erteilte er ihm die erste Stunde Unterricht in Drachenkunde. Der Ritter war hoffnungslos überfordert, weil der Große Gaspajori mit seinem letzten und ihm wichtigsten Kapitel begann, dem über Sympathieverbindungen, zu dessen Verständnis es einiger Grundkenntnisse über Drachen bedurft hätte.

»Hinter jedem erfolgreichen Drachen steckt eine adlige Jungfrau«, rief Friedlin am Schluß und fuchtelte dabei mit seinem Knüttel in der Luft.

Am Abend, als sie ihr Lager aufschlugen, erhielt Bredur die zweite Lektion, aber erst, nachdem er Reisig und Schilf angeschleppt hatte, damit Grendels Riesenwanst ja nicht nass wurde. Das war von nun an seine Aufgabe, allabendlich für das Drachenbett zu sorgen.

»Er verträgt nun mal keine Feuchtigkeit«, sagte Friedlin Gaspajori, während er die Unterlage prüfte, »wenn man nur einen einzigen Tag nicht aufpaßt und Grendel sich einen nassen Bauch holt – schon schlägt das Amphibische wieder durch, und er spuckt zwei Wochen lang kein Feuer. Es hat ewig gedauert, bis er überhaupt angefangen hat, die ersten Funken zu husten. Ich habe ihn aus einer Kröte gezogen. Wenn man aus einer Kröte einen Drachen machen will, ist es das Wichtigste, die Feuchtigkeit aus ihr rauszubekommen. Man muß sie dazu bringen, Sägespäne zu essen. Wenn eine Kröte anfängt, Sägespäne zu essen, ist sie im Grunde schon ein Drache, wenn auch vorerst ein sehr kleiner.«

»Ich faß es nicht«, sagte Bredur. »Grendel war mal eine Kröte? Er sieht überhaupt nicht so aus. Kröten haben doch keine grünen Schuppen. Und sie haben auch nicht so einen langen Hals!«

»Tja, gute Pflege und das richtige Futter«, sagte der Zauberer lässig.

»Da wirst du wahrscheinlich von vielen beneidet«, sagte Bredur.

»So kann man das nicht ausdrücken«, gab der Große Gaspajori unwillig zu. »Grendel ist schließlich nur ein Krötendrache. Der widerliche Ouspensky hat einen echten Stinkdrachen. Die gehören zur ersten Nobilität. Ich würde alles für einen echten Stinkdrachen geben.«

Bredur erfuhr, daß ein Krötendrache nur ein Drache dritter, also unterster Nobilität war. Drachen, die aus Fröschen, Kröten oder Eidechsen gezogen worden waren, standen noch unter den Drachen zweiter Nobilität, jenen, die aus einem Hahnenei geschlüpft waren oder von den wilden Drachen des Nebelreichs abstammten.

»Allerdings handelt es sich bei den Drachen des Nebelreichs nicht um echte wilde Drachen. Es sind eigentlich bloß verwilderte Hausdrachen. Trotzdem ist es lebensgefährlich, ihnen ein Jungtier zu rauben. Und mit dem richtigen Training und dem besten Futter kann auch ein Krötendrache in die zweite Nobilität aufsteigen. Er muß nur einen Drachen zweiter Nobilität besiegen. Ich habe Grendel viel Fledermausblut zugefüttert, und sieh nur, was für schöne Flügelhäute ihm gewachsen sind. Sie sind allerdings noch nicht genug ausgebildet, um ihn wirklich abheben zu lassen. Aber wenn er gegen die anderen Drachen kämpft, werden sie ihm helfen, ordentlich Geschwindigkeit aufzunehmen.«

»Und was sind Drachen erster Nobilität?« fragte Bredur.

Friedlin Gaspajori seufzte, sein Blick verklärte sich.

»Das sind jene Drachen, die aus der fernen, wunderbaren Zeit vor allen Zeiten stammen, aus dem erhabenen Drachenzeitalter, als es noch keine Menschen gab und die größten und gewaltigsten Ungeheuer Länder und Meere beherrschten.«

»Wo soll das denn gewesen sein?« sagte Bredur ungläubig und abfällig.

»Wo? Na überall. Hier, wo wir jetzt sitzen. Es gab keinen Ort ohne Drachen. Aber nach der Drachenblüte kam das große Drachensterben. Sie sind fast alle eingegangen, niemand weiß warum, und die wenigen, die es bis in unsere Tage geschafft haben, sind von irgendwelchen Fanatikern umgebracht worden. Der letzte reinrassige Drache war der von Babylon. Er hieß Tannin und wurde im Tempel des Baal verehrt – bis irgendein Wichtigtuer ihn mit einem Kuchen aus Pech und Schafswolle vergiftet hat. Was einem heute als Drache erster Nobilität vorgeführt wird, sind nur noch Kreuzungen, in denen der babylonische Vorfahre mehr oder weniger stark durchschlägt. Rein theoretisch könnte auch Grendel in die erste Nobilität aufsteigen, wenn er einen Nachfahren Tannins besiegen würde. Das ist aber noch keinem Drachen zweiter oder dritter Nobilität je geglückt. Doch wenn Grendel sich in den kleineren Wettkämpfen hervortut, wird er vielleicht zur Zucht zugelassen, und dann bekäme ich einen Anrechtsschein, um ein Drachenjunges erster Nobilität zu erwerben.«

Bredur gähnte.

»Nicht einschlafen«, rief der Große Gaspajori, »du mußt erst Grendel kraulen.«

»Ich? Wieso denn ich? Das ist dein Drache. Kraul ihn doch selbst!«

»Ich kann nicht, ich habe Gicht in den Fingern. Außerdem bist du ein Ritter. Möglicherweise könnte das eine gute Sympathieverbindung ergeben. Da nun einmal keine Prinzessin zur Hand ist. Wenn du als Ritter Grendels Kopf in den Schoß nimmst und ihn kraulst, kann es auf jeden Fall nicht schaden. Grendelchen wird gern gestreichelt, und es wird zumindest einen beruhigenden Einfluß auf ihn haben.«

»Darum hatte ich das Glöckchen aber nicht gebeten! Ich habe nicht gesagt, daß ich einen sabbernden Drachen kraulen will.«

»Während du dich um Grendel kümmerst, koch ich uns was Schönes, und wenn er eingeschlafen ist, kriegst du zu essen«, tröstete der Zauberer. »Hierher, Grendelchen, komm hierher, kraule kraule!«

SCHMUTZIGE WÄSCHE

Kaum hatte die Kutsche mit Prinz Diego darin das baskarische Schloß verlassen, suchte Königin Isabella die Nordlandprinzessin auf. Es war kurz vor zwölf, und Lisvana lag immer noch im Bett, während eine Posamentenhändlerin Troddeln, Quasten und Litzen auf der Decke ausbreitete und Rosamonde ihrer Herrin eine Tasse Schokolade einschenkte. Königin Isabella stieß die Tür auf.

»Hinaus! Und nimm dein Gebimsel mit!« fuhr sie die Händlerin an, die sofort einen Katzbuckel machte und rückwärts aus dem Zimmer kroch. Rosamonde klapperte vor Schreck mit der Untertasse.

»Schau dich an«, sagte die Königin zu Prinzessin Lisvana. »Dir geht's doch gut. Geht es dir nicht gut? Faulenzen bis in den Mittag, vom Bett in den Sessel, vom Sessel in die Sänfte, Maskeraden und Kartenspiel, Ausritte, Spaziergänge, die feinsten Speisen, die besten Weine ... – und sich anschließend bei meinem Sohn beklagen, wie arm du dran bist. Gott, das Zimmer ist völlig überheizt! Machen Sie doch mal ein Fenster auf, Rosamonde.«

»Pah«, sagte Prinzessin Lisvana, während Rosamonde die Fensterflügel aufklappte.

»Prinz Diego«, fuhr die Königin fort, »ist zwar nicht der

beste Mann der Welt, er hat zum Beispiel kein Talent für Gärten, aber er ist auch nicht der schlechteste. Im Grunde bist du doch viel besser dran als eine von jenen Unglücklichen, die ihren Bräutigam von ihren Eltern ausgesucht bekommen, in allen Ehren heiraten und dann den Rest ihres Lebens mit einem nichtswürdigen Widerling verbringen müssen. Nimm nur die Herzogin von Krain – mit siebzehn Jahren an einen gefährlichen Irren verheiratet, fristet ihr Leben seitdem in der finstersten und zugigsten Burg Septimeniens. Der Herzog verbietet ihr, Schuhe zu tragen, und zwingt sie, Kanarienvögel zu rupfen und Katzen zu braten. Oder Anna von Bayern: Monsieur le Prince prügelt sie grün und blau, selbst wenn Lakaien dabei sind, belegt sie mit den häßlichsten Namen. Und glaub nicht, daß die Kinder, die sie Jahr für Jahr bekommt, Kinder der Liebe sind. Ach, und die wunderschöne, gutherzige Fiancetta. Alle haben sie gemocht. Der junge Graf von Golem hat sich erhängt, als sie nach Vagond verheiratet wurde. Und wie hat sie ihren Vater angefleht, ihr das nicht anzutun, aber denkst du, das hätte den geschert? Ihr Mann ist häßlich und verwachsen wie ein Troll, er hinkt und stinkt, kann die Zunge nicht hinter den Zähnen halten. Was ihn nicht daran hindert, die arme Fiancetta ständig zu betrügen und seine Eroberungen mit zu ihr ins Ehebett zu bringen. Kein Tag vergeht, an dem er sich nicht eine neue Bosheit ausdenkt, mit der er sie quälen kann. So, und jetzt frage ich dich zum letzten Mal: Willst du meinen Sohn nun heiraten oder nicht?«

»Ganz bestimmt nicht«, erwiderte Lisvana.

»Das habe ich mir gedacht«, sagte Königin Isabella. »So bäurisch verstockt und sauertöpfisch, wie du bist, paßt du sowieso nicht an unseren Hof.«

Sie öffnete die Tür und rief Lisvanas Zofen herein.

»Ihr wißt, was ihr zu tun habt!«

Die Zofen kamen mit versteinerten Mienen ins Zimmer, und statt Prinzessin Lisvana wie gewohnt zu bedienen, rissen zwei von ihnen das Bettzeug weg und zerrten sie an den Armen aus dem Bett. Andere stürzten sich auf Fräulein Rosamonde, nahmen ihr ohne Erklärung das schöne Kleid fort und stülpten ihr stattdessen einen sackleinenen Kittel über.

»Eure Gesichter merk ich mir«, sagte Prinzessin Lisvana, die auch so einen Kittel verpaßt bekommen hatte. Ohne zu antworten, schoben die Zofen Lisvana und Rosamonde aus den schönen Zimmern und zogen sie hinter sich her in den weniger präsentablen Teil des Schlosses. Dort brachten sie sie in eine Kammer, an deren Tür zwei bullige Knechte mit nackten Oberkörpern und verschränkten Armen Wache standen. Die Kammer war vollkommen leer bis auf zwei Strohsäcke auf dem Steinboden und einen großen Weidenkorb. Die Zofen verschwanden, und nun trat Königin Isabella ein und hob den Deckel vom Korb.

»Die Unterhosen unserer Ritter. Die werdet Ihr beide bis heute abend gewaschen haben! Da es euch nicht erlaubt ist, die Gärten zu verlassen, dürft Ihr ausnahmsweise zu den Kaskaden an der Goldenen Grotte gehen und dort waschen.«

»Ihr glaubt doch nicht im Ernst, daß wir das machen?« sagte Lisvana.

»Niemals«, rief Jungfer Rosamonde.

Die Königin fing gar nicht erst zu diskutieren an, sondern trat gleich zur Seite und winkte die beiden Knechte herein.

»Auspeitschen! Aber nur mit Ruten. Und alle zwei Schläge fragt ihr nach, ob die Damen sich nicht doch der Unterhosen annehmen wollen.«

Am Abend suchte Königin Isabella die tränenüberströmten Mädchen in der Kammer auf, überprüfte den Korb, ob die Wäsche auch wirklich rein war, und ließ Lisvana wissen, daß fortan jeder ihrer Tage im baskarischen Schloß so aussehen würde.

»Es sei denn, du entschließt dich endlich, Prinz Diego mit Sanftheit und Milde zu begegnen und seine Frau zu werden. Du brauchst es mir nur zu sagen, und alles wird wie zuvor. Du ziehst wieder in deine alten Zimmer und bekommst auch deine Kleider zurück. Übrigens macht es wenig Sinn, heute auf Diego zu warten, um sich bei ihm zu beschweren. Ich habe ihn ins Ausland geschickt, auf Brautschau, und die schönsten, reichsten und sanftesten Königstöchter werden ihn voller Freude empfangen. Sollte er sich für eine von ihnen entscheiden, so ist dein Schicksal sowieso besiegelt: Wäsche, Wäsche, Wäsche!«

»Und du«, sagte sie zu Rosamonde, »du wirst so lange mitleiden, bis deine störrische Herrin es sich anders überlegt hat. Ich habe das hier jetzt nämlich endgültig satt.«

Damit pustete sie die einzige Kerze aus und ging hinaus.

»Jetzt erst recht«, sagte Prinzessin Lisvana in die Dunkelheit, »wenn dieses Miststück denkt, daß sie uns kleinkriegt, hat sie sich getäuscht. Und wenn Prinz Diego zurückkommt, werde ich ihm alles erzählen.«

»Aber vielleicht will der Prinz ja, daß wir leiden«, kam es von Rosamonde. »Schließlich habt Ihr ihn nicht gerade freundlich behandelt.«

»Niemals!« rief Lisvana. »Prinz Diego würde so etwas nie zulassen. Er liebt mich aufrichtig!«

Rosamonde seufzte und versuchte, es sich auf ihrem Strohsack bequem zu machen, aber etwas drückte sie.

»Da ist etwas in dem Sack. Vielleicht eine tote Ratte. Oh Gott, wir müssen auf toten Tieren schlafen.«

»Reiß dich zusammen«, fuhr Lisvana sie an, »Haltung ist jetzt alles.«

Es hatte sich herumgesprochen, daß die Nordlandprinzessin und ihre Hofdame degradiert worden waren. Wenn Lisvana und Rosamonde morgens den Wäschekorb zu den Kaskaden an der Goldenen Grotte schleppten, waren sie noch allein, aber ab Mittag nahm ihr Publikum stetig zu. Der Pfad oberhalb der Kaskaden wurde zu einem der beliebtesten Spazierwege. Hier beugten sich die Hofdamen und Höflinge über die Marmorbalustrade und sahen zu, wie die einzigen schlechtgekleideten Menschen, die in den königlichen Gärten geduldet wurden, die Wäsche schrubbten und wrangen. Man lachte, klatschte Beifall und zeigte mit den Fingern.

»Das ist die Prinzessin?« – »Tatsächlich?« – »Kaum wiederzuerkennen! Wie heißt der Stoff, den sie trägt – Sackleinen? Grauenhaft!«

Die zwölf Ehrenjungfern, die Lisvana bei ihrer Ankunft nicht als ihre Hofdamen hatte akzeptieren wollen, gehörten zu den ausdauerndsten Zuschauerinnen. Drei bis vier von ihnen waren immer zur Stelle. Sie kamen sogar bis zum Waschplatz herunter.

»Schaut euch das an: alte Pferdedecken als Kleider – nicht zu fassen. Im Nordland vermutlich die neueste Mode. Richtige Lumpen.«

Und genauso wurden Lisvana und Rosamonde von den Ehrenjungfern fortan genannt: die Lumpen. »Ah, da sind sie ja wieder, die Lumpen mit ihrem Wäschekorb. He, Lumpen, kannst du nicht mal woanders waschen, dein Anblick ist nicht gerade erfreulich. He Lumpen, wo du sowieso schon kniest – polier doch mit deiner Schürze mal meinen Schuh, es ist ein Spritzer Straßenkot darauf.«

Und jeden Morgen war der Wäschekorb wieder voller dreckiger Unterhosen und Hemden und Beinlinge. Zwar gab es Hunderte von Bediensteten im Schloß, aber Lisvana und Rosamonde schienen die einzigen Wäscherinnen zu sein. Es gehörte zu Königin Isabellas Plan, daß die harte Arbeit die Nordlandprinzessin häßlich machen sollte, damit Diego das Interesse an ihr verlöre. Sie ließ den Mädchen nicht einmal einen Kamm. Lisvana und Rosamonde mußten sich die Haare mit den Fingern strählen.

Wenn die Königstochter und ihre Ehrenjungfer vor der Goldenen Grotte knieten, ihre roten Hände ins Wasser tauchten und ihr Schicksal beklagten, fuhr gelegentlich auch Zwerg Pedsi auf dem Rückweg von den Arbeiten am neuen Pilzgarten an ihnen vorbei. Einmal hielt er seine Schafskutsche sogar an, zog ein Buch über ›Das geheime Leben der Morcheln und Trichterlinge‹ aus der Tasche und tat, als hielte er den Platz vor der Grotte für einen ganz vorzüglichen Ort, um ein bißchen zu schmökern.

»Ignorieren«, sagte Prinzessin Lisvana, aber Rosamonde ertrug es nicht und ging zur Schafskutsche hinüber.

»Du kannst doch gar nicht lesen«, fauchte sie Pedsi an.

Der Zwerg war erstaunlich elegant gekleidet. Er trug Kniehosen und Schnallenschuhe und einen viereckigen Spitzenkragen überm Cape. Blasiert sah er Rosamonde an.

»Na, weswegen habe ich denn wohl sonst hier angehalten? Vielleicht um zwei schuftenden Mädchen in erbärmlicher Aufmachung zuzusehen? Da kann ich mir etwas Hübscheres vorstellen.«

»Wie kannst du es wagen, über unser Unglück auch
noch zu spotten. Denkst du, wir tun das freiwillig? Wir sind
geschlagen worden, sogar die Prinzessin. Deine feine Königin hat es angeordnet. So, jetzt weißt du's! Und mit solchen Leuten machst du gemeinsame Sache. Daß du dich
nicht schämst!«

Rosamonde traten die Tränen in die Augen.

»Geschlagen?« sagte Pedsi und drehte versonnen ein
wolkenweißes Löckchen von einem seiner Schafe zwischen den Fingern. »Was für ein Pech! Wenn Gott es für
richtig hält, möge er sich euer erbarmen!«

Und damit setzte er sich einen breitkrempigen Federhut
auf, ließ die Zügel auf den Rücken der Schafe fallen und
rollte davon, ehe Rosamonde sich auf ihn stürzen konnte.

Die nächsten Tage fuhr Pedsi nicht wieder bei der
Goldenen Grotte vor. Ernsthafte Komplikationen an den
Röhrlingsterrassen hielten ihn von morgens bis abends im
Pilzgarten fest. Sämtliche Butterpilze waren madig gewor-
den und die Hälfte der Steinpilze von Eichhörnchen ange-
fressen.

Es ging das Gerücht, Pedsis Gartenanlage drohe ein
Fehlschlag zu werden.

Doch nur eine Woche später, als Rosamonde und Prinzessin Lisvana gerade den Korb mit der frischgewaschenen
Wäsche zurück zum Schloß schleppten, begegnete ihnen
der Zwerg schon wieder in allerbester Laune. Diesmal war
er zu Fuß und trug eine voluminöse rotbraune Lockenpe-

rücke, die sich über dem Scheitel zu zwei Wülsten auf-
bauschte und ihm bis zu den Hüften hing. Fünf Hofdamen
um sich herum, flanierte er durch den Garten, zeigte mit
dem Elfenbeinknauf seines Spazierstocks auf einen der
vielen Pavillons, die dem Musizieren oder dem ungestör-
ten Gespräch dienten, und erzählte etwas, worüber die Damen sich vor Lachen ausschütten wollten.

»Moment mal«, sagte Rosamonde zu Lisvana, setzte den
Korb ab und lief hinüber.

»Heute fährst du mir nicht einfach davon, du abgebro-
chener Verräter«, rief sie und trat nach Pedsi. »Was treibst
du dich hier herum, he? Hältst dich wohl für einen tollen
Kerl?«

»Allerdings«, rief Pedsi und trat zurück.

Die wütende Rosamonde ballte die Faust, aber Pedsi
wich zurück, und die Hofdamen rauschten mit ihren Rie-
senröcken zu einer undurchdringlichen Wand zusammen
und riefen:

»Laßt unseren Lieblingszwerg in Ruhe. Er ist der nied-
lichste von allen.«

»Wir dulden nicht, daß Ihr ihm etwas zuleide tut.«

»Er steht unter unserem Schutz, und Ihr seid hier nicht
im Nordland.«

»Der?! Niedlich? Der Schrat? Das ist ja wohl das Neueste«, rief Rosamonde.

Pedsi schob mit beiden Händen die Röcke wie einen
Vorhang zur Seite und steckte den Kopf vor.

»Doch genau – ich bin sehr niedlich«, sagte er würde-
voll.

»Und charmant«, feuerten ihn die Hofdamen an.

»Und der bestangezogene Mann am Hofe!«

»Und der hoffnungsvolle neue Stern am Himmel der Gartenkunst.«

»Nicht zu vergessen meine Liebenswürdigkeit und amüsante Intelligenz«, ergänzte Pedsi mit hängenden Lidern. Dann öffnete er die Augen wieder ganz und fixierte Rosamonde.

»Ich mag Euch, Jungfer Rosamonde, wirklich, ich mag Euch. Weil wir von demselben weltentrückten Flecken Erde stammen und auch noch aus anderen Gründen. Ich fürchte allerdings, Ihr verkennt ganz und gar die Lage, in der Ihr Euch befindet. Oder Ihr seid sehr waghalsig. Es entspricht nämlich keineswegs Eurer derzeitigen Stellung am Hof, daß Ihr mit Eurem wenn auch entzückenden Fuß nach einem Günstling der Königin tretet. Und wenn ich es genau überlege, läßt sich das auch nicht mit meiner Würde vereinbaren. Ich kann es drehen und wenden, wie ich will – so geht das nicht. Um es kurz zu machen: Sollte es noch ein einziges Mal vorkommen, werde ich Meldung machen und Euch die verdienten Prügel verabreichen lassen. Darin habt Ihr ja bereits Erfahrung.«

Die Hofdamen kicherten geziert, drängten sich näher um den Zwerg und rauschten gemeinsam mit ihm davon. Rosamonde blieb mit offenem Mund zurück. Es war das letzte Mal, daß sie nach Pedsi getreten hatte.

DIE MUMMEL

Erstaunlich, wie schnell man sich an die Gesellschaft eines Drachens gewöhnen kann, dachte Ritter Bredur, während er auf Grendel durch ein Kornfeld schaukelte und zusah, wie ein Bauer in haltlosem Entsetzen seine Sense von sich warf und wegrannte. Der Große Gaspajori versuchte, Grendel soviel wie möglich durch Wälder und unbewohnte Gegenden zu lenken, aber manchmal ließ es sich eben nicht vermeiden, daß sie einem Menschen begegneten.

»Du, Friedlin, hab ich eigentlich schon erzählt, wie Prinzessin Lisvana mir zum ersten Mal auf der Treppe begegnet ist?« fragte Bredur den violetten Rücken, der vor ihm hin und her schwang.

»Ja«, sagte der Zauberer knapp und ohne sich umzudrehen.

Wenn man so lange zusammen reiste, wie die beiden es taten, ließ es sich kaum verhindern, daß man einander allerlei anvertraute. So kannte der Große Gaspajori sich jetzt bestens mit Prinzessin Lisvanas Stammbaum, ihren Vorzügen und Launen aus, kannte ihr Schicksal, ihre Heimat und ihre unvergleichliche Lieblichkeit, als wäre sie sein Enkelkind. Wäre sie ihm über den Weg gelaufen, er hätte sie zweifellos erkennen müssen. Anfangs hatte Friedlin auch noch interessiert zugehört und gemeinsam mit Bredur spekuliert, wo denn die Prinzessin gefangengehalten werden könnte und ob wohl bereits eine Hochzeit stattgefunden habe. Aber wenn Ritter Bredur sich allzulang in der Beschreibung von Lisvanas Schönheit erging oder zum fünften Mal erzählte, wie er die Hand der Prinzessin im Turm ergriffen hatte, strich sich der Zauberer den Bart und sagte »soso« und wirkte nicht immer, als würde er zuhören. Im Gegenzug dämmerte auch Ritter Bredur manchmal weg, wenn Friedlin Gaspajori einen interessanten Gedankengang aus seinem Drachenbuch zum wiederholten Male variierte oder vertiefte. Denn hieraus bestand vornehmlich der Geprächsbeitrag des Zauberers, täglich die einzelnen Kapitel über Drachensorten, Drachenzähmung, Drachenkampf und die Herstellung und Auflösung von Sympathieverbindungen zu referieren. Inzwischen wußte Bredur so viel über Drachen, als wäre er selber von einem geschuppten Ungeheuer mit würziger Drachenmilch großgezogen worden.

»Es kann nicht mehr weit sein«, rief der Große Gaspajori und zeigte nach vorn auf einen Wald. Die Verwüstung war unübersehbar. Zwei breite Schneisen waren in das Gehölz gebrochen, ehemals stolze Eichen standen geknickt, an mehreren Bäumen hingen zusammengerollte und versengte Blätter. Eine halbe Stunde später stießen sie auf den Abdruck einer Drachentatze im Schlamm, und kurz danach blieb Grendel ruckartig stehen, um an einem riesigen Haufen zu schnuppern.

»Höhlendrachenkot«, sagte der Zauberer, nachdem er einen flüchtigen Blick darauf geworfen hatte.

An diesem Abend erreichten sie den Festplatz für die Drachenwettkämpfe jedoch nicht mehr, sondern mußten ihr Lager wieder im Wald aufschlagen.

»Vor etwa zwei Kilometern hat rechts ein Teich gelegen. Dort wirst du Schilf für Grendels Bett finden. Denk daran, daß es ganz trocken sein muß«, sagte der Große Gaspajori, während er seinem Drachen die Packtaschen abnahm. »Und schau bei der Gelegenheit, ob du nicht auch etwas Saftiges für ihn zu futtern findest. Diese vertrockneten kleinen Blätter, die Grendel in letzter Zeit gefressen hat, geben kaum Kraft. Schließlich ist übermorgen sein großer Tag. Ich will ihn in drei Wettkämpfen antreten lassen.«

»Ist gut«, sagte Bredur, sattelte Kelpie und ritt die Strecke, die sie eben erst gekommen waren, wieder zurück. Bei der Schlammpfütze mit dem Abdruck der Drachentatze sah er etwas hinter den Büschen blinken, stieg vom Pferd und schlug sich ins Dickicht. Der Teich war von einem sumpfigen Ufergürtel umgeben, und das trockene Schilf, auf das Bredur es abgesehen hatte, stand auf der gegenüberliegenden Seite. Er mußte entweder über den grünen, glitschigen Baumstamm, der quer über dem Teich lag, balancieren oder außen um das versumpfte Ufer herumlaufen. Bredur entschied sich für den Baumstamm und wäre fast ins Wasser gefallen. Zurück wählte er den Landweg. Ein Rudel Hirsche sprang vorbei, aber er konnte keinen Pfeil nach ihnen schießen, weil er die Arme voller Schilfbündel hatte. Jetzt noch etwas Saftiges für Grendel. So spät im Jahr war etwas Saftiges gar nicht so einfach zu finden, aber als er über den Baumstamm balanciert war, hatte er mitten im Teich eine große Schwimmblattpflanze mit fleischigen grünen Blättern gesehen. Er wagte sich noch einmal auf den glitschigen Stamm, ging auf die Knie hinunter und erntete, was er zu fassen bekam.

Als er mit dem Schilf und den Blättern wieder auf den Weg trat, war Kelpie verschwunden. Bredur pfiff, und kurz darauf brach das Pferd aus dem Unterholz. Es trug einen Fasan im Maul. Bredur wollte ihm den Vogel abnehmen, aber Kelpie ließ nicht los, sondern bestand darauf, seine Beute selber zum Lager zurückzutragen.

Als sie ankamen, war es bereits dunkel. Der Große Gaspajori hatte ein Feuer gemacht und hantierte mit dem Kessel. Grendel döste grünlich schimmernd in einem Dornbusch. Nachts glomm sein Schuppenpanzer wie faules Holz. Bredur band die Schilfbündel von Kelpies Rücken, polsterte eine Bodenmulde damit aus und lockte den Drachen herüber. Dann warf er ihm die saftigen Blätter vor.

»Hast du eine Ahnung, wo ich den großen Suppenlöffel hingesteckt habe?« fragte Gaspajori und drehte sich zu Bredur um. Grendel beschnupperte gerade die Blätter und beleuchtete sie dabei mit seiner phosphoreszierenden Nase. Der Zauberer stieß einen gellenden Schrei aus, stürzte zu seinem Drachen und riß ihm das Futter weg.

»Bist du wahnsinnig?« schrie er Bredur an. »Willst du ihn vergiften? Warum fütterst du ihn nicht gleich mit Glasscherben?«

»Wieso?« sagte Bredur. »Du hast gesagt: etwas Saftiges. Und da habe ich eben diese Mummelblätter mitgebracht. Die sind doch nicht giftig.«

»Willst du, daß er anfängt zu quaken? Übermorgen soll Grendel in der Feuerspeierprüfung antreten, und der schlaue Herr Ritter füttert den Drachen mit Wasserpflanzen. Als ich etwas Saftiges sagte, habe ich natürlich Fleisch gemeint. Fleisch! Das kann man doch gar nicht mißverstehen.«

Der Feuerschein flackerte unheimlich auf dem Gesicht des Zauberers. Plötzlich trat auch noch ein fiebriges Glitzern in seine Augen.

»Oder machst du das absichtlich? Du machst das absichtlich! Du willst, daß Grendel in den Prüfungen versagt! Wer hat dich geschickt? Der Große Ouspensky? Gib zu, daß du für den großen Ouspensky arbeitest! Was hat er dir bezahlt?«

Der Zauberer hob einen Stein auf und drohte, damit auf den überraschten Bredur loszugehen. Grendel winselte aufgeregt und glomm vor lauter Sorge etwas heller.

»Nichts! Unsinn! Ich kenn deinen Großen Ouspensky überhaupt nicht. Ich habe wirklich gedacht, du wolltest, daß ich saftige Pflanzen hole«, sagte Bredur beschwichtigend.

»Sieh mir in die Augen!« schrie der Zauberer und zeigte mit zwei Fingern auf seine dicken Brillengläser. Sein Gesicht war immer noch von Argwohn und Irrsinn entstellt. »Sieh mir in die Augen, und dann schwöre, daß dich nicht der große Ouspensky beauftragt hat!«

»Ich schwöre«, sagte Bredur gereizt.

»Das reicht nicht, schwör bei etwas, das dir heilig ist!«

»Ich schwöre bei meiner Ritterehre, bei meinem Schwert Greinderach und meinen silbernen Sporen, daß ich deinen Freund Ouspensky noch nie gesehen habe und daß ich Grendel niemals schaden würde. Sonst wäre ich doch nicht so offen mit den Mummelblättern angekommen, sondern hätte sie ihm heimlich in anderes Futter gemischt.«

»Gut«, schnaufte der Zauberer, »diesmal will ich dir noch glauben. Aber tu das nie wieder, hörst du. Nie wieder!«

»Und du drück dich in Zukunft deutlicher aus«, sagte Bredur, nahm seinem Pferd den Fasan aus dem Maul und warf ihn dem Drachen vor. Der Große Gaspajori brummelte versöhnt. Kelpie legte sich neben Grendel. Er war mit dem Untier inzwischen so vertraut, daß er ihm das Moos vom Schuppenpanzer abweidete und nicht einmal den Kopf hob, als Grendel aufstoßen mußte und dabei kleine Flammen aus seinem Maul züngelten.

DER DRACHENMARKT

Früh am nächsten Morgen machten sie sich wieder auf den Weg. Der Wald nahm und nahm kein Ende. Bredur fürchtete schon, sie hätten sich verlaufen, aber mittendrin gelangten sie plötzlich auf eine große Lichtung – und da war er auch schon, der Festplatz. Links lag der Markt, rechts davon die Kampf- und Tummelplätze, und noch weiter rechts davon die Drachenschau. Und überall waren Drachen, auf der rechten Seite wimmelte es geradezu davon, in allen Größen und Formen, und dazwischen bewegten sich die grünen und violetten und blauen und schwarzen Spitzhüte der Zauberer. Die Drachen schnaubten und brüllten, es stank nach Schwefel, und der graue Pestilenzhauch ihres Atemdampfes verschleierte den Himmel. Auch Grendel wurde unruhig, er trompetete hinüber, geiferte, trampelte und peitschte mit dem Schwanz. Der Große Gaspajori holte ein scharfes Drachenhalfter aus den Packtaschen, legte es Grendel um und führte ihn nun an einer Eisenkette hinter sich her. Bredur folgte mit dem ebenfalls etwas unruhigen Kelpie.

Das Gelände hatte durch die Schaustücke bereits arg gelitten, der Wiesenboden war zertrampelt und großflächig versengt und die Lichtung von entwurzelten und geknickten Bäumen gesäumt. Da über hundert Zauberer von überall auf der Welt mit ihren Drachen hergekommen waren, mußte der Wald, der den Festplatz umgab oder vielmehr einmal umgeben hatte, auf Jahrzehnte zerstört sein. Bredur ahnte, warum ein Königreich nach dem anderen die großen Drachentreffen verboten hatte.

»Alles Unfug«, sagte Friedlin Gaspajori, »wen stört denn schon das bißchen Bruchholz? Feige sind die Leute. Weil sie keine Ahnung von Drachen haben. Die denken doch ständig, daß sie angegriffen und gleich gefressen werden. Bloß weil sie nicht richtig hinsehen. Wenn sie sich die Mühe machen würden, einem Drachen mal ins Gesicht zu sehen, könnten sie auch erkennen, ob er wirklich sauer ist oder bloß spielen will.«

Bredur dachte bei sich, daß Grendel mitunter dann am schrecklichsten war, wenn er bloß spielen wollte. Es fiel ihm nicht leicht, seine Kräfte zu dosieren, und Bredur hatte am ganzen Körper Abschürfungen und blaue Flekken.

Sie gingen zu dem Teil des Geländes, auf dem die Verkaufsstände aufgebaut waren. Anhand der Zeichen, die in die Bäume geritzt waren, suchte Friedlin seinen vorbestellten Platz und blieb schließlich vor einer stabilen Eiche mit einem nach oben zeigenden Dreieck und einer römischen Zwölf stehen.

»Hier ist es.«

Friedlins Marktstand lag zwischen einem Stand mit Bart-Toupets für Zauberer und einem mit riesigen Ledergeschirren für die Kampfdrachen. Gegenüber wurden aufklebbare Warzen und Hörner verkauft – für diejenigen Drachen, die in den Schönheitskonkurrenzen starteten.

Friedlin band Grendel an die Eiche und rammte zusätzlich einen Pflock in die Erde, an dem er den Drachen mit einer Fußkette befestigte.

»Bind dein Pferd daneben, das wird ihn beruhigen.«

Während Grendel, von Bredur bewacht, einen kleinen Baum kaute und spleißte, ging Friedlin zur Marktaufsicht und kam mit einer dünnen Tischplatte und zwei Holzböcken zurück. Der fertige Tisch sah nicht gerade stabil aus, aber das machte nichts, denn das einzige Produkt, das Friedlin anzubieten hatte, war sein Buch über Drachen. Wer sich dafür interessierte, der durfte gegen Gebühr eine halbe Stunde darin lesen oder gegen eine höhere Gebühr daraus abschreiben. Wer es sich leisten konnte, durfte beim Großen Gaspajori auch komplette Abschriften bestellen, die dann ein Mönch für ihn ausführte. Aber das war sehr teuer, weil der Mönch auf keinen Fall von seinem Abt dabei erwischt werden durfte und sich das Risiko entsprechend vergolden ließ.

Als die ersten Interessenten eintrafen und Friedlin damit beschäftigt war, Geld zu kassieren und Sanduhren umzudrehen, verließ Bredur den Stand, um sich das Drachenfest anzuschauen. Mittag war vorbei, und jetzt wurde es richtig voll. Bredur hatte noch nie so viele Menschen aus friedlichen Gründen auf einem Fleck versammelt gesehen. Er quetschte sich durch das Gewühl aus Zauberern und Neugierigen, aus Kuchen- und Schnapsbuden, aus Karren und fahrenden Händlern, die in gutem und schlechtem Baskarisch mit allen denkbaren Akzenten auf ihn einschrien.

»Drachengallenpunsch! Drachengallenpunsch! Wer hat noch nicht den köstlichen Drachengallenpunsch probiert?«

»Hier! Hierher! Hier gibt es die bewährten Klauenraspeln!«

»Die schönsten Kampfgeschirre – preiswert und kaum gebraucht!« – »Hahneneier! Grüne und gelbe Hahneneier! Kauft Hahneneier!« – »Fleischkuchen, Fleischkuchen! Wer will noch Fleischkuchen?«

Arme, die in der Luft herumfuchtelten, Ellbogen, die den Nebenmann in die Rippen knufften, Kinderhände, die sich an Schürzen klammerten, schmutzige Finger, die sich um Geldbörsen oder Hinterteile schlossen, die ihnen nicht gehörten. Bredur schlängelte sich an den Ständen für Drachenkampffutter und Spezialfutter für Drachen mit Grindneigung und Spezialfutter zur Härtung der Panzerplatten vorbei. Auch hier ein einziges Drängen und Stoßen. Die Menschen rochen nach Schweiß und altem Leder. Sie tranken und schmatzten und hauchten ihm ihren sauren Atem ins Gesicht. Und mitten durch die wogende Menge schwankte ein gewaltiger grauer Drache wie ein Schiff und stieß einen tiefen, besorgten Heulton aus. Sein Besitzer hielt kurz an einer Bude, wo man seinen Drachen malen lassen konnte, entschied sich dann aber, zuerst am Nebenstand einen neuen Hornschoner anzuprobieren. Es gab Stände, an denen es kleine Miniaturdrachen aus Holz und Stein zu kaufen gab, und Stände, an denen lebende und ausgestopfte Lügenkrokodile verkauft wurden, ohne daß Bredur herausbekam, was Lügenkrokodile eigentlich genau waren oder wozu sie gut sein sollten. Sie sahen aus wie Eidechsen mit dreieckigen Köpfen. Ganz am Rand des Marktes gab es natürlich auch einen Stand mit unverwundbar machendem Drachenblut. Frisch gezapft. Vier anämische Drachen dritter Nobilität vegetierten angebunden hinter dem Zelt. Davor drängten sich die Menschen so dicht, daß überhaupt kein Durchkommen mehr war und Bredur außen herumgehen mußte. Er konnte unter den Drachenblutinteressenten keinen einzigen Zauberer ausmachen – vermutlich, weil die alle wußten, daß es nicht funktionierte. Die Käufer wirkten auch sehr nervös, sahen immer wieder ängstlich zu den Drachen hinüber und machten sich schleunigst davon, wenn sie das Verlangte bekommen hatten.

Bredur ließ den Markt hinter sich und ging hinüber zu der großen Arena, die in einigem Abstand aufgebaut war. Mannsdicke Eisenpfeiler waren in der Erde versenkt, zehn Meter hoch und die Spitzen nach innen gebogen. Das ganze Gerüst war mit Gittern verkleidet und mit schweren Ketten im Boden verankert. Von allen Seiten strömten die Zauberer und Marktbesucher darauf zu. Am Eingang zur Arena stand ein Mann mit einem blau-roten Stoffring auf dem Kopf und schrie:

»Hier ist er – der Champion! Es kann nur einen geben! Fordert ihn heraus! Einen Topf voller Gold für denjenigen, dessen Drache den Champion besiegt. Einen Verbandskasten für denjenigen, dessen Drache den Kampf mit dem Champion überlebt. Der nächste Kampf beginnt ... – jeee-eetzt! Seht den Kampf des Champions mit seinem Herausforderer. Du vergißt deinen Vater – du vergißt deine Mutter – aber den Champion vergißt du nie! Seht den Einen, den Einzigen, den großartigen, fürchterlichen Chaaaaaaampion.«

Bredur trat an das mächtige schwarze Gitter heran und versuchte einen Blick auf das Schreckenstier zu erhaschen. Da! Der Champion stand in der Mitte der Arena, und er war gigantisch. Von der Schwanzspitze bis zur Stirn maß er mindestens dreizehn Meter. Mindestens! Er war ein flügelloser Zweibeiner, und wenn er sich reckte, konnte er vermutlich oben aus der Arena herausschauen. Sein rechtes Bein war mit einer Kette angebunden, die in einen Fels eingelassen war, der wiederum in der Erde steckte. Absurd kurze Vordergliedmaßen baumelten vor seiner gelben Brust. Der Champion drehte sich kettenklirrend auf der Stelle, verfolgte die hereinströmenden Zuschauer mit den Augen und warf immer wieder den häßlichen, überproportionierten Kopf in den Nacken. Dabei schnaufte er tiefschwarze Wolken, zeigte die Doppelreihen seiner säbelförmigen Reißzähne und ließ ein furchterregendes, metallisch anmutendes Gebrüll hören. Dank Friedlins Unterricht erkannte Bredur sofort, daß es sich um einen der seltensten und gefährlichsten Drachen überhaupt handelte. Bei einem Willkür-Monarch-Drachen konnte man nie sicher sein, ob er nicht ab und zu auch mal einen Menschen fraß, und er konnte nur mit schwersten Ketten, hinter dicksten Gitterstäben oder ständig unter Zaubertränken gehalten werden. Auf der ganzen Welt gab es nur zwei Stück, und das hier war vermutlich der wildere von beiden. Ein Wachtposten kam und scheuchte Bredur vom Gitter weg. Bredur faßte in seinen Geldbeutel, obwohl er ganz genau wußte, daß nur acht Münzen darin waren. Er durfte das wenige Silbergeld, das er besaß, nicht für Vergnügungen verschwenden. Andererseits würde er vermutlich nie wieder die Gelegenheit haben zuzusehen, wie dieses gewaltige Exemplar des babylonischen Drachenstammes seinen Gegner zerfleischte. Er trennte sich von einer Münze und trat ein. Gleich hinter dem Eingang saß ein anderer

Mann, ebenfalls mit einer rot-blauen Stoffwurst auf dem Kopf, hinter einem Tisch, verteilte Wettscheine, kassierte das Geld und schrieb die Quote auf eine Tafel. Es stand 14:3 für den Champion. Die Zuschauerplätze waren von dem Kampfplatz nur durch einen Ring Fässer getrennt. Immerhin waren es die größten Fässer, die Bredur je gesehen hatte, und auf den Fässern brannten Ölfeuer. Er suchte sich vorsichtshalber einen Platz nahe beim Ausgang. Jetzt wurde der gegnerische Drache hereingelassen. Bredur identifizierte ihn als einen Dreihorndrachen erster Nobilität. Etwa sieben Meter Rückenhöhe, braungrau, riesendumm und leicht reizbar. Außer dem Horn auf seiner Nase und den zwei weiteren über seinen Augen besaß er eine solide Halskrause und einen Stachelschwanz, der für Dreihorndrachen eigentlich untypisch war. Wie die meisten Drachen mit starkem babylonischem Einschlag besaß er ebenfalls keine Flügel. Der Dreihorndrache trabte an den Fässern entlang, so weit wie möglich von dem Willkür-Monarch-Drachen entfernt, und dampfte vor Angst aus allen Schuppen. Feine graue Rauchwolken schwebten dort, wo er kurz stehengeblieben war, um mit den dicken Vorderstempeln den Sand aufzuscharren. Der Champion zerrte an seiner Kette, machte sich lang, daß Hals-, Schwanz- und Rückenlinie eine Gerade bildeten, und fauchte in Richtung des Dreihorndrachen, daß ihm der heiße Geifer nur so aus dem Maul spritzte. Die nächststehenden Zuschauer schaufelten sich Händevoll von dem zähen, immer noch warmen Zeug aus den Haaren, bewarfen sich damit und jubelten begeistert. Dann wurde es allmählich ruhiger. Über der Manege lag eine erwartungsvolle Spannung, und als der Ausrufer, der schon vor der Arena den Champion gepriesen hatte, eine der Absperrungstonnen bestieg, verstummte die Menge schlagartig. Der Champion schüttelte geräuschvoll seinen lappigen Hals, und der Dreihorndrache schwenkte aufgeregt den Knochenkragen, bohrte seine Hörner in die Erde und schaufelte Sand in die Luft.

»Ihr Herren! Zauberer! Bauern! Freunde des Drachensports! Es ist soweit! Der Champion hat einen Herausforderer gefunden. Und was für einen respektablen Gifter! Schaut sie euch an, diese bösen Bestien – bedrohen den Menschen, sein Vieh, sein Obst und seine Kuchen. Jeder für sich ist schon schrecklich genug. Seht und erschauert, wenn diese Kreaturen der Hölle nun miteinander spielen. Zieht die Köpfe ein, wenn sie in eure Nähe kommen, und gebt nicht mir die Schuld, wenn euch etwas passiert. Wer sich fürchtet, kann jetzt noch schnell hinaus. Will noch jemand hinaus? Keiner? Ich habe euch gewarnt. Denn jeeeeeetzt heißt es: Kette frei!«

Ein mutiger Angestellter, nur mit einem Schild bewaffnet, schlich sich von hinten an den Champion heran und zog einen Metallstift aus der Felsöffnung, in die die Kette eingelasssen war. Im selben Moment wetzte der Willkür-Monarch-Drache auch schon auf den Dreihorndrachen los. Die Kette rasselte hinter ihm her. Er lief erstaunlich leichtfüßig, beinahe schwebend – obwohl jeder Tritt bis in die hinterste Zuschauerreihe zu spüren war –, machte sich dabei wieder lang und riß das Maul auf. Der Dreihorn senkte den Kopf und hielt ihm die spitzen Hörner entgegen. Der Champion bremste in einer Staubwolke ab, lief zwei Schritte zurück, dann wieder vor, stieß mit dem Schädel zu und versuchte, seinen Gegner in die Seite zu beißen. Der Dreihorn drehte sich mit, parierte jeden Angriff mit seinem bewaffneten Schädel und fuchtelte mit den Schwanzstacheln. Er qualmte immer heftiger unter seinen Schuppen hervor und stieß Feuerzungen aus den Nüstern. Der Champion schleuderte ihm einen Flammenstrahl entgegen, der seine drei Hörner ansengte. In einer Wolke aus Staub und Rauch drehten sie sich umeinander. Dann passierte etwas Unerwartetes. Als der Champion dem Nasenhorn seines Gegners auswich, geriet er ins Straucheln, taumelte und fiel donnernd auf die Seite. Der Dreihorndrache hob sich mit erstaunlicher Wendigkeit auf die Hinterbeine und ließ sich mit den Vorderbeinen auf ihn fallen. Ein Aufschrei ging durch die Menge, übertönt von dem Schmerz- und Wutgeheul des Champions. Der Willkür-Monarch-Drache klammerte sich mit seinen nutzlosen kleinen Vorderpranken in den Schuppenpanzer des Dreihorns, hieb ihm sein fürchterliches Maul in die Flanke und riß sich ein gutes Vierzig-Kilo-Stück heraus. Jetzt brüllte der Dreihorn. Stark blutend ließ er von seinem Gegner ab und senkte den Schädel. Im Nu war der Champion wieder auf den Beinen und versuchte, ihm in die Seite zu springen, spießte sich aber bloß ein Bein an einem Horn auf. Das hinderte ihn nicht, sofort ein zweites Mal anzugreifen. Diesmal sprang er über die gesenkten Hörner des Dreihorns hinweg und riß noch ein Stück aus dessen Flanke, ohne sich darum zu scheren, daß sein eigener Schwanz dabei von den Schwanzdornen seines Gegners durchbohrt wurde. Er klammerte sich in dem tobenden, heulenden Dreihorn fest, wühlte mit den Zähnen in seiner Wunde und brachte ihn endlich aus dem Gleichgewicht. Die Erde bebte, als der Koloß fiel.

»Gebackene Drachenpfötchen, leckere süße Drachenpfötchen mit Kirschsoße?«

Ein fliegender Händler hielt Bredur seinen Bauchladen voller Schmalzgebäck unter die Nase.

»Mensch, hau ab«, sagte Bredur und schob ihn zur Seite. Gerade hatte der Champion von seinem Gegner abgelassen, aber nur, um erneut Anlauf zu nehmen und ihm mit beiden Hinterbeinen auf den Brustkorb zu springen. Er trampelte auf dem sich hilflos wälzenden Dreihorn herum, sprang wieder herunter und trat noch einmal bösartig zu. Knochen knackten. Aber bevor er den Dreihorn massakrierte, kam wieder der tapfere Angestellte vom Beginn des Kampfes zum Einsatz. Er stand plötzlich in der Mitte der Arena, blies auf einer schrillen Pfeife, rüttelte an der Fußkette und schlug seinen Schild lärmend dagegen. Der Willkür-Monarch-Drache drehte sich gereizt zu ihm um und griff ihn schnurstracks an, wobei die Kette, die um sein Hinterbein geschlungen war, wieder in das Innere des Felsens rasselte. Der Drachenbändiger wartete, den Metallstift in den erhobenen Händen, bis der Champion ihn fast erreicht hatte, dann rammte er den Stift in die Felsöffnung und brachte sich mit einem Hechtsprung zur Seite in Sicherheit. Die Kette rastete so ruckartig ein, daß die Bestie der Länge nach auf den Bauch fiel und den tapferen Angestellten beinahe noch unter sich begrub. Die Zuschauer jubelten und tosten. Jetzt kam ein aufgelöster, verheulter Zauberer in grünem Umhang und grünem Spitzhut in die Arena und lief zu dem stöhnenden Dreihorndrachen. Offensichtlich der Besitzer. Der Mann mit dem blau-roten Kopfputz kam hinter ihm her und überreichte ihm grinsend den Verbandskasten. Der Dreihorndrache hatte noch einmal Glück gehabt: einige gebrochene Rippen, ein ausgekugeltes Vorderbein und zwei Fleischwunden in der Seite. Es hätte auch eine durchbissene Kehle sein können.

»Einen kräftigen Applaus für unseren tapferen Herausforderer, so wacker hat sich noch keiner gehalten«, brüllte der Ausrufer, und die Menge jubelte dem auf drei Beinen hinaushinkenden, immer noch stark blutenden Drachen mit den verkohlten Hörnern und seinem völlig demoralisierten Besitzer zu.

»Aber hier steht der Champion, der Eine, der Einzige. Es kann nur einen geben! Fordere ihn heraus! Du vergißt deinen Vater, du vergißt deine Mutter …«

Bredur schlenderte zu den Kampfdrachen zweiter und dritter Nobilität hinüber. Hier bestanden die Arenen bloß aus im Kreis aufgestellten Fässern, und das Zusehen war umsonst. In der ersten Manege umkreisten einander zwei deutlich kleinere und viel harmloser aussehende Drachen.

Diesmal konnte Bredur nicht gleich erkennen, um was für Rassen es sich handelte, vermutlich waren es Kreuzungen aus Hahnenei- und Salamanderdrachen. Beide hatten Flügel, der eine war gelb und schwarz gefleckt, der kleinere rot und schwarz. Hier gab es deutlich weniger Zuschauer – fast ausschließlich Zauberer. Sie diskutierten lebhaft die Vorzüge der beiden Ungeheuer, wackelten aufgeregt mit den Bärten und drängten und schoben, um möglichst nahe an die Fässer heranzukommen. Bredur wußte, daß sie sich die kämpfenden Drachen anschauten, um ihren Wert einschätzen zu können, wenn es später ans Tauschen ging. Daß ein Zauberer seinen Drachen verkaufte, kam so gut wie niemals vor. Es war viel zu schwierig, sich einen neuen zu beschaffen oder ihn herzustellen und aufzuziehen. Aber getauscht wurde viel, und der Wert eines Drachen wurde nicht nur von seiner Nobilität bestimmt, sondern auch davon, wie gut er von seinem Herrn trainiert worden war, wieviele Kämpfe er bereits bestritten hatte, natürlich möglichst siegreich, und welche Fertigkeiten er sich im Laufe dieser Kämpfe angeeignet hatte. Die Drachen minderer Nobilität trabten immer noch auf allen vieren umeinander herum und versuchten sich in die Schwänze zu beißen, dann endlich hoben sie sich auf die Hinterbeine, ballten ihre Vorderpfoten zu Fäusten und prügelten aufeinander los. Sie zischten und fauchten und schnappten einander nach den Hälsen. Wie erwartet war es der kleinere Drache, der schließlich vermöbelt wurde und aus vielen Wunden blutend den Ring verlassen mußte. Dann war Pause, und Bredur schlenderte wieder weiter, hinüber zu dem Gelände, wo die verschiedenen Drachen auf ihren Einsatz warteten. Hinter den Kampf- und Tummelplätzen war es nicht mehr ganz so überlaufen. Mächtige Eisenketten hatte man zwischen die ältesten und größten Bäume gespannt und die Drachen daran nebeneinander angebunden. Sie waren nach Rassen sortiert: Es gab Höhlendrachen, die Bredur an ihrer hellen, wabbeligen Haut und den rosa geschwollenen und nässenden Äuglein identifizierte, und Wasserdrachen, die normalerweise in Seen hausten und natürlich kein Feuer speien konnten. Sie mußten von ihren Besitzern ständig mit Wasser übergossen werden. Sogar die kleinen, fischhaften Brunnendrachen (ebenfalls am Augenfluß leidend) waren dabei, von denen man schon fünf haben mußte, um sie gegen einen anständigen großen Drachen zu tauschen. Es gab fleischfressende und vegetarische Drachen und Drachen, die lieblich sangen. Sie konnten es auch jetzt nicht lassen, vor sich hinzuträllern oder zu summen. Dann gab es Drachen, die dazu da waren, Schätze zu bewachen. Ersatzweise hielten sie mit Sand gefüllte Truhen umklammert und fauchten jeden giftig an, der die Truhen auch nur ansah. Etwas abseits warteten die Kampfdrachen. Es gab alte Routiniers voller Schrunden und Narben und wahre Frischlinge, die noch gar nichts konnten als Erde scharren. Immer wieder gerieten welche aneinander, und ihre Besitzer mußten mit Knüppeln dazwischenspringen und ihnen auf die dicken Pratzen hauen. Noch weiter außerhalb standen vier geifernde babylonische Raubdrachen, Zehnmeterscheusale erster Nobilität, die an Felsen gekettet waren. Kein Baum hätte sie halten können.

Eine weitere Abteilung bildeten wiederum die Tiere, die weder kämpfen noch singen noch irgend etwas bewachen sollten, sondern in den Schönheitswettbewerben starteten. Das waren elegante Ritter von Drachen mit blau und grün schillernden Schuppen oder fein ziselierten Panzerplatten, die von ihren Besitzern mit weichen Tüchern poliert wurden. Schmucke Burschen mit blitzweißen Reißzähnen waren das, vom Hauch ihrer wilden babylonischen Vorfahren gerade mal angeweht. Einige dieser Drachen hatten einen Zug zum Extravaganten, besaßen rosa Haut oder übertrieben gewundene Stirnhörner oder entenförmige Köpfe mit albernen Haarbüscheln. Manche hatten am ganzen Körper bunte Warzen oder waren wie Igel mit Stacheln besetzt. Und mittendrin schnarchte ein Exemplar, das war ganz und gar in Gold verpanzert und glitzerte und funkelte wie die Sonne selbst.

Bredur schlenderte zurück zum Buchstand, wo sich inzwischen sechs Zauberlehrlinge im Auftrag ihrer Meister daran gemacht hatten, Friedlins Buch zu kopieren. Sie hockten auf ihren mitgebrachten Schemeln, beleckten eifrig die Federkiele und schubsten sich, wenn einer dem anderen die Sicht auf die Seite nahm. Der Große Gaspajori sah sehr zufrieden aus.

»Gut, daß du kommst«, rief er Bredur entgegen. »Du mußt mal kurz auf meinen Stand achten und die Sanduhren für mich umdrehen. Ich will jetzt Grendel für die Kämpfe anmelden.«

»Wo läßt du ihn antreten?«

»Zuerst bei einem der Debütantenkämpfe und dann bei den großen Feuerspeiern, Schwefel A mit wenig Erfahrung, und zum Schluß bei den Flugdrachen in der Führkettenklasse.«

»Aber Grendel kann doch gar nicht fliegen!«

»In der Führkettenklasse muß er das auch nicht. Da braucht er bloß mit ausgebreiteten Schwingen hinter mir herzugehen und ein wenig zu pleddern. Er soll sich daran gewöhnen, vorgeführt zu werden. Die größten Hoffnungen setze ich in die Feuerspeier-Prüfung. Spucken kann er wirklich, der kleine Schatz. Sorg dafür, daß keiner in Grendels Nähe kommt und ihm etwas Nasses zu fressen gibt. Man kann hier niemandem trauen.«

Nachdem Bredur einmal die Sanduhren umgedreht hatte, kam Friedlin strahlend zurück.

»Er wird morgen gegen einen Drachen namens Albumin kämpfen, ebenfalls Krötendrache. Und wenn er den erledigt hat, heißt sein nächster Gegner Belodon – ein junger Hahneneidrache!«

GRENDELS KAMPF

Albumin, Grendels erster Gegner, war ein flaches, gelbes Tier, das auf dem Rücken einen Doppelkamm aus Knochenplatten trug und dessen Schwanzende in einer keulenartigen Verdickung auslief. Zwei gefählich aussehende Reißzähne ragten aus seinem Molchmaul. Er hatte allerdings keine Flügel und war kleiner als Grendel. Einige Zauberer murrten, daß der Drache des Großen Gaspajori schändlich im Vorteil wäre.

Zuerst schlichen die reptilischen Kontrahenten nur umeinander herum, schauten sich mißtrauisch an und kratzten mit den Hintertatzen Sand in die Luft.

»He, was machen die da, die sollen nicht tanzen, die sollen kämpfen!« rief jemand. Eine Kastanie flog in Grendels Richtung. Er hob den Kopf und blies vor Schreck seinen Kehlsack auf, zog ihn wieder zusammen und blähte ihn wieder auf.

»Keine Gegenstände werfen«, rief der Ringrichter drohend. Er war ganz in Weiß gekleidet – auch die runde Stoffwurst auf seinem Kopf war weiß – und balancierte auf einer der Tonnen, die als Absperrung dienten.

»Käm – pfen ..., käm – pfen ..., käm – pfen ...«, schrien die Zuschauer und hauten mit den Fäusten auf die Tonnendeckel. Jetzt stellte Grendel sich endlich auf die Hinterbeine, fauchte böse und machte einen Schritt auf Albumin zu. Der gelbe Kampfdrache blieb mit allen vier Füßen auf dem Boden. Er ließ bloß die Zunge aus dem Gitter seiner Zähne hervorschnellen. Dann drehte er sich blitzschnell um und hieb Grendel die Schwanzkeule auf die Vorderpfoten. Grendel jaulte schrill auf und rannte in blinder Panik zum Ausgang. Er lief geradewegs seinem Herrn entgegen. Der Große Gaspajori brüllte ihn an, daß er es ja nicht wagen solle, und trieb ihn mit Knüppelhieben zurück in die Mitte. Kaum hatte Grendel sich seinem Gegner zum zweiten Mal genähert, drehte der sich wieder um und benutzte die Muskelkraft seines Schwanzes zu einem weiteren wuchtigen Schlag. Grendel bekam noch eine gewischt. Schon wieder auf die Vorderpfoten. Diesmal jaulte er so entsetzlich, daß alle Zuschauer lachen mußten. Der Große Gaspajori wurde erst bleich und dann puterrot. Grendel drängte jammernd und seine rechte Pfote schwenkend zu den Tonnen. Der Ringrichter kreuzte dreimal die Arme über dem Kopf und rief:

»Abbruch des Kampfes wegen Feigheit des Drachens Grendel, Besitzer Friedlin Gaspajori. Sieger nach Punkten: Drache Albumin, Besitzer Jagomir Wyrblioczs.«

Der Kampf hatte keine fünf Minuten gedauert. Jetzt hagelten von allen Seiten Steine, abgenagte Knochen und faules Obst auf Grendel. Zitternd vor Wut ging der Große Gaspajori zu seinem Drachen, legte ihm das Halfter um und hakte die Eisenkette fest.

»Aus dem wird nie was«, sagte ein unglaublich langer und dünner Zauberer mit wolkigem Haartuff zu ihm. »Ich kenn solche. Die haben's einfach nicht drauf. Da kannst du machen, was du willst. Du solltest ihn schlachten und ausgestopft verkaufen und dir dann einen neuen aufziehen.«

»Hau ab! Laß uns in Ruhe«, brüllte der Große Gaspajori und zog Grendel hinter sich her. Lachend rückten die Zuschauer die Fässer auseinander und machten ihnen Platz.

Bredur hatte den Kampf nicht sehen können, weil er auf das Buch aufpassen mußte, aber die Kunde war schon vor Grendel und dem Großen Gaspajori am Stand angekommen. Die Zauberlehrlinge, die gerade aus dem Buch abschrieben, konnten sich das Grinsen kaum verbeißen.

»Was glotzt ihr so? Hier gibt es nichts zu glotzen«, rief Friedlin giftig zu ihnen hinüber, während er Grendel an die Eiche kettete.

»Er hat es verpatzt, er hat es einfach verpatzt«, murmelte er vor sich hin.

»Mach dir nichts draus«, sagte Bredur. »Er ist ja noch jung. Das wächst sich schon noch zurecht. Das ist so beim Drachenkampf: Erst kommt der Hohn und dann der Triumph. Jetzt kann es ja nur noch besser werden.«

Und was man bei solchen Gelegenheiten eben so sagt.

»Was weißt du denn schon«, knurrte der Große Gaspajori undankbar. »Du hast doch gar keine Ahnung, wieviel wir geschuftet haben. Drei Monate habe ich ihn ununterbrochen trainieren lassen, von einem der teuersten Drachenausbilder der Welt. Bis ins Nebelreich bin ich deswegen mit ihm gereist. Und jetzt das. Jetzt das!«

Bredur war überrascht zu hören, daß der Autor des grundlegenden Werkes über Drachenerziehung mit seinem eigenen Drachen zu einem Ausbilder gegangen war.

»Ach deswegen bist du aus dem Nebelreich gekommen.

Ich dachte, du wohnst da. Weil du ja auch meine Sprache sprichst.«

»Unfug. Kein vernünftiger Mensch wohnt im Nebelreich. Ich wohne in Septimenien, Burg Rudeck, gleich hinter der baskarischen Grenze. Ich bin eben sehr sprachbegabt.«

Der Große Gaspajori legte zwei gesteppte Tücher über Grendels geschwollene Pfote und umwickelte sie mit Leinenstreifen. Der Drache jammerte und miaute kläglich.

»Halt's Maul, du Weichling, du Versager«, herrschte ihn der Zauberer an.

»Sei doch nicht so gemein zu ihm«, sagte Bredur.

»Der braucht das«, schnaubte Friedlin. »Rangniedere Drachen sehnen sich nach starker Führung. Dabei ist er gut und stark, er könnte ohne weiteres einen hohen Rang bekleiden. Ich verstehe es nicht, ich verstehe es einfach nicht.«

»Dann war der Ausbilder eben nicht so gut, wie du gedacht hast. An Grendel kann es nicht liegen. Grendel ist in Ordnung«, sagte Bredur, um etwas Nettes zu sagen. Die Miene des Großen Gaspajori erhellte sich.

»Du hast recht. Ich habe mich gleich gefragt, was das soll, mit Grendel in das Brunftrevier der wilden Drachen zu gehen. Der Idiot meinte, daß das Grendel in seiner Entwicklung voranbringen würde. Aber der Kleine war bloß völlig eingeschüchtert und hat nicht das geringste Interesse an Weibchen gezeigt. Er war einfach noch nicht so weit, man darf ihn auch nicht überfordern. Was er wirklich braucht, ist eine Symphatieverbindung. Mit einer Prinzessin kommen die Kräfte und Fähigkeiten eines Drachen wie von selbst. Dann hätte er auch gewonnen.«

Der Große Gaspajori ging fort, um die anderen beiden Wettbewerbe wegen Grendels Verletzung abzusagen. Bredur war froh, daß er weg war, denn nun kam ein Zauberer nach dem anderen an den Stand, warf verächtlich die bisher zusammengekommene Schreibgebühr auf den Tisch und zog seinen Lehrling ab.

Als der Große Gaspajori zurückkehrte, schrieb nur noch ein einziger Zauberlehrling. Sein Meister kam kurz darauf. Er trug einen schwarzen Umhang und Spitzhut, und er hatte einen hellblauen Drachen mit einer langen Fransenmähne dabei, der vor Wasser nur so triefte und tropfte und aus zwei kleinen Wunden am Rücken blutete. Grendel schnupperte ihm freundlich entgegen. Der Zaubermeister winkte seinen Lehrling mit einem langen, dürren Zeigefinger zu sich heran.

»Tut mir leid, ich habe nicht früher kommen können«, sagte er säuerlich zum Großen Gaspajori. »Mein Wasserdrache hatte selber gerade einen Kampf zu bestreiten, große Schwimmer in der Nilpferdklasse, siegreich erfreulicherweise. Allerdings hatte er es nicht ganz so einfach wie der brave Albumin. Ach ja, Bücherweisheit und Erfahrung, nicht wahr? Ihr erwartet doch hoffentlich nicht, daß ich die volle Gebühr entrichte. Ich denke, ein Viertel wäre angemessen, was?«

»Behalt deinen Dreck«, rief der Große Gaspajori. »Hau ab, Mensch! Hau bloß ab! Und nimm deinen triefenden Feudel von Drachen mit! Er soll seine Schlammpatschen da wegnehmen und Grendel ja nicht zu nahe kommen!«

In diesem Moment läutete in der Nähe ein Ausrufer mit einer großen Glocke und schrie, daß der vierte Wettbewerb in der Schwefel-A-Klasse für Feuerspeier wegen Verletzung des Kontrahenten Grendel nicht ausgetragen werden könnte. Einen Moment lang wurde es still, dann brachen alle Marktbesucher in hämisches Gelächter aus. Außer Bredur und Gaspajori.

»Ich halt's nicht mehr aus«, sagte der Zauberer. »Ich pack jetzt meine Sachen. Was ist mit dir? Bleib doch noch hier und schau dir alles an. Die Standmiete ist bis übermorgen bezahlt.«

»Jetzt hält mich hier auch nichts mehr«, sagte Bredur. »Wenn du abreist, werde ich ebenfalls reiten. Um so eher bin ich in Baskarien.«

»Du machst einen Fehler«, sagte der Große Gaspajori, »so viele Drachen auf einmal wirst du so schnell nicht wieder sehen. Du solltest bleiben – wirklich. Später wird es dir leid tun.«

»Nein, ich muß so schnell wie möglich nach Basko. Ich geh auch.«

»Ah, Basko! Ich beneide dich!« sagte der Zauberer. »Eine großartige Stadt, hat mehr Brücken als Venedig. Aber mitnehmen kann ich dich leider nicht mehr. Ab hier trennen sich unsere Wege, ich muß nach Süden und du nach … äh … Westen, genau: nach Westen. Wenn du aus dem Wald herausreitest, wirst du eine kleine Bergkette sehen. Da mußt du hinüber. Hinter den Bergen triffst du auf eine alte Römerstraße. Halt dich immer westlich, dann kommst du geradewegs nach Basko.«

Sie umarmten sich und wünschten einander Glück, Bredur umarmte auch Grendel, Grendel schleckte noch einmal Kelpie ab, und dann verstaute der Zauberer sein kostbares Buch, hievte die Packtaschen auf Grendels Schultern und zog los.

»Wenn du Lust hast, komm mich mal besuchen. Rudeck liegt nur wenige Tagesreisen von Basko.«

Bredur sah ihnen nach, während er die Gurte an Kelpies Sattel festzog. Der Zauberer ging mit hängenden Schultern durch die Menschenmenge, hinter ihm humpelte der grüne Krötendrache. Bredur seufzte, schwang sich auf sein Pferd und ritt in die Richtung, die Friedlin ihm angegeben hatte.

DER GRAF VON GARTEN

rinz Diego kehrte von seinen Cousinen zurück, ohne daß sich das Ziel seiner Neigung geändert hatte. Er trug seine Liebe zu Lisvana noch immer wie ein Halseisen ums Genick.

»Das waren vielleicht traurige Gestalten«, sagte er auf die Fragen seiner Eltern nach den Nichten, »Sophie-Augusta sieht aus wie ein Frosch, Louise-Auguste ist ellenlang, und Martha-Mathilde, fett und winzig, eine Art Gnom und kurzsichtig wie ein Maulwurf, tappt überall dagegen. Wo ist Prinzessin Lisvana? Ich will sie sofort sehen.«

»Ich fürchte, ich muß dir da zuerst etwas erklären ...«, begann Königin Isabella.

Fünf Minuten später sah der Salon, in dem das Gespräch stattfand, wie ein Trümmerfeld aus, zehn Minuten später rannte Prinz Diego durch den Garten, fünfzehn Minuten später riß er Prinzessin Lisvana den Wäschekorb aus den Händen und schüttete seinen Inhalt in das Marmorbecken vor der Goldenen Grotte.

»Prinz Diego«, rief Lisvana überrascht. Zum ersten Mal glaubte Diego so etwas wie Freude in ihren Augen aufblitzen gesehen zu haben, ganz kurz nur, dann war es auch schon wieder vorbei, und sie fuhr ihn an, was er sich eigentlich dabei denke, sie aus dem Nordland zu verschleppen, nur um sie dann zu verlassen und den Demütigungen seiner Mutter auszusetzen, die ihre Grausamkeit nach Herzenslust an ihr ausgetobt hätte. Wenn es nicht sogar mit seinem Einverständnis geschehen sei. Prinz Diego flehte um Vergebung.

»Nie, nie wieder will ich Euch verlassen, ich schwöre es! Was auch immer Ihr erlitten habt, ich wußte nichts davon, das müßt Ihr mir glauben. Ich weiß, ich bin schuld, aber ich mach es auch wieder gut. Ihr müßt nicht mehr waschen. Ihr könnt in Eure angenehmen Zimmer zurück, und ich lasse Euch neue Kleider bringen, noch schöner und kostbarer als die, die ihr bisher getragen habt. Außerdem habe ich Euch die allerneueste Erfindung aus Pargo mitgebracht – eine Windmatratze! Von nun an werdet Ihr viel weicher schlafen, nämlich auf parfümierter Luft.«

Aber Prinzessin Lisvana, ein Ausbund an Trotz und Niedertracht, wie es die Königin später formulierte, weigerte sich, die Geschenke anzunehmen, und erklärte, in der Mägdekammer bei ihrem Strohsack bleiben zu wollen. Außerdem bestand sie darauf, weiterhin die dreckige Ritterwäsche zu schrubben.

»Es ist die angemessene Beschäftigung für eine arme Gefangene. Rosamonde ist der gleichen Meinung.«

»Was?« sagte Rosamonde.

Diego beschwor die Prinzessin, er bettelte und flehte. Schließlich ließ er sie gewaltsam in ihr altes Zimmer bringen und die Tür verschließen. Daraufhin zog Lisvana das Stroh aus der Matratze, verstreute es auf dem Boden und verbrachte die Nacht darauf. Von dem Essen, das der Prinz ihr hatte bringen lassen, rührte sie nichts an. Sowie am Morgen aufgeschlossen wurde, trommelte sie Rosamonde heraus, ging mit ihr in den Bedienstetentrakt, schnappte sich die Wäsche und verbrachte den Tag schrubbend und wringend an der Goldenen Grotte. Am Abend bezogen die beiden wieder die Mägdekammer.

So ging es von nun an jeden Tag. Prinz Diego war der Verzweiflung nahe. Wenn er wollte, daß Prinzessin Lisvana überhaupt etwas aß, mußte er ihr Gerstengrütze mit Milch oder Brot und dünne Suppe bringen. Königin Isabella schlug vor, die Prinzessin noch einmal peitschen zu lassen, bis sie sich gefälligst wieder dem Luxus zuwandte, aber das erlaubte Prinz Diego natürlich nicht. Stattdessen suchte er Lisvana an der Goldenen Grotte auf und wusch dort gemeinsam mit ihr ein paar Unterhosen. Königin Isabella, die von Pedsi informiert worden war, ließ sofort den Spazierweg oberhalb der Kaskaden sperren.

»Denkt Ihr, das macht es besser?« fauchte die Prinzessin Prinz Diego an, als er neben ihr auf dem Beckenrand kniete. »Außerdem habt Ihr nicht gründlich genug geschrubbt. Die muß ich sowieso alle noch einmal waschen.«

»Darf ich Euch dann wenigstens ein Rillenbrett aus Pargo kommen lassen? Es ist dort die neueste Erfindung und soll das Waschen ungemein erleichtern.«

»In Pargo scheint es Euch ja gut gefallen zu haben, so wie Ihr davon schwärmt.«

»Überhaupt nicht. Ich habe die ganze Zeit nur an Euch gedacht und jeden Tag gezählt. Aber ich wage kaum, Euch zu fragen, ob Ihr Euch jetzt vorstellen könnt …«

Lisvanas Antwort war vorherzusehen: Prinz Diego sei ein Schuft und Räuber, sie werde ihn niemals heiraten, und seine Geschenke wolle sie auch nicht, schon gar kein

Rillenbrett. Auch Rosamonde durfte das Gebäck, das ihr der Prinz aus Pargo mitgebracht hatte, nicht anrühren. Das war hart für Rosamonde, die Gebäck sehr gern mochte. Schlimmer aber als die Gerstengrütze und die dünne Suppe, die sie mit ihrer Herrin teilte, waren die Kommentare der geputzten Hofdamen, denen sie auf dem Rückweg zum Schloß begegneten. Lisvana faßte dann bloß den Wäschekorb fester und reckte verächtlich das Kinn, denn sie hatte ihren Stolz. Rosamonde aber hatte bloß aufgesprungene Hände und zerschundene Knie und nahm sich die häßlichen Worte zu Herzen. Am schlimmsten war es, wenn sie Pedsi begegnete. Tag für Tag lief er ihr über den Weg, ritt auf einem Pony vorbei oder winkte aus einer Kutsche. Und jedesmal war er noch eleganter, mal mit Schleifenbändern und hohen Absätzen am Fuß, mal mit Stulpenstiefeln, mal in caramelfarbener Jacke mit breiten Ärmelaufschlägen, mal in burgunderroter Samtjacke, und immer mit einem Schmuckstück – einer Brosche, einer Fibel oder einer Gürtelschnalle – in Pilzform.

Schließlich war es zuviel für die arme Rosamonde. Als sie wieder einmal die roten Hände ins Wasser tauchte und der Zwerg oberhalb der Kaskaden mit zwei Hofdamen plaudernd in einer offenen Kutsche vorbeifuhr, schleuderte sie ihren Wäschehaufen mit einem Aufschrei ins Bassin und warf sich haltlos schluchzend auf den Kies. Die Prinzessin tat, als hätte sie Rosamondens Zusammenbruch gar nicht bemerkt. Der Zwerg ließ den Kutscher halten, flüsterte mit den Hofdamen, drückte ihnen Küsse auf die gepuderten Wangen und stieg mit ihnen aus der Kutsche. Aber während die Hofdamen nun zu Fuß Richtung Schloß davonstöckelten, packte der Zwerg forsch seinen

Spazierstock und kletterte neben dem Wasserfall den Hang hinunter zum Waschplatz.

Als die Prinzessin sich nach ihm umsah, zog Pedsi grüßend seinen mit hellblauen Straußenfedern besetzten Hut.

»Verräter«, zischte die Prinzessin und beugte sich mit nonnenhaftem Eifer wieder über die Wäsche.

»Madame«, sagte Pedsi und verbeugte sich lächelnd. Dann hockte er sich neben Rosamonde auf den kiesigen Boden. Rosamonde schluchzte nur noch heftiger.

»Na, na«, sagte Pedsi und legte vorsichtig eine Hand auf Rosamondes bebende Schulter, und als sie seine Hand duldete, legte er auch seinen Arm um sie, zog sie ein wenig an sich heran und streichelte ihr Haar.

»Na, na«, wiederholt er, »so schlimm?«

Rosamonde hob ihr tränenverschmiertes Gesicht und nickte. Pedsi hatte wirklich einen hübschen Mund. Das mußte man ihm lassen. Seine Haut war jetzt weiß gepudert. In den linken Augenwinkel hatte er sich einen Schönheitsfleck in der Form eines Halbmondes geklebt.

»Was haltet Ihr von einer Ausfahrt? Die Kutsche wartet dort oben. Eine Kutschfahrt ist das beste Heilmittel für ein strapaziertes Nervenkostüm.«

»Oh ja«, sagte Rosamonde.

Der Zwerg stand auf, stülpte sich seinen breitkrempigen Federhut wieder auf den Kopf und reichte ihr die Hand. Den Federhut kannte Rosamonde schon. Aber die blaue Samtjacke mit den Maiglöckchenstickereien war neu. Fabelhaft! Darunter trug Pedsi diesmal eine lange goldene Weste, deren sämtliche Knöpfe aus Rubinpilzen bestanden. Kein Wunder, daß er als der eleganteste Mann am

Hof galt, nach dem Prinzen natürlich. Wenn er nur nicht so verdammt klein gewesen wäre.

»Rosamonde«, ertönte sehr scharf die Stimme der Prinzessin. »Was wird aus deiner Wäsche?«

»Wir müssen die ja gar nicht waschen«, schrie Rosamonde und brach abermals in Tränen aus. »Kein Mensch verlangt von uns, daß wir den Dreck hier waschen. Es macht überhaupt nichts, wenn wir es nicht tun.«

»Oh doch! Ich verlange es, und es macht sehr viel, wenn du es nicht tust. Aber wenn du mich jetzt auch noch verraten willst ...«

Und damit wandte sie sich verächtlich ab und wrang die riesige Unterhose des Hofmarschalls.

Rosamonde zögerte. Pedsi, der bereits zwei Schritte den Hang hochgeklettert war, um den Größenunterschied auszugleichen, hielt ihr den Arm hin. Da hakte sie sich ein, erklomm mit ihm das Gelände neben dem Wasserfall und stieg in die Kalesche. Der Kutscher ließ das Peitschenende auf die Kruppen der feurigen Füchse schnalzen, und los ging es.

»Ist das die Kutsche der Königin?« fragte Rosamonde, nachdem sie sich in Pedsis Taschentuch hatte schneuzen dürfen.

»Nein«, sagte Pedsi, »das ist meine. Der Botschafter von Spanien hat sie mir geschenkt, als ich das Problem erwähnte, weibliche Begleitung nicht in meiner Schafskutsche transportieren zu können. Es ist üblich, daß die Gäste des Königs nicht nur ihn und die Königin beschenken, sondern auch die Zwerge der Königin, insbesondere ihren Lieblingszwerg.«

Sie rollten jetzt auf einen der begangeneren Wege zu,

und Rosamonde rutschte unruhig hin und her. Pedsi holte ein Seidencape hinter der Sitzbank hervor und legte es ihr um die Schultern.

»Damit kannst du deinen Kittel verbergen. Es ist eigentlich für einen Mann gedacht, aber wenn wir schnell vorbeifahren, wird es niemand merken.«

Die Kutsche passierte die große Fontäne, und alle Herren, an denen sie vorbeirollten, zogen den Hut, und die Damen lächelten und kippten ihre Sonnenschirme.

»Zum japanischen Garten«, sagte Pedsi zum Kutscher.

Der Sohn des Takasue bürstete gerade ein aufgemaltes Herz von der Pforte des Vergessens.

»Hallo, Ozamu! Wie geht's? Noch alle Steine in der Schildkröte?« rief Pedsi.

»Schau an — der große Pilzgärtner«, sagte Ozamu, »und das ist …, nein, nicht sagen, laß mich raten — das ist das berühmte Fräulein Rosamonde, nicht wahr? Hocherfreut.«

»Ha«, rief Pedsi und ballte triumphierend eine Faust in der Luft, und der Kutscher ließ die Pferde traben.

Als sie ein kleines Lustwäldchen erreichten und der Weg eine Biegung machte, griff Pedsi nach einem Schafshorn unter dem Kutschensitz und blies hinein. Er wollte Rosamonde nicht sagen, wozu er dieses Signal gab, schmunzelte bloß albern und tat geheimnisvoll. Hinter dem Wäldchen erstreckte sich ein Gelände, das Rosamonde noch nie zuvor gesehen hatte — Pedsis Pilzgarten. Die Pferde trabten durch ein Tor, das in den Fuß eines fünf Meter hohen hölzernen Fliegenpilzes eingelassen war. Auf der anderen Seite des Tors standen die Hilfsgärtner des Zwerges Spalier und verbeugten sich tief, als Pedsi leutselig winkend an ihnen vorbeirollte. Sie fuhren nun durch die allerseltsamste

Allee, die sich denken ließ. Jeder Baum rechts und links des Weges war tot. Blattlos, faul und morsch und mit Moosen und Baumpilzen überwuchert. Pedsi ließ halten, stieg aus, brach einen Pilz, der aus der Rinde einer abgestorbenen Birke wuchs, und reichte ihn Rosamonde. Rosamonde streichelte erstaunt über den weichen, elastischen Kuchen, den sie da in Händen hielt.

»Birkenporling«, sagte Pedsi stolz und wies auf etwas Oranges, das weiter unten an der Birke wuchs: »Zinnoberrote Tramete – ziemlich selten, deswegen kann ich sie nicht abbrechen. Wenn du sie anfassen willst, mußt du schon aussteigen.«

»Nein, vielen Dank, ich nehme an, das fühlt sich genauso an wie der Birkendings.«

»Überhaupt nicht«, rief Pedsi empört. »Die Tramete ist behaart!«

Weil Rosamonde trotzdem nicht aussteigen wollte, kletterte er wieder in die Kutsche und zeigte von dort auf diverse Porlinge, Trameten und Schwämme, die für Rosamonde nicht ganz leicht zu unterscheiden waren.

»Woher weißt du plötzlich so viel über Pilze?«

»Nun, ich habe mich natürlich erkundigt. Ich habe mit jedem Gärtner, mit sämtlichen Angestellten des Hofjagddepartements und mit jedem Kräuterweiblein, das mir über den Weg lief, darüber gesprochen. Stundenlang. Tagelang. Ich habe zugehört, und dann habe ich mir meine eigenen Gedanken gemacht. Das Reich der Pilze ist nicht nur groß, sondern vor allem kompliziert – diese Allee war noch das Einfachste an der ganzen Anlage. Baumpilze kommen das ganze Jahr über vor, jedenfalls die meisten. Sie sind zufrieden, wenn man sie an ihrem Baumstamm beläßt und nicht allzusehr der Sonne aussetzt. Bodenpilze hingegen sind wie verwöhnte Kinder. Einige wachsen nur unter Eichen, andere nur an schattigen, moosbewachsenen Stellen in Nordlage, andere nur dort, wo zuvor eine Kuh geweidet hat. Wenn du mich fragst, dann sind Pilze überhaupt keine Pflanzen, sondern Tiere – heimwehkranke Tiere; und bevor du einen Pilz verpflanzt, mußt du herausbekommen, wonach er Heimweh hat, nach seinem Ort oder nach dem Schatten, nach der Feuchtigkeit oder nach den Pflanzen, die in seiner Nähe wachsen. Siehst du den Riesenlorchel da?«

Sie hatten die Allee verlassen und fuhren nun durch ein Waldstück, in dem die Pilze überall aus dem Boden schossen, sogar Grüppchen und Ringe bildeten. Rosamonde nickte, obwohl ihr völlig schleierhaft war, von welchem Pilz Pedsi gerade redete.

»Ich habe ihn zusammen mit den zwanzig Quadratmetern Waldboden, die ihn umgaben, ausgraben lassen, einen Meter in die Tiefe, und das ganze Waldstück über fünfzehn Kilometer hierhertransportiert. Ein unvorstellbarer Kraftakt. Zwölf Pferde mußten das Gestell ziehen, in dem der Boden hing. Ich habe praktisch seine komplette Heimat hierher verpflanzt, und trotzdem wäre er mir beinahe eingegangen. Und weißt du, warum?«

Pedsi machte eine Kunstpause und sah Rosamonde an, bevor er weiterredete.

»Weil auf dem Transport ein kleiner Stein heruntergefallen war. Ein Steinchen – nicht größer als ein Kindskopf. Zum Glück konnte ich mich an ihn erinnern. Ich bin den ganzen Weg noch einmal abgeritten und habe ihn wirklich gefunden, und kaum hatte ich ihn an seine alte Stelle gelegt, begann der Riesenlorchel zu wachsen und zu gedeihen. Dann habe ich vorsichtig angefangen, ein paar Zitterlinge und Natternstielige Schleimfüße in seiner Nähe anzusiedeln. Denen ist egal, wo sie wachsen, Hauptsache, sie bekommen jeden Morgen und jeden Abend eine tüchtige Kelle Blut aus meiner Innereien-Tonne.«

»Du fütterst die Pilze mit Blut?«

Rosamonde schüttelte sich.

»Wie ich schon sagte: Meiner Meinung nach gehören Pilze zu den Tieren«, erwiderte Pedsi. »Also muß man sie auch füttern. Allerdings sind sie natürlich keine Raubtiere, sondern Aasfresser. Und jetzt paß auf! Was du gleich sehen wirst, hat vor mir noch niemand geschafft.«

Sie fuhren direkt auf eine sanft geschwungene Rasenfläche mit Ornamentbeeten zu. Die Kreise, Schleifen und Schnörkel waren rot und weiß gefüllt und leuchteten mit dem saftigen Grün um die Wette. Rosamonde sprang von ihrem Sitz auf.

»Das sind … das sind Fliegenpilze, nicht wahr? Das ist wunderschön. Oh Pedsi, das ist das Schönste, was ich je gesehen habe. Wie hast du das nur gemacht?«

»Sehr aufwendig«, sagte Pedsi und lehnte sich selbstgefällig in der Kutsche zurück, »sehr, sehr aufwendig. Du wirst verstehen, daß ich dir nicht alles verraten darf. Aber so viel kann ich doch sagen, daß meine Gärtner den ganzen Tag damit beschäftigt sind, ihnen weiche Decken überzulegen, die Decken wieder abzunehmen und sie zu begießen. Dadurch simuliere ich bedecktes Wetter, die Pilze haben es schön warm, und außerdem kann ich ihnen damit kürzer oder länger werdende Tage vormachen. Wenn die Königin zur Besichtigung kommt, blase ich vorher immer ins Horn, dann wissen meine Gärtner, daß sie alle Decken herunterziehen müssen.«

»Oder wenn ich komme«, sagte Rosamonde.

»Ganz richtig.«

»Aber sind die auch wirklich echt?« rief Rosamonde plötzlich. »Die Flecken sehen so rund und regelmäßig aus. Pedsi, du hast doch nicht etwa falsche Pilze dazwischengesteckt?«

Pedsi stieg noch einmal aus der Kutsche, ging über den Rasen, brach einen Pilz und brachte ihn Rosamonde. Er war echt.

»Solange der Fliegenpilz noch klein ist, hat er eine Hülle. Wenn er sich in die Länge streckt, platzt diese Hülle, und die Reste bleiben als Flocken auf dem Hut. Meine Gärtner schneiden sie mit kleinen Manikürescheren schön rund, solange die Flockenränder noch etwas abstehen.«

»Du bist ein Genie«, sagte Rosamonde.

Sie besichtigten noch die Parasolwiese und den Champignonfelsen, dann verließen sie Pedsis Pilzgarten durch ein zweites hölzernes Pilztor. Dahinter tummelten sich Ponys auf einer Weide, gefleckte und gepunktete und Füchse mit weißen Beinen.

»Wie süß«, rief Rosamonde, »wem gehören die denn, der Königin?«

»Nein, die gehören mir«, sagte Pedsi, und Rosamonde seufzte. Ebenso, als sie an einer Miniaturausgabe des baskarischen Schlosses vorbeikamen und sie wieder hören mußte, daß dieses Haus inzwischen Pedsi gehörte.

»Ach, ich arme ... he, du lügst! Ich habe gehört, daß dort der Graf von Garten einziehen soll. Das hat mir jedenfalls eine der Zofen erzählt.«

»Das ist ja auch richtig«, antwortete Pedsi mit leicht müder Stimme. »Ich bin der Graf von Garten. Der König hat mich aufgrund meiner Verdienste um die Gartenkunst zum Grafen ernannt und mir dieses Schlößchen übereignet, da ich dringend eine größere Wohnung brauchte. Meine Zimmer in den Zwergengemächern quellen allmählich über von all den Möbelstücken und miniaturisierten Kopien großer Meister, die ich ständig von Leuten geschenkt kriege, die wollen, daß ich mich für sie bei der Königin einsetze. Ich trau mich schon gar nicht mehr, irgendetwas schön zu finden. Was immer ich lobe, man schenkt es mir. Neulich machte ich dem Grafen Quetz ein Kompliment wegen seiner Schuhe und fragte ihn, bei wem er arbeiten lasse. Daraufhin hat er mir seinen Schuster geschickt, der Maß genommen hat für vier Dutzend Paar. Und fünf gefütterte Stiefel, weil es ja auch einen Winter gibt. Mein Schloß muß aber erst noch umgebaut werden. Bisher wurden die Pfauen darin gehalten. In drei Wochen soll es fertig sein, und wenn die Diener eingezogen sind, zeige ich dir alles.«

»Ach Pedsi, du bist so ganz anders als früher am Nordlandhof.«

»Das will ich doch hoffen! Hast du immer noch Heimweh?«

»Überhaupt nicht. Wenn ich nicht Wäsche waschen müßte, wäre ich völlig glücklich.«

»Aber du mußt überhaupt keine Wäsche waschen«, sagte Pedsi. »Laß mich mit der Königin reden, und du kriegst auch ohne Prinzessin Lisvana wieder ein schönes Zimmer und etwas Anständiges anzuziehen.«

Er holte einen getrockneten Pilz aus der Westentasche und überreichte ihn Rosamonde.

»Wohlriechender Korkstacheling. Ja, halt ihn dir ruhig unter die Nase. Den kannst du dir statt Lavendel in den Kleiderschrank tun, wenn du wieder einen hast.«

DIE OHRFEIGE

ortan wusch Prinzessin Lisvana allein an der Goldenen Grotte, während ihre erste Hofdame und Ehrenjungfer mit dem Zwerg ausfuhr, sich von ihm den japanischen Garten erklären ließ und es auch duldete, daß er manchmal ihre Hand hielt. Lisvana sprach kein Wort mehr mit Rosamonde und lebte von nun an noch strenger. Sie aß ihre Grütze nur noch mit Wasser statt mit Milch, stand jeden Morgen schon um sechs auf, arbeitete, bis es dunkel wurde und schüttete den Inhalt ihres Strohsacks auf den blanken Boden, um darauf zu schlafen. Wenn Prinz Diego ihr seine Hilfe anbot oder ihr etwas anderes als Grütze zu essen brachte, wies sie ihn kalt zurück. Erstaunlicherweise wurde sie trotz dieser Kur weiterhin immer schöner und schöner. Allein ihre Hände waren etwas rauh, und ihre Marmorhaut nahm für den Geschmack des baskarischen Hofes eine zu dunkle Tönung an.

Eines Abends, als Prinzessin Lisvana gerade ihr Haar ein wenig mit den Fingern gestrählt hatte und sich auf ihrer Strohschütte ausstrecken wollte, hörte sie ein lautes Poltern und Klirren vor ihrer Tür. Als sie nachschaute, stand dort Prinz Diego. Er sah aus wie ein Wrack. Tiefe Ringe hatten sich unter seine Augen gegraben, seine Haut war fahl, seine Wangen eingefallen, und seine Haare standen in alle Richtungen ab. Offenbar hatte der Prinz mal wieder ein Tablett voller Speisen und Wein zu Lisvana bringen wollen, das Tablett aber fallen gelassen. Eine rote Lache breitete sich um seine Füße, in der eine Hammelkeule schwamm.

»Ah, der tölpelhafte Tänzer«, sagte Prinzessin Lisvana.

Prinz Diego starrte sie glasig an und drängte herein.

»Was soll ich tun«, brüllte er, »was soll ich denn noch tun? Sag mir, was ich tun soll! Ich tu's ja!«

»Prinz, Ihr seid betrunken«, erwiderte Lisvana empört.

»Schau her«, rief Prinz Diego und begann, seine Weste und sein Hemd aufzuknöpfen, wobei er gefährlich ins Schwanken geriet. »Ich hab sogar meinen Körper trainiert, damit ich wie ein Nordlandritter aussehe, aber du schaust mich ja nicht einmal an!«

»Ich muß doch sehr bitten. Verlaßt jetzt sofort diese Kammer und geht Euren Rausch ausschlafen!«

»Schau hin!« brüllte Prinz Diego und riß sich das Hemd auf, daß die Knöpfe nur so durchs Zimmer sprangen. »Warum liebst du mich nicht? Warum?«

Prinzessin Lisvana wandte den Kopf ab. Prinz Diego ließ sein Hemd los und lief um Lisvana herum, bis sie ihn wieder ansehen mußte.

»Ich weiß, was du denkst.«

Er fuchtelte mit dem Zeigefinger vor ihrem Gesicht herum.

»Du denkst, ich habe mich da in eine Idee verrannt. Du denkst, bloß weil meine Mutter mich nie geliebt hat, suche ich mir jetzt eine Frau, die mich auch nicht liebt.«

»Das ist der größte Unsinn, den ich je gehört habe.

So etwas denke ich überhaupt nicht, so ein verworrenes Zeug. Ich denke, Ihr seid verwöhnt und habt immer alles gekriegt, was Ihr wollt, und jetzt könnt Ihr es nicht akzeptieren, wenn jemand nein sagt.«

»Du denkst vielleicht, auch dein Ritter Bedur, oder wie der heißt, könnte dich wahrhaftig lieben. Du denkst, da draußen gibt es Hunderte von Männern, die dich wahrhaftig lieben könnten! Aber in Wirklichkeit gibt es nur drei.« Er hielt ihr drei Finger vor die Nase. »Für jeden Menschen gibt es nur drei. Drei auf der ganzen Welt. Oder höchstens vier oder fünf. Und die mußt du erst mal finden. Vielleicht bin ich auch der einzige.«

»Darauf kommt es nicht an«, sagte Prinzessin Lisvana. »Es kommt nicht darauf an, wie sehr man geliebt wird, es kommt darauf an, wer man ist. Und wenn ich euch erhörte, wäre ich eine heimatlose Verräterin.«

»Wie kann man nur so sein«, rief Prinz Diego und spuckte aus. »Pfui Teufel, du redest ja schlimmer als die Mätressen meines Vaters. Natürlich kommt es darauf an, wie sehr man geliebt wird, auf nichts sonst kommt es an. Und du wirst nie wieder jemanden finden, der dich so liebt wie ich!«

»Na, hoffentlich nicht«, sagte Lisvana.

Prinz Diego holte aus und haute ihr eine runter.

Einen Moment lang starrten sich beide fassunglos an.

»Das, das … es tut mir leid. Oh, es tut mir ja so leid …«, stammelte Prinz Diego.

»Raus hier«, schrie Prinzessin Lisvana. »Geh endlich! Verschwinde bloß!«

Am nächsten Morgen in aller Frühe fand Pedsi, der auf einem Pony unterwegs zum Pilzgarten war, den Prinzen besinnungslos vor der Fontäne liegen. Sein Hemd war offen, und er hielt eine Schnapsflasche im Arm.

Pedsi galoppierte sofort zu Ozamu, und gemeinsam luden sie Prinz Diego auf eine Schubkarre und schafften ihn ins Schloß.

»Kannst du mir dieses Verhalten bitte erklären«, verlangte Königin Isabella, als der Prinz wieder ansprechbar war.

»Es ist alles aus«, flüsterte Diego. Er lag mit einer zugeknoteten Schweinsblase voll Wasser auf dem Kopf in seinem Bett und starrte durch seine Eltern hindurch. »Aus. Vorbei. Ich habe sie geschlagen. Das wird sie mir nie verzeihen.«

»Na endlich«, sagte König Leo, »wurde ja auch Zeit.«

»Ich schäme mich so. Ich bin sie nicht wert. Ich kann ihr nie wieder in die Augen sehen«, jammerte der Prinz. »Führst du nicht irgendwo einen Krieg, in den ich ziehen kann? Ich muß hier unbedingt weg.«

»Ach was«, sagte König Leo, »wir schicken Prinzessin Lisvana endlich nach Hause, und dann fängst du ganz von vorn an. Da ist ja immer noch die Albinoprinzessin aus Tesbetanien und die …«

»Nein, nicht wegschicken«, jammerte Diego, »wo sie mich doch zum ersten Mal freundlich angesehen hat. Ich schwör's. Als ich aus Pargo zurückkam, hat sie sich gefreut. Sie konnte es nicht verbergen. Und jetzt habe ich alles versaut.«

»Es stimmt«, sagte Königin Isabella nüchtern, »während Diego fort war, hat die Nordlandprinzessin viel von ihm geredet, und zwar vor allem Gutes. Ich weiß das von meinem Lieblingszwerg, der hat es von ihrer Hofdame, mit der er neuerdings herumturtelt.«

»Wirklich?« sagte Prinz Diego und stützte sich in seinen Kissen auf.

»Und genauso machen wir es noch einmal«, fuhr Königin Isabella fort, »du verschwindest wieder für ein paar Wochen vom Hof, und ich geb hier noch einmal die herzlose, alte Hexe. Wenn Prinzessin Lisvana unbedingt Wäsche waschen und in Asche schlafen will, dann kann sie das haben, aber zu meinen Bedingungen.«

»Du darfst sie nicht wieder schlagen«, rief Prinz Diego. »Ich will das nicht. Ich will überhaupt nicht, daß du ihr irgendetwas antust.«

»Meinetwegen, dann schlag ich sie eben nicht«, sagte die Königin. »Die Hauptsache ist, daß du dich nicht mehr bei ihr blicken läßt. Wenn sie niemanden hat, dem sie die arme Gefangene vorspielen kann, wird es ihr sowieso keinen Spaß mehr machen. Ich werde ihr noch mehr zu arbeiten geben, und wenn sie völlig erschöpft und verzweifelt ist, kommst du zurück und trittst als ihr Retter auf.«

»Ich weiß nicht«, sagte Prinz Diego, »ist das noch ritterlich?«

»Du wirst natürlich so tun, als hättest du von all dem nichts gewußt. Dann wird die Prinzessin mich hassen und sich nach dir verzehren. Hat doch beim ersten Mal schon so gut geklappt.«

»Und was soll ich so lange machen?« fragte Prinz Diego. »Ich besuch auf keinen Fall wieder die Cousinen.«

»Mach etwas Praktisches«, sagte die Königin. »Warum heuerst du nicht unter falschem Namen auf einem der

Schiffe deines Vaters an? Dann erfährst du mal, wie man behandelt wird, wenn man nicht der Thronfolger ist.«

»Ja, mach das«, sagte König Leo, »das ist lustig, das habe ich auch getan, als ich noch jung war. Du läßt dir einen Bart stehen wie ein richtiger Seemann, niemand erkennt dich, nur der Kapitän ist eingeweiht, und die Matrosen hauen einem auf die Schulter und sagen: Gut gemacht, Leo. Hauen dir einfach so auf die Schulter – unglaublich. Das wird dich auf andere Gedanken bringen. Schade nur, daß gerade keines meiner Schiffe auslaufen darf. Sie sind alle im Hafen, falls König Rothafur angreift.«

»Eins mehr oder weniger, was macht das schon«, sagte Königin Isabella. »Das wäre jetzt doch ein schöner Anlaß, endlich meinen Pflanzenkundler auf die Suche nach einer Goronzie zu schicken. Moebius wartet seit Monaten darauf, daß es losgeht.«

»Ich hätte es wissen müssen«, knurrte König Leo, »du und deine vermaledeite Goronzie. Aber meinetwegen. Wir lassen ein Schiff klarmachen. Schick deinen Moebius los, Isabella!«

Am nächsten Tag bekam Prinzessin Lisvana eine große Kiste an die Goldene Grotte gebracht. Sie wollte sie wie üblich nicht annehmen, aber die Diener gingen einfach wieder fort und ließen die Kiste stehen. Prinzessin Lisvana versuchte, das Geschenk des Prinzen, denn was konnte es anderes sein, nicht zu beachten. Selbst als merkwürdige Geräusche herausdrangen, rührte sie die Kiste nicht an. Dann klapperte der Deckel, er verrutschte, schließlich fiel er herunter – und ein Schwan flatterte heraus. Der Schwan trug ein märchenhaft schönes Halsband – gold mit blauen

Steinen und wie eine Krone geformt. Am Halsband hing eine Kordel, und an der Kordel war ein Brief befestigt. Prinzessin Lisvana sah sich nach allen Seiten um, dann griff sie die Kordel, zog den Schwan zu sich heran und brach den Brief auf.

»Ihr hattet recht, ich verdiene Euch nicht. Deswegen gehe ich fort. Ob ich zurückkomme, weiß ich noch nicht. Vielleicht habe ich ja Glück und sterbe unterwegs. Behaltet bitte den Schwan. Er kann nichts dafür. Diego«

OHNE PLAN

Es dauerte fast eine Woche, bis Ritter Bredur bemerkte, daß er eine völlig falsche Richtung eingeschlagen hatte. Das ist schnell erzählt und dauert etwas länger, wenn man es reiten muß. Dabei hatte Bredur sich genau an die Wegbeschreibung des Großen Gaspajori gehalten und war hinter der Bergkette auch auf die Römerstraße gestoßen und ihr nach Westen gefolgt. Als er aber schließlich zwei Bierkutschern begegnete und sie fragte, wie weit es noch bis Basko sei, lachten die schallend.

»Woher kommst du? Von den Bergen da hinten? Dann ist es heute für dich weiter nach Basko als gestern, und vorgestern warst du noch näher dran.« Bredur wollte das zuerst nicht wahrhaben, behielt seinen Weg stur bei und fragte nacheinander noch einen Eseltreiber, einen Bauern auf dem Feld und vier Nonnen, die ihm in einem Reisewagen begegneten. Es war unwahrscheinlich, daß auch die Nonnen logen. Bredur drehte mit zusammengebissenen Zähnen um und ritt den ganzen Weg, den er gekommen war, wieder zurück, überquerte noch einmal die Bergkette und hielt sich dann südlich. Wie hatte Gaspajori sich nur irren können? Dieser alte Trottel! Grendels verlorener Kampf mußte ihn völlig durcheinandergebracht haben.

Zehn Tage später kam Bredur endlich in Basko an. Dort suchte er als erstes einen Friseur auf und ließ sich den Bart abnehmen.

»Was seid Ihr denn für ein Landsmann?« fragte der Friseur, während er ihm ein Tuch um den Hals band. »Nein, laßt mich raten. Bei Eurem Akzent und wenn ich mir Eure dicke Felljacke so anschaue, dann würde ich sagen, Ihr kommt ganz schön weit aus dem Norden. Kommt Ihr womöglich aus Slunzien?«

»Stimmt genau«, sagte Bredur, »Ihr habt scharfe Augen und Ohren.«

Der Friseur schlug den Seifenschaum, verteilte ihn auf dem Bart und begann, sein Messer zu wetzen.

»Ich habe gehört, Euer Thronfolger hat geheiratet?« klopfte Bredur auf den Busch.

»Nein, die Hochzeit steht noch aus. Ich hoffe, Ihr bleibt lange genug, um sie mitzuerleben. Königin Isabella versteht es, Feste auszurichten, und bei der Hochzeit ihres Sohnes wird sie alles bisher Gewesene überbieten wollen. Da fällt auch für unsereiner etwas ab.«

»Woher kommt denn die Braut?«

Der Friseur spannte Bredurs Wangenhaut mit einer Hand und zog mit der anderen das Messer über die Haare.

»Die kommt noch weiter aus dem Norden als Ihr und ist schon vor Monaten angereist. König Leo hat sie selber abgeholt. Es geht das Gerücht, sie wolle Prinz Diego nicht heiraten, aber für mich sieht es eher so aus, als wenn der Prinz sie nicht will. Warum wäre er sonst schon wieder ins Ausland gereist?«

»Wohnt sie im Schloß?«

»Nicht reden! Sonst schneide ich Euch am Ende noch.

Natürlich wohnt sie im Schloß. Wo sonst? Es hat ja genug Zimmer dort oben.«

Und dann ließ der Friseur sich über die Größe und Schönheit des Schlosses und die dazugehörigen Gärten aus. Als er fertig war, hielt er Bredur einen Spiegel vor.

»Ah, kaum wiederzuerkennen! Sieht das nicht viel besser aus? Jünger und eleganter?«

Bredur war entsetzt. Allerdings sah er jung aus – zu jung. Beinahe wie ein Mädchen. Um das Kinn herum war seine Haut bleich und weich wie etwas, das zu lange im Wasser gelegen hatte.

»Bei uns in Basko ist alles elegant, da solltet Ihr es auch sein. Kleider könnt Ihr bei meinem Bruder bekommen, neu oder gebraucht – soll ich Euch hinführen?«

»Später vielleicht«, sagte Bredur und zählte mit der Hand in der Tasche die wenigen Münzen, die ihm noch geblieben waren, »zuerst will ich die Brücken sehen. Es soll hier so viele davon geben.«

»Mehr als in Venedig«, sagte der Friseur stolz. »Übrigens tauscht mein Bruder auch. In dieser warmen Felljacke schwitzt Ihr Euch tot. Ihr solltet eine leichtere Oberbekleidung wählen.«

Kurz darauf trug Ritter Bredur einen kurzen, gegürteten Oberrock mit Schlitzen in Ärmeln und Rücken. Kein Mensch konnte ihn jetzt noch erkennen. Er ließ Pferd und Schwert beim Friseur und ging zum Schloß hinauf. Sechshundert Fenster. Er mußte sich Mühe geben, nicht beeindruckt zu sein. Aber nun, nachdem er so viele Abenteuer überstanden hatte, um hierher zu gelangen, fehlte es ihm vor Ort ganz entschieden an einem Plan, wie es weitergehen sollte. Als er durch das Tor in den Schloßhof treten wollte, verlangte die Wache, seinen Passierschein zu sehen, und als er keinen vorweisen konnte, schickten sie ihn wieder zurück. Es begann zu regnen, und Bredur vermißte sein Jacki. Er schritt die Mauer ab, die die Gartenanlagen umschloß. Die Mauer war nicht das Problem. Mit einer Leiter würde sie mühelos zu überwinden sein. Ins Schloß hineinzugelangen war schwieriger, aber vielleicht gar nicht nötig. Wenn er sich nur lange genug in einem Busch versteckte, würde Prinzessin Lisvana wahrscheinlich eines Tages an ihm vorübergehen, und er konnte sie auf sich aufmerksam machen. Aber einfach einen genialen Plan aushecken, die Prinzessin entführen und dann mit ihr ins Nordland zurückkehren, das ging ja nicht. Der Stolz des Nordlandkönigs und seiner Ritter verlangte, die Prinzessin im offenen, ehrlichen Kampf zurückzuerobern. Er allein gegen die gesamte Schloßwache – oder wie? Er konnte es drehen und wenden, es gab keine wirkliche Lösung. Und warten, bis das Nordland und das Nebelreich ihre Heere schickten, und dann mit ihnen gemeinsam kämpfen wollte er erst recht nicht. Womöglich hätte er bis dahin alles für sie ausgekundschaftet, sie würden mit seiner Hilfe ins Schloß eindringen, und dann trug irgendein anderer Ritter die Prinzessin auf seinen Armen heraus. Er mußte wenigstens dafür sorgen, daß Lisvana ihn vorher sah, damit sie wußte, daß er als erster dagewesen war.

Bedrückt und immer noch ohne Plan kehrte Bredur zum Friseur zurück und nahm Kelpie und Greinderach wieder in Empfang. Auf der Suche nach einer billigen Unterkunft geriet er ins Hafenviertel, und auf der Suche nach schnellem Trost in eine der vielen düsteren Kneipen, mit

Porzellanhündchen im Fenster und einem im Wind knarrenden Schild vor der Tür. Dort trank er eine schlechte Ausgabe des guten baskarischen Rotweins, ohne recht zu wissen, womit er ihn hinterher bezahlen sollte, so daß er anschließend eine Rauferei anfangen mußte, in deren Verlauf er aus der Spelunke entweichen konnte. Später dann lag er in der klapprigen Herberge Zum goldenen Anker, in die er sich unter dem Namen Ramon Delgado eingemietet hatte, in einer schmalen Kammer auf einem breiten Bett, das er mit zwei schnarchenden Matrosen teilen mußte, und dachte an Lisvana. Und wenn er sie einfach doch entführte? Um ihretwillen. Auf Stolz und Ehre pfiff, sie zurückbrachte und die Schande auf sich nahm?

DIE FLUCHT

Seit Tagen herrschte eine für Baskarien ungewöhnlich nasse und kalte Witterung. Natürlich war es kein Vergleich mit der Kälte im Nordland, aber Prinzessin Lisvana fror doch, während sie im Regen auf dem Marmorrand des Beckens kniete und mit aufgesprungenen Händen die Wäsche wrang. Vor ihr im Wasser drehte Prinz Diegos Schwan seine Runden. Er folgte ihr überallhin wie ein Hündchen und war ihre einzige Gesellschaft. Die Hofdamen waren es leid geworden, die Nordlandprinzessin zu quälen, außerdem gingen sie jetzt kaum noch spazieren, sondern trafen sich lieber in den Salons zum Kartenspiel und zum Musizieren. Rosamonde durchtollte ganze Nächte auf Bällen und Maskeraden und ging erst zu Bett, wenn Lisvana bereits wieder aufstand. Auf Befehl der Königin mußte die Prinzessin jetzt auch noch die Küchenherde feuern. Erst danach konnte sie mit der Wäsche zur Grotte gehen. Seit Prinz Diego fort war, bekam ihr die harte Arbeit gar nicht mehr so gut. Oft war sie müde und traurig. Aber aufhören kam natürlich nicht in Frage. Was die im Nordland wohl gerade taten? Wahrscheinlich schaufelten sie die Schneemassen von den Türen und steckten sich Eiszapfen in die Kragen. Ob Ritter Bredur manchmal an sie dachte? Ob ihr Vater wirklich vorhatte, sie zu befreien? Oder hatte man sie vergessen, und alles ging längst wieder seinen gewohnten Gang, während sie hier die Stolze gab und sich dafür knechten lassen mußte. Aber nein, ihr Vater würde sich durch einen solch frechen Raub nicht ungestraft beleidigen lassen. Und wenn die Nordlandkrieger hier auftauchten, würden sie ihr rein gar nichts vorzuwerfen haben. Ungebeugt konnte sie ihnen gegenübertreten. Falls sie jemals kamen. Wer konnte das schon sagen. Und wer konnte sagen, ob Prinz Diego je wieder heimkehrte. Sie berührte die Kordel, an der sein Brief am Halsband des Schwans gehangen hatte und die sie jetzt als Gürtel um die Taille trug. Oh doch, Prinz Diego würde zu ihr zurückkehren, das wußte sie. Wenn ihm unterwegs nur nichts zustieß. Vielleicht hatte er seine Rückkehr schon angekündigt. Rosamonde mußte es wissen. Aber mit Rosamonde sprach sie ja nicht mehr, und sonst erzählte ihr niemand etwas. Prinzessin Lisvana beschloß, zum Eingangstor zu gehen und zu schauen, ob nicht ein Festschmuck die Rückkehr des Prinzen ankündigte, ob nicht die Flaggen für ihn gehißt waren. Wenn sie dicht an der Mauer entlangschlich, würde sie hoffentlich niemandem begegnen. Und falls jemand sie doch entdeckte, konnte sie so tun, als wollte sie ihren Schwan dort weiden lassen. Vor der Mauer blieb immer etwas hohes Gras stehen. Sie ließ die Wäsche Wäsche sein und machte sich auf den Weg. Der Schwan sauste ans Ufer und watschelte eifrig hinter ihr her.

Das Gartenstück an der Mauer lag weit ab von den Spazierwegen, war aber nicht so verlassen, wie Lisvana vermutet hatte. Trotz des Regens kamen ihr zwei verlegene

Mönche entgegen. Aus einem Fliedergestrüpp drangen seltsame Laute tätiger Körper, und kurz darauf lief ein kichernder Page an ihr vorbei. Als er sie bemerkte, blieb er stehen und rief:

»He, Pennegrillo! Sieh einmal die stolze Prinzessin, wie sie geputzt ist!«

Er wollte sich ausschütten vor Lachen. Tatsächlich trat jetzt der berühmte Sänger aus einem Busch und starrte Lisvana an, während er sich die Jacke zuknöpfte und ein Blatt von seiner Schulter schnippte. Unwillkürlich fuhr Prinzessin Lisvana sich über die Haare und errötete. Sie wartete, daß Pennegrillo sie ansprach und seiner Bestürzung Ausdruck verlieh, aber der warf bloß den Kopf zurück, lachte affektiert und rannte dann zusammen mit dem Pagen davon. Zutiefst gekränkt, wollte Lisvana schon wieder umdrehen, als plötzlich jemand ihren Namen rief. Dort drüben. Der große Busch: seine Zweige wackelten, und dann reckte sich ein langer, haariger Arm aus dem Blattwerk und winkte ihr, näher zu kommen.

»Prinzössön Hischvana!«

Der Busch nuschelte fürchterlich.

Lisvana sah sich schnell um, ob sie jemand beobachtete, dann legte sie ihrem Schwan die Kordel um den Hals, tat, als wollte sie ihn Gras zupfen lassen, und näherte sich dem Rufer. Etwas unglaublich Häßliches krümmte sich zwischen den Zweigen – blatternarbig, schiefmäulig und kahlköpfig bis auf einen flachsfarbenen Schopf. Aber wenigstens war es nicht zu zweit.

»Koine Ongst«, röchelte das unschöne Wesen, wobei ihm Speichel über die Unterlippe schwappte, »guote Nochricht.«

Lisvana atmete tief durch.

»Sprich, du Ausbund an Häßlichkeit! Aber wehe, wenn du nur deinen Spott mit mir treiben willst!«

»Koin Spott – Röttung! Leiter! Hier. Om Mötternacht. Heute.«

»Wer schickt dich?« flüstete Lisvana. Vor Schreck war ihr die Kordel aus der Hand geglitten, und der Schwan machte sich davon. »Schickt dich mein Vater? Oder bist du nur wieder ein neues Exponat in der Monstrositätensammlung der Königin? Sprich schnell, da kommt jemand.«

»Rittör Bredur.«

»Prinzessin, was tut Ihr da?« ertönte plötzlich das scharfe Organ des Grafen von Garten. »Ihr wißt doch, daß Ihr nicht so nah an die Mauer treten sollt!«

Der zahme Schwan der Prinzessin lief dem Zwerg wütend zischend entgegen, aber der schwang bloß seinen Stock und trieb ihn in die Flucht wie eine Gans.

»Mötternacht«, flüsterte das unheimliche Geschöpf, duckte sich tiefer und verschwand unter den Zweigen.

»Liebwerte Prinzessin. Darf ich Euch daran erinnern, daß es der Wunsch der Königin ist, Ihr möget nicht so nah an die Mauer treten«, sagte Pedsi.

»Intriganter Wichtel«, fauchte die Prinzessin, »kann man nicht mal seinen Schwan weiden, ohne von dir belauscht zu werden? Wenn mein Vater mich befreit hat, werde ich dafür sorgen, daß wir dich wieder mit zurück ins Nordland nehmen.«

»Oh ja«, sagte der Zwerg, »da sitzen wir dann alle gefangen in Schnee und Eis und trinken Eichelschnaps. Das wird ein Spaß.«

»Aus meinen Augen!«

»Nach Euch, bitte«, sagte Pedsi und verbeugte sich.

Die letzte Frechheit des Zwergs kam Prinzessin Lisvana gar nicht zu Bewußtsein. Wie betäubt ging sie zurück zu ihrem Wäschekorb. Der Schwan immer hinter ihr. Nun war es soweit. Ritter Bredur hatte seinen Boten geschickt, um ihre Rettung vorzubereiten. Sie würde wieder frei sein und nach Hause zurückkehren. Endlich. Wieso freute sie sich dann nicht? Wieso war sie nicht total aus dem Häuschen? Und wieso mußte sie ausgerechnet jetzt an Prinz Diego denken? An den schönen, feinen Prinzen Diego mit den samtenen Baskarenaugen, der sie so sehr liebte. Wo war er bloß? Der Zwerg hatte recht. Die Aussicht, wieder im Nordland zu leben, machte einen nicht wirklich froh. Wer wollte denn noch sein Leben in Schnee und Dunkelheit verbringen, wenn er die baskarischen Gärten gesehen hatte und das leichte, heitere Leben hier? Und trotzdem blieb ihr nichts anderes übrig, als in dieser Nacht zu fliehen. Hatte sie nicht ständig behauptet, daß sie nichts mehr wünschte, als von hier fortzukommen? Wenn sie wenigstens Prinz Diego noch einmal hätte sehen können. Jetzt zu gehen und Prinz Diego nie wieder zu sehen, war das Schrecklichste. Gar nicht auszudenken, wen ihre Eltern schließlich für sie aussuchen würden. Aber es gab kein Zurück. Was würde ihr Vater sagen, wenn er erführe, daß sie freiwillig bei seinem Feind und Ehrbeleidiger geblieben wäre? Sie könnte ihm nie mehr vor die Augen treten. Das wäre noch nicht so schlimm, wahrscheinlich würde sie dann ja sowieso nie wieder ins Nordland reisen, aber würde ihr zukünftiger Ehegemahl, würde Prinz Diego nicht genauso von ihr denken – und mit ihm der ganze Hof, ja das ganze Volk? Die ganze Welt würde sie verachten. Ihr Leben lang wäre sie die wankelmütige, unehrenhafte Prinzessin. Nicht einmal einem Lakaien würde sie mehr in die Augen schauen können.

Lisvana schwenkte die Wäschestücke im Wasser, trug den Korb zurück zum Schloß und teilte ihre Grütze mit dem Schwan, und dabei wurde ihr Herz schwerer und schwerer. Sie legte sich aufs Stroh, und als sie zu einer Zeit, die ihr nahe an Mitternacht schien, wieder aufstand, fühlte es sich an, als hätte sie einen Bleiklumpen in der Brust. Sie packte den verwunderten Schwan, umwickelte seinen Schnabel mit einem Haarband und seine Flügel mit der Kordel und stopfte ihn in den Sack, in dem früher das Stroh gewesen war. Dann schlich sie sich nur im Hemd und mit einer Kerze in der Hand aus ihrer Mägdekammer und ging in ihre früheren Prachtgemächer, die wie stets unversperrt waren und darauf warteten, wieder von ihr bezogen zu werden. Wenn sie schon zurück ins Nordland mußte, dann würde sie Ritter Bredur in einem anständigen Kleid und nicht im Elendskittel einer Wäschemagd entgegentreten. Lisvana beleuchtete die Reihen ihrer Roben. Sie konnte sich nicht entscheiden, welches Kleid denn nun das allerschönste war, das rosenfarbene oder das dunkelblaue aus Atlas oder das grau-schwarze mit der elfenbeinfarbenen Spitze. Nein, das grün-goldene dort. Sie hatte es noch nie zuvor gesehen. Es mußte eines der Kleider sein, die Prinz Diego ihr aus Pargo mitgebracht hatte. Die dazu passenden Pantoffeln standen darunter.

Als Lisvana sich wieder auf den Gang hinausschlich, kam ihr jemand mit einem Kerzenhalter in der Hand entgegen. Prinzessin Lisvana löschte ihre eigene Kerze und drückte sich mit angehaltenem Atem an die Tür, aber es war zum Glück nur die Jungfer Rosamonde – ein wenig derangiert, mit losen Haaren und verkehrt geschnürtem Mieder. Rosamonde errötete so heftig, daß es sogar im Kerzenschein auszumachen war, dann knickste sie schuldbewußt und fragte flüsternd, wie es der Prinzessin ginge. Dann starrte sie das grüngoldene Kleid an, das Lisvana trug.

»Gut«, erwiderte Lisvana hoheitsvoll. »Sei auch du frohen Mutes, denn am heutigen Tage endet unsere Schande. Wir werden fliehen.«

»Fliehen?« fragte Rosamonde etwas dumm. »Wann denn?«

»Jetzt sofort! Komm mit. Die Unsrigen warten an der Mauer. Wer weiß, vielleicht ist sogar der Ritter Luntram dabei.«

Aber Rosamonde preßte sich gegen die Wand und schüttelte heftig den Kopf.

»Ich will nicht!«

»Bist du von Sinnen? Und was ist mit Ritter Luntram?«

»Was soll ich mit Ritter Luntram? Ich kenn ihn doch gar nicht richtig«, stieß Rosamonde hervor, »hier kann ich vielleicht die Frau des ersten Hofzwergs werden.«

»Des Hofzwergs? Das ist ja wohl das Letzte. Wer will denn schon die Frau eines Zwerges werden? Komm jetzt, wir sind bereits spät dran.«

»Ich! Ich will die Frau eines Zwergs werden. Ich liebe Pedsi!«

»Du? Du liebst doch niemanden außer dir selber. Du willst bloß die Gräfin von Garten sein.«

»Das ist nicht wahr! Ich finde Pedsi sehr niedlich. Er ist

zwar klein, aber er gilt als bestangezogener Mann am Hof.«

»Nach dem Prinzen ja wohl«, sagte Lisvana scharf.

»Natürlich nach dem Prinzen«, bestätigte Rosamonde. »Warum bleibt Ihr nicht auch hier und heiratet Prinz Diego?«

»Du hast wirklich überhaupt keinen Stolz. Nun, du mußt wissen, was du tust. Ich werde dich nicht zwingen.«

Lisvana drehte sich brüsk um und ging den Schwan holen.

Es war einfach, aus dem Schloß in den Garten zu schleichen. In dem grüngoldenen Kleid hielt die Wache sie für eine Hofdame auf dem Weg zu einem Stelldichein. Und natürlich hielt eine Hofdame sich dabei den Fächer vors Gesicht, um nicht erkannt zu werden. Wenn sich die Wache über etwas wunderte, dann höchstens über den Sack, den die Hofdame unter dem Arm trug.

Die Sterne funkelten am Himmel wie die Diamanten auf Prinz Diegos schwarzen Anzügen. Es war ganz still, nur der mondbeschienene Kies knirschte unter ihren Füßen. Auf einem Ast hockten die Silhouetten von zwei schlafenden Pfauen, in einem Gebüsch raschelte eine Schildkröte und machte leise »bim«. Prinzessin Lisvana lief zu der vereinbarten Stelle an der Mauer. Hier mußte es sein. Oder war es doch weiter unten? Nachts sah alles so anders aus. Nein, hier war der Busch, und richtig, dort hing eine Strickleiter die Mauer herunter.

»Bredur?« flüsterte Lisvana

Sie hörte nur das Scharren eines Pferdes auf der anderen Seite der Mauer. Also wickelte sie den Schwan aus dem Sack, klemmte ihn sich unter den Arm und stieg auf die schaukelnden Sprossen. Jetzt verwünschte sie ihre Eitelkeit. Das grüngoldene Kleid machte sie unbeweglich, auch wenn sie die Hüftpolster weggelassen hatte, die Leiter pendelte hin und her, und sie konnte sich nicht richtig festhalten, weil sie ja den Schwan noch tragen mußte. Der linke Pantoffel rutschte von ihrem Fuß, fiel hinunter und blieb im Gras liegen. Er glitzerte im Mondlicht. Na gut, sollte er dort liegenbleiben. Er war für Prinz Diego bestimmt, als Andenken, damit er sie nicht vergaß.

Als Lisvana Dreiviertel der Mauerhöhe erklommen hatte, warf sie den Schwan hinüber. Danach kletterte es sich leichter, und sie gelangte sicher hinauf. An der anderen Seite der Mauer lehnte eine feste Leiter aus Holz. Lisvana sah unter sich den Schatten des unheimlichen Geschöpfs, wie es eben den Schwan einzufangen versuchte. Einen Buckel hatte es auch noch. Neben ihm stand eine wacklige Kutsche mit einem einzigen erbärmlich dürren Gaul davor. Ehe die Prinzessin noch überlegen konnte, ob sie sich wirklich dem Buckligen anvertrauen wollte, hatte der schon den Schwan in eine Kiste, die hinten an der Kutsche befestigt war, expediert und hielt ihr nun die Leiter, streckte ihr die andere Hand entgegen und grunzte ungeduldig. Die Prinzessin kletterte herunter. Daraufhin kletterte das Wesen hinauf, zog die Strickleiter über die Mauer und verstaute sie ebenfalls in der Schwanenkiste.

»Wo ist Ritter Bredur?« fragte die Prinzessin.

Der Häßliche wies auf die dunkle Kutsche, auf die er gerade die Holzleiter schnallte. Er hielt ihr den Schlag auf. Prinzessin Lisvana stieg ein, die Tür flog zu, das Wesen schwang sich selbst auf den Kutschbock, und schon rasselte das klapprige Gefährt durch die Nacht. Der Wind zog durch die glaslosen Fenster und durch alle Ritzen, daß der Prinzessin die Haare flogen und sie eine bereitliegende Decke eng um sich schlang. Sie war völlig allein in der Kutsche. Wo war nur Ritter Bredur?

PEDRO GALBANO

Ritter Bredur saß in der Schenke Zum Krokodil, in der es die gleichen niedrigen und verräucherten Deckenbalken, die gleichen blakenden Waltranfunzeln und knarrenden Bodenbretter und die gleiche verqualmte Luft gab wie in all den anderen Spelunken, in denen er inzwischen Hausverbot hatte. Sein Gesicht war geschwollen und zerschunden. Er war der Prügeleien müde, mit denen er sich um die Begleichung seiner Rechnungen drückte. Tagsüber schlich er um den Schloßgarten herum und lauschte, ob nicht Lisvanas Stimme zu ihm herüberwehte, und abends betrank er sich und mußte hinterher einen Streit anfangen. Er war dankbar, daß ihn diesmal zwei Männer freihielten, auch wenn die zwei von allen anderen gemieden wurden. Vor Bredur auf dem Tisch lag ein Vertrag, den er nicht lesen konnte, und direkt über seinem Kopf hing ein riesiges ausgestopftes Krokodil, das ein Kreuzritter einmal dem Urahn des Wirts in Zahlung gegeben hatte. Bei jedem Stühlerücken oder Türschlagen schneite es Holzmehl aus seiner Bauchnaht auf den Kopf des Ritters.

»He, Wirt, noch eine Runde«, rief einer seiner beiden neuen Freunde. Es war der große Dicke mit dem mächtigen Schnurrbart.

Der schmale Kleine mit dem Backenbart fing wieder davon an, was für ein schönes Schiff die Manati sei, vier große Segel, und das Heck mit Gold verkleidet wie die prächtigsten Ostindienfahrer.

»Ich kann hier nich wech«, lallte Bredur, »tu mir wirklich leit. Hab was su erledigen.«

»Ganz kurz nur«, sagte der kleine Menschenhändler, »bloß ein bißchen an Afrikas Küste entlang. In zwei, drei Wochen sind wir zurück, völlig gefahrlos das Ganze, mehr Ausflug als Arbeit.«

Bredur lachte immer nur, sagte jaja, trank den Wein und dachte gar nicht daran, sein Kreuz auf das Papier zu setzen. Endlich aber erwähnte der kleine Schmale, daß das Schiff für Königin Isabella auf Fahrt ginge, um mal wieder die seltensten Pflanzen der Welt für sie ausfindig zu machen, diesmal vor allem rote, weil sie damit das Hochzeitsfest ihres Sohnes mit der schönen Nordlandprinzessin dekorieren wolle. Bredur wurde schlagartig nüchtern.

»Die Nordlandprinzessin heiratet? Ich dachte, sie will ihn nicht?«

»Anscheinend doch«, sagte der Kleine, »wozu sonst die ganzen Vorbereitungen?«

Bredur schüttelte wild den Kopf und verteilte dabei das Holzmehl aus dem Krokodilsbauch um sich. Das wollte er aus Lisvanas eigenem Mund hören, bevor er es wirklich glaubte, und selbst dann würde er die Hochzeit zu verhindern wissen. Er mußte nur endlich eine Gelegenheit finden, sich der Prinzessin zu zeigen. Wenn Lisvana ihm gegenüberstand, würde sie sich die Sache sowieso anders überlegen. Bestimmt war sie nur so verzweifelt gewesen, daß sie gar keine andere Möglichkeit mehr gesehen hatte.

Oder man hatte sie gezwungen. Und diese Männer hier würden ihm Eintritt ins Schloß verschaffen.

»Das interessier' mich«, sagte er. »Flanzen ham mich scho immer interessiert. Ich weiß praktisch all's über Flanzen. Ich könnt euch nütschlich sein.«

»Oh, bestimmt«, sagte der große Dicke, »jemanden wie dich können wir gut gebrauchen. Was für ein Glück, daß du uns getroffen hast. Du mußt nur hier unterschreiben.«

»Gehn wir vorher ins Schloß. Zu der Kön'gin? Wegn der Flanzen, mein ich.«

»Na klar«, sagte der Kleine ernsthaft, »die Königin verabschiedet alle Matrosen ihres Schiffs persönlich.«

Er schob ihm den Vertrag und das Tintenfaß hin, tauchte für ihn die Feder ein, und Bredur machte sein Kreuz, ohne auch nur nach der Heuer zu fragen. Irgendwo kreischte ein Papagei, und eine Hure lachte. Oder umgekehrt. Seine neuen Freunde stießen mit ihm an, und was danach geschah, daran konnte Bredur sich später nicht mehr erinnern.

Am nächsten Morgen jedenfalls erwachte er davon, daß ein Kübel Seewasser über seinem Gesicht entleert wurde. Er lag auf den Planken eines Schiffs, das gerade den Hafen von Basko verlassen hatte.

»Deck schrubben«, sagte ein braungebrannter Matrose mit goldenen Ringen in den Ohren zu ihm und warf ihm einen Besen auf die Brust. Seine Freunde von gestern waren nicht mit an Bord, und als er seine Beschwerde vorbrachte, unrechtmäßig und ohne sein Wissen und Wollen an Bord verschleppt worden zu sein, da mußte er sich sagen lassen, daß so etwas alle naslang vorkäme und ein richtiger Seemann darüber kein Wort verlöre. Sieben, acht Wochen, so meinten die anderen Matrosen, länger sollte die Fahrt nicht dauern. In einem Punkt hatten die beiden Halunken aus dem Krokodil immerhin nicht gelogen: Die Manati war tatsächlich unterwegs, um seltene Blumen für Königin Isabella aufzuspüren. Zwei Pflanzenforscher leiteten das Unternehmen. Sie taten nichts, als den lieben langen Tag über Deck zu spazieren. Der ältere und offensichtlich wichtigere von ihnen hieß Johannes Moebius, hatte eine Knollennase, einen schwarzen Vollbart und trug ständig Bücher mit sich herum, die er seinem jüngeren Kollegen zeigte. Dessen Gesicht war feiner geschnitten, er trug einen Schnurrbart und noch einen kleinen Bart am Kinn und war ganz wie ein Seeoffizier gekleidet, nur daß der feste Stoff seines Anzugs schwarz statt blau war. Er konnte kaum älter als Bredur sein und nannte sich Pedro Galbano. Stets sah er nur kurz in das jeweilige Buch, das Moebius ihm unter die Nase hielt, und wandte sich dann gelangweilt wieder ab. Bredur war klug genug, den beiden Forschern gegenüber nichts von seinen vorgeblichen Pflanzenkenntnissen zu erwähnen. Er blieb bei den Matrosen, ließ wie sie den Kübel an einem langen Tampen ins Wasser hinunter und schrubbte das Deck von vorne nach hinten und von hinten nach vorn.

So verging ein Tag nach dem anderen, ohne daß Bredur sich an das Leben auf der Manati gewöhnte. Bei stärkerem Seegang wurde ihm flau im Magen, und die Matrosen mit ihren gelockten Bärten, ihren Zöpfen und Ohrringen und gestreiften Hemden, mit ihrem breitbeinigen Gang und mit den abscheulichen Wörtern, die sie benutzten, waren ihm immer noch fremd und in ihrer rohen und angriffslustigen Art lästiger und verabscheuungswürdiger als die Ritter des Nordlands während der Wintermonate. Die Abneigung beruhte auf Gegenseitigkeit.

Normalerweise kümmerten sich die Matrosen nicht viel umeinander und dachten nicht weiter als bis zur nächsten Bierzuteilung. Ihr bester Freund war ihr Wanst. Aber wenn einer immer nur alleine soff, sich abseits hielt und nicht einmal beim Würfeln mittat, dann galt er als ein seltsamer Kerl, der mal ein paar Meilen an einem Seil hinter dem Schiff hergeschleppt werden mußte, damit ihm der Dünkel aus dem Hirn gespült wurde. Um ihren groben Scherzen und ihrem Schnarchen zu entkommen, ging Bredur so spät wie möglich schlafen. Stattdessen spazierte er abends über Deck und sah auf das Meer hinaus. Die Nächte waren so klar, daß man die Sterne zählen konnte. Bredur dachte an Lisvana, die nun womöglich den widerlichen Prinzen heiraten mußte, ohne daß er es verhindern konnte, und verfluchte seine Dummheit, die ihn in diese Situation gebracht hatte. Fast immer kam irgendwann Pedro Galbano, die Hände auf dem Rücken verschränkt, an ihm vorbei, sah herüber, und ein mitfühlendes Lächeln hob seinen Schnurrbart. Manchmal blieb er in nicht allzuweiter Entfernung stehen und schaute ebenfalls aufs Meer. So standen sie oft eine halbe Stunde, jeder auf seinem Platz, und gingen dann ohne ein Wort zu sagen einer nach dem anderen wieder ihrer Wege.

Eines Abends, nachdem sie gemeinsam den Mond betrachtet hatten, der sich in der schwarzen See spiegelte, brach Pedro Galbano das Schweigen.

»Sag mir, was ist das für ein trauriger junger Mann«, fragte er lächelnd, »der hier jeden Abend an der Verschanzung steht und aufs Meer hinausschaut, während die anderen Matrosen würfeln und Karten spielen?«

Bredur, der sich auch auf dem Schiff Ramon nennen ließ, lächelte ebenfalls.

»Oh der«, sagte er, »mit dem ist nichts anzufangen. Arbeitet schlecht und ist auch noch völlig ungesellig. Scheint Liebeskummer zu haben.«

»Da kann ich ihn nur zu gut verstehen«, sagte Pedro Galbano ernst und ging weiter, und komischerweise fühlte sich Bredur daraufhin gleich viel besser.

Am nächsten Abend war der junge Pflanzenkundler wieder da, und diesmal stellte er sich direkt neben Bredur. Schweigend betrachteten sie, wie das letzte Drittel der Sonne im Meer versank, dann legte Pedro Galbano dem vermeintlichen Ramon eine Hand auf die Schulter. Bredur mußte schlucken, und dann – er wußte selbst nicht, was ihn dazu trieb – erzählte er Pedro Galbano, was ihn bedrückte. Natürlich erzählte er nicht, daß es die Nordlandprinzessin war, der alle seine Gedanken galten, aber er ließ doch durchblicken, daß es um eine Frau ging, die über ihm stand und die an einen widerlichen Kerl verheiratet werden sollte, falls es ihm nicht gelang, sie zu retten. Wie sich nun herausstellte, litt Pedro Galbano an einem ganz ähnlichen Kummer. Auch er wollte nicht verraten, wie die Jungfer, die er liebte, hieß, aber Bredur verstand doch so viel, daß es um eine Schönheit ging und daß der junge Forscher zwar hoffen durfte, aber überhaupt nichts gewiß war und daß es zur Zeit so schlecht wie noch nie stand.

»Sie ist blond, ganz leuchtend blond«, sagte Pedro Galbano.

»Meine auch, allerdings mit einem leichten Kupferton«, sagte Bredur.

»Sie hat veilchenblaue Augen.«

»Bei meiner gehen sie eher ins Türkise.«

Von nun an trafen sie sich jeden Abend, um von ihren Herzensdamen zu erzählen oder auch bloß gemeinsam schweigend die Sternbilder zu betrachten. Und wenn Bredur seufzte, so sagte Pedro Galbano: »Nur Mut, mein Freund, sie wird auf dich warten.« Und wenn Pedro Galbano in plötzlich aufwallender Verzweiflung die Hände vors Gesicht schlug, so sagte Bredur: »Sie liebt dich. Natürlich liebt sie dich. Sie hat keinen Grund, es nicht zu tun.«

»Wenn wir von dieser Reise heimkehren«, sagte Pedro Galbanao, »will ich versuchen, dir zu helfen. Du mußt wissen, daß meine Familie nicht ohne Einfluß ist. Wenn es irgend in meiner Macht steht, sollst du dein Mädchen bekommen.«

Der vermeintliche Ramon lachte müde.

»Das ist überaus freundlich von dir. Aber ich fürchte, in diesem Fall wird selbst der Einfluß deiner Familie nicht ausreichen.«

»Du unterschätzt vielleicht meine Familie«, sagte Pedro Galbano vergnügt.

Als sie das Samsarameer erreichten, befahl der Kapitän die gesamte Mannschaft auf Deck.

»Männer, diese Herren hier haben uns etwas mitzuteilen. Schüttelt euch den Dreck aus den Ohren und hört gut zu.«

Die Matrosen sahen skeptisch die beiden Pflanzensucher an, die eine große Kiste mit an Deck gebracht hatten.

»Ja … hm«, der schwarzbärtige Moebius räusperte sich und hustete, »meine Herren, Sie wissen, weswegen wir unterwegs sind?«

»Blumen«, sagte der Steuermann, »rote Blumen sollen wir finden, für die Hochzeit des Prinzen.«

»Das ist richtig. Aber die roten Blumen sind nicht die Hauptsache. Schön, wenn wir welche finden, aber worauf es wirklich ankommt, ist, daß wir eine Goronzie mitbringen.«

»Eine was?«

»Pedro Galbano wird es Ihnen erläutern.«

Bredurs Freund trat vor.

»Die Goronzie«, sagte Pedro Galbano, steckte die Hände in die Hosentaschen und sah an allen vorbei den Großmast hinauf, als hoffte er, dort eine zu entdecken, »die Goronzie wäre die Krönung der Pflanzensammlung unserer Königin. Wie Sie sich denken können, handelt es sich um eine sehr seltene Pflanze, mehr noch, es handelt sich um ein Lebewesen, das die Kluft zwischen Tier und Pflanze überbrückt.« Er sprach müde und belästigt, als leierte er einen Vortrag herunter, den er selbst ein paarmal zu oft gehört hatte.

»Die wilde Goronzie«, fuhr er fort, »wächst in den undurchdringlichsten Zonen des afrikanischen Dschungels. Stellen Sie sich einen knorrigen Baum vor, etwa drei Meter hoch, in dessen Ästen eine einzige Frucht hängt, die wie eine große violette Melone aussieht. Während diese Melone reift, wird sie so schwer, daß der Ast, an dem sie hängt, sich schließlich bis auf den Boden neigt. Sowie die Melone den Boden berührt, platzt sie auf und entläßt ein kleines Tier mit vier Hörnern, aber sanftmütig wie ein Lamm – das

Goronzi. Es sieht ein bißchen wie ein Schwein aus und ein bißchen wie ein Elefant, natürlich viel kleiner. Seine Haut ist hellblau. Über seine Nabelschnur ist das Goronzi weiterhin mit dem Baum verbunden. Es handelt sich um eine ungewöhnlich lange Nabelschnur, etwa sechs Meter. Da der Ast sich nach dem Platzen der Baummelone allmählich wieder hebt, hat das Goronzi also noch einen Umkreis von etwa vier bis fünf Metern, den es abäsen kann. Seinen Durst stillt es, indem es den Tau von den Gräsern leckt. Wenn es alle Pflanzen in fünf Metern Umkreis abgerupft hat, muß es verhungern. Meist aber wird es schon vorher von einem wilden Tier gefressen, da das Goronzi – oder Goronzi-Kalb – ja nicht fliehen kann. Sein Fleisch ist so süß, daß das wilde Tier es in seiner Gier gleich im Ganzen verschluckt. Dadurch verschluckt es auch den großen Kern, den das Goronzi in seinem Inneren hat, und verschleppt ihn in den Urwald hinein. Der Goronzi-Baum vermehrt sich über den Kot der wilden Tiere. Das Goronzi-Kalb selber ist ein gutmütiges Tier, das, einmal gezähmt – und bei seinem Hunger läßt es sich leicht mit Futter zähmen –, sich gerne am Hals krauen läßt.«

Pedro Galbano hielt inne, und Johannes Moebius setzte ein:

»Sollte es uns gelingen, tatsächlich eine ganze Goronzie aufzutreiben – und wäre sie noch so klein –, so verdopple ich jedem einzelnen auf diesem Schiff seine Heuer. Sollten wir es immerhin zu einem Goronzi-Kern bringen, gibt es auch eine Belohnung, über die sich keiner beklagen wird.«

Die Mannschaft jubelte Zustimmung und ließ Moebius hochleben.

»Bedauerlicherweise ist es nicht ganz einfach, einer Goronzie habhaft zu werden. Vier Expeditionen habe ich bereits hinter mir, ohne daß es mir gelungen wäre. Sie ist wie gesagt sehr selten. Allerdings weiß ich jetzt aus zuverlässiger Quelle, wo sich gleich mehrere davon befinden sollen. Und zwar« – er hüstelte und sah zur Seite – »auf der Insel der Glückseligkeit.«

Die Mannschaft stand wie vom Donner gerührt. Bredur, dem der Name nichts sagte, schaute ratlos von einem zum anderen.

»Das …. das … ist nicht möglich«, stammelte der Kapitän, »das Betreten der Insel ist jedem Mann bei Todesstrafe verboten. Der Soldan von Astur versteckt dort seine Lieblingstochter.«

»Und der Soldan von Astur ist für seine Grausamkeit berühmt«, rief einer aus der Mannschaft.

»Nicht einmal Eunuchen dürfen sich dort aufhalten, selbst die Wachen sind Frauen«, rief der Steuermann.

»Ruhe, einen Moment Ruhe, bitte«, rief Johannes Moebius in das aufgeregte Murren hinein, »all dies ist mir selbstverständlich bekannt. Ich habe überhaupt nicht die Absicht, die Insel der Glückseligkeit anzulaufen.«

Die Mannschaft beruhigte sich und hörte ihm wieder zu, allerdings immer noch mißtrauisch.

»Alle zwei Monate schickt der Soldan von Astur ein Versorgungsschiff, die Fateh Mohammed, zur Insel der Glückseligkeit, beladen mit Lebensmitteln, Tieren, Kleidern und all dem Firlefanz, den Frauen so brauchen. Und zur Ladung gehören jedesmal auch neue Sklavinnen. Selbstverständlich besteht auch die Besatzung des Schiffes ausschließlich aus Frauen. Eine Frau steht am Ruder, eine Frau ist Kapitän, Frauen hängen in der Takelage, Frauen reffen die Segel, Frauen stehen an den Kanonen, und falls es Ruderbänke gibt, werden sogar dort Frauen sitzen. Mein Plan ist folgender: Wenn die Fateh Mohammed hier auftaucht, was nach meinen Informationen innerhalb der nächsten zwei, höchstens vier Tage der Fall sein wird, werden wir sie überfallen. Wir hissen eine Piratenflagge, liefern uns ein Scheingefecht mit den ganzen Weibern, ohne ihnen allzusehr weh zu tun, und während des Getümmels werden sich zwei von uns als Frauen verkleidet auf das andere Schiff hinüberschmuggeln und im Frachtraum verstecken. Dann tun wir, als wären wir der Gegenwehr der Matrosinnen nicht länger gewachsen und ziehen uns wieder zurück.«

»Was? Wir sollen gegen Weiber verlieren? Kommt ja gar nicht in Frage!«

Johannes Moebius gab sich Mühe, ruhig und höflich zu bleiben.

»Es ist eine List, meine Herren, verstehen Sie? Durch diese List brauchen wir die Insel der Glückseligkeit nicht anzusteuern. Nur die beiden verkleideten Männer werden sie betreten, zwei oder drei Goronzien ausgraben und anschließend irgendwie von der Insel fliehen. Fliehen sollte wesentlich einfacher sein als zu landen, da die Wächterinnen ja immer nur aufs Meer schauen, ob von da ein Angriff zu erwarten ist. Und irgendwo wird schon etwas Bootsähnliches rumliegen, mit dem sie zu uns zurückrudern können.«

»Aha«, sagte der Steuermann, »und wer sollen diejenigen denn wohl sein?«

»Nun, Nummer eins werde ich mir nicht nehmen lassen, selbst darzustellen. Bei Nummer zwei bitte ich um einen Freiwilligen aus der Mannschaft, wegen der Navigationskenntnisse. Ich dachte an diesen jungen Mann da.« Er zeigte auf Bredur. »Er ist nicht zu groß und würde eine prächtige Frau abgeben. Wie heißen Sie, junger Freund?«

Die Matrosen lachten, und Bredur sah verdrossen drein.

»Ramon Delgado, und ich habe überhaupt keine Navigationskenntnisse«, murrte er.

»Wohl feige«, rief es aus der Mannschaft.

»Junger Mann, so gefährlich ist es nicht. Ich werde die ganze Zeit an Ihrer Seite sein.«

»Ich habe keine Angst«, sagte Bredur, »ich habe bloß keine Navigationskenntnisse und keine Lust, als Frau herumzulaufen.«

»Ach was, die weibliche Tracht in Astur ist der männlichen ganz ähnlich. Weite Pluderhosen und ein langes Hemd darüber. Nur daß Sie natürlich keinen Säbel tragen werden, sondern das Gesicht verschleiern müssen. Na, kommen Sie schon, tun Sie mir den Gefallen. Wenn wir mit einer Goronzie heimkehren, werde ich Sie der Königin persönlich vorstellen.«

Bredur horchte auf.

»Der Königin persönlich? Versprechen Sie das?«

»Bei allem, was mir heilig ist.«

»Na gut, ich mach's.«

»Wunderbar, ich habe nichts anderes von Ihnen erwartet. Lassen Sie uns gleich einmal die Kostüme anprobieren.«

Moebius öffnete die Truhe und holte für jeden Matrosen eine rote Schärpe, ein Lederbandelier und ein Entermesser heraus. Für den Kapitän hatte er eine zerschlissene Brokatjacke und eine Augenklappe dabei. Zum Schluß kamen die Frauengewänder. Es waren einfache Kleider ohne jeden

Schmuck – grün, damit sich die Pflanzendiebe auf der Insel besser verstecken konnten. Unter dem Gespött der Mannschaft legte Bredur seines an. Als er sein eigenes Hemd auszog, kam ihm wieder das Zauberglöckchen zwischen die Finger. Er hatte es völlig vergessen. Bredur riß es aus dem Saum und nahm sich vor, es in sein Frauengewand einzunähen. Wer wußte, was ihm auf der Insel der Glückseligkeit für Gefahren begegnen würden.

»Der Königin persönlich vorgestellt«, fistelte ein Matrose affektiert, hob den Zipfel seines Hemdes mit zwei Fingern hoch und machte vor Bredur einen Knicks. Doch als Bredur schließlich bis unter die Augen verschleiert vor der Mannschaft stand, wurden sie alle ganz still.

»Nimm noch mal den Schleier ab«, rief einer.

»Tatsächlich – er ist es.«

»Nicht zu fassen. Und jetzt noch mal mit Schleier.«

»Nicht zu fassen.«

»Wie 'ne richtige Frau.«

»Ein guter Plan.«

Sie mußten ihm noch ein paarmal den Schleier wegnehmen, um sich immer wieder zu vergewissern, daß es einer der ihren war, den sie da vor sich hatten. Moebius' Verkleidung fiel nicht ganz so glücklich aus. Sein buschiger Bart stahl sich am Rand des Schleiers heraus. Außerdem reichten ihm die Pluderhosen nur bis zur Mitte seiner stark behaarten Unterschenkel, so daß die Matrosen die Köpfe schüttelten und vorschlugen, den Bart abzunehmen und die Beine zu rasieren, dann könnte man die großen Füße und die Knollennase, die sich unter dem Schleier wölbte, vielleicht noch durchgehen lassen.

»Kommt überhaupt nicht in Frage«, sagte Johannes

Moebius ruhig. »Ich habe tobende Meere überquert und Wüsten und Dschungel durchwandert – wann immer es galt, eine seltene Pflanze für meine Königin zu finden, bin ich vor keiner Gefahr je zurückgeschreckt. Aber niemand kann von mir verlangen, daß ich mich von meinem Bart, dem Signum meiner Weisheit und Männlichkeit, trenne. Lieber werde ich schweren Herzens auf den Anblick der blühenden und Früchte tragenden Goronzienbäume verzichten und meine Rolle in diesem Plan an einen Mann abtreten, der das weibliche Gewand anmutiger zu füllen imstande ist. Freiwillige vor! Ist hier noch jemand ohne Bart? Nicht zu groß und nicht zu grobschlächtig.«

»Ich mach's«, sagte Pedro Galbano und nickte Bredur aufmunternd zu, »schließlich muß ja auch ein Pflanzenkenner dabei sein, damit wir das Richtige mitbringen.«

»Nein, nein, das geht nicht«, rief Moebius schnell, und der Kapitän wedelte erschrocken mit den Händen.

»Ihr habt auch einen Bart! Und außerdem … – na, Ihr wißt schon. Gar nicht auszudenken! Es braucht keinen Fachmann. Jedes Kind würde eine Goronzie erkennen. Sie ist überhaupt nicht zu verwechseln.«

»Der Bart kommt ab«, rief Pedro Galbano fröhlich. »Na los, wer hat ein scharfes Messer?«

Und dann saß er mit einem dreckigen Küchentuch um den Hals auf einem Faß, und der Schiffskoch seifte ihm das Gesicht ein und wetzte ein Messer an seinem Gürtel.

Als Pedro Galbano nun Kinn und Oberlippe freigelegt bekommen hatte, rief der zweite Steuermann:

»He, ohne Bart seht Ihr dem Thronfolger verdammt ähnlich! Wißt Ihr das eigentlich?«

»Ja, und der trägt auch immer schwarz«, rief ein Matrose.

»Unsinn«, rief der Schiffskoch, »der Thronfolger sieht völlig anders aus. Ich bin ihm einmal bei einer Parade so nahe gekommen, daß ich ihn beinahe berührt hätte. Und er sieht völlig anders aus.«

»Ja, völlig anders«, rief noch jemand.

Aber Ritter Bredur wußte es besser. Die Erkenntnis traf ihn wie ein Schlag. Dort auf dem Stuhl saß Prinz Diego, Irrtum ausgeschlossen. Der Kumpan seiner durchseufzten Nächte an Deck, sein Genosse im Liebesleid war in Wirklichkeit sein ärgster Feind. Aber nachdem Bredur den Verlust eines Freundes verkraftet und sich wieder gesammelt hatte, erkannte er auch den Vorteil, der für ihn in Prinz Diegos Anwesenheit lag. Nun war ihm klar, wie er zu handeln hatte. Er mußte bloß noch auf eine günstige Gelegenheit warten.

DIE GORONZIEN

Fernab des Festlands, umspült von den warmen Wassern des Samsarameeres, lag die Insel der Glückseligkeit. Sie hatte eine kleine Bucht, und in diese Bucht lief die Fateh Mohammed ein, um die Lieblingstochter des Soldans mit allem Notwendigen und Erfreulichen zu versorgen, mit Mehl, Zucker, Pistazien, Schamiäpfeln, Tihamarosinen, ägyptischen Limonen und Joghurts der berühmtesten Joghurtmacher, mit Bergen von in Flanelldecken gewickeltem Schnee für den Scherbet, mit Veilchenwasser, Bernsteinkörnern und Kerzen aus Alexandriawachs, mit neuen Kleidern und neuen Sklavinnen, mit einer frischen Ladung der lustigen, aber leider so empfindlichen Äffchen, mit Flöten, Tambourinen, Tabak, Watte, Kaffeebohnen, Ketten, Ringen und Fußreifen.

Bredur, der sich in einer Kiste verborgen hatte, fand sich emporgehoben, getragen, aufgeladen und durchgerüttelt. Das Knarren von Rädern drang an sein Ohr. Plötzlich hielt der Karren, und jemand schlug mit der Faust auf die Kiste, in der eigentlich 4000 Narzissenzwiebeln sein sollten und in der sich jetzt nur noch 1000 Zwiebeln und ein Ritter befanden. Eine tiefe Frauenstimme fragte oder forderte etwas. Bredur verstand ihre Sprache nicht. Starr vor Angst hielt er die Luft an und erwartete jeden Moment, daß sein

Versteck geöffnet wurde. Die Zwiebeln drückten ihn unangenehm im Rücken. Eine zweite Frauenstimme antwortete der ersten. Sie sprach begütigend und abwiegelnd, dann geriet sie ins Erzählen, und die tiefe und befehlende Stimme lachte, und die zweite Frau erzählte weiter, und die tiefe Stimme lachte noch mehr, fragte nach und klang schon viel weniger gebieterisch. Obwohl Bredur die Vokabeln alle fremd waren, meinte er doch zu verstehen, daß die zweite Stimme einer Matrosin von der Fateh Mohammed gehörte, die gerade einer Wächterin der Insel von dem Piratenüberfall erzählte. Wie die Seeräuber geglaubt hatten, leichtes Spiel zu haben, und wie die Frauen die frechen Angreifer auf ihr Schiff zurückgetrieben hatten, und wie einer ihrer Anführer, ein schwarzbärtiger Kerl mit einem Messer zwischen den Zähnen, dabei noch ins Wasser gefallen war. Auf der Fateh Mohammed hingegen hatte es nicht einmal Verletzte gegeben. Die reinsten Anfänger, diese Piraten!

Knarrend rollte das Gefährt wieder an, und Bredur atmete auf. Kurz darauf hielt man erneut, und der Ritter fand sich zum zweiten Mal emporgehoben und dann auf den Boden gestellt. Er sorgte sich, daß beim Abladen der Kiste den Trägerinnen aufgefallen sein könnte, wie erstaunlich schwer diese Blumenzwiebeln waren, oder daß eine Gärtnerin sich gleich von der Qualität der neuen Lieferung überzeugen wollte. Aber nichts rührte sich, der Deckel blieb zu, und Lärm und Gespräch zogen weiter. Nachdem Bredur eine Weile in die Stille hineingelauscht hatte, rief er flüsternd nach Pedro Galbano. Pedro Galbano – ha, was für ein dämlicher Name, dachte er dabei.

»Pedro? Hörst du mich? Pedro? Pedro?«

»Ja. Hier. Ich hör dich ja, Ramon. Sei still! Ich muß mich nur erst aus dem Hanfballen schneiden, dann hol ich dich aus der Kiste.«

Endlich brach Prinz Diego den Deckel der Narzissenkiste auf. Bredur kletterte steif heraus und reckte und streckte sich. Er sah sich um und stellte fest, daß sie in einem hellen, geräumigen Lagerhaus waren. Die beiden Goronziendiebe legten ihre Schleier an und hängten sich jeder eine Tasche mit einem Messer, einer kleinen Schaufel und einem Stück Band unter das Kleid. Diego hatte Antimonpulver dabei, womit sie sich gegenseitig die Augenbemalung auffrischten. Ohne zu zittern, applizierte Bredur den dunklen Strich mit seinem kleinen Finger auf Diegos Oberlid und hielt danach selber still.

Das Tor des Lagerhauses war nicht verschlossen. Als sie vorsichtig heraustraten, befanden sie sich auf der Rückseite eines großen weißen Gebäudes, das auf einer leichten Anhöhe lag, von der sie die Bucht sehen konnten. Gerade lief die Fateh Mohammed wieder aus. Bredur und Diego schlugen ausgiebig ihr Wasser ab und schlichen sich dann zurück zum Hafen, um auszukundschaften, wie sie von der Insel wieder fortkommen konnten. Auf der Hafenmauer standen mehrere Wächterinnen, Nubierinnen, die Helme fest auf die schönen Köpfe gedrückt und mit Armbrüsten ausgestattet. Um die Schulter einer Amazone hing ein Horn, mit dem sie Verstärkung herbeirufen konnte. Im Hafen lag kein einziges Schiff. Nur zwei Kajiken, die auf den Strand hochgezogen waren. Die bemalten und vergoldeten Ruderboote waren mit bestickten Teppichen ausgelegt und mit schwellenden Kissen, Brokatpolstern, Nakkenrollen und aller orientalischen Bequemlichkeit vollgestopft, so daß sie eher schwimmenden Lagern glichen. Es würde einfach sein, zu fliehen. Wie erwartet, waren die Augen der Wächterinnen aufs Meer gerichtet. Vom Innern der Insel selbst erwartete keine einen Angriff.

»Wenn die Wachtposten uns entdecken, werden wir mit Glück bereits außerhalb der Reichweite ihrer Pfeile sein. Wir müssen eben sehr schnell rudern«, sagte Bredur. Er hatte beschlossen, Prinz Diego erst nach ihrer Flucht von der Insel zu sagen, wer er in Wirklichkeit war. Dann würden sie kämpfen, einen Kampf, den Bredur nicht zu verlieren gedachte, und dann würde er Prinz Diego gefesselt und geknebelt an der Manati vorbeirudern – zurück nach Baskarien. An der Küste würde er sich eine Höhle oder eine Ruine suchen – oder was auch immer sich ihm bieten würde. Darin würde er ihn gefangenhalten, bis man ihm die Prinzessin aushändigte. Solch ein Handel würde sogar vor den strengen Augen seines Vaters bestehen, und König Rothafur würde ihn als Helden feiern lassen und ihm die Hand seiner Tochter geben. Doch solange er mit dem Prinzen noch auf der Insel steckte, war es besser, nichts zu sagen und so zu tun, als ginge es ihm ebenfalls um die Beschaffung der Goronzien.

»Im Rudern habe ich Erfahrung«, antwortete der vorgebliche Pedro Galbano. »Hoffen wir, daß die kriegerischen Damen nicht allzu geschickt mit der Armbrust umgehen.«

Nachdem sie sich so ihrer Rückreisemodalitäten versichert hatten, machten Prinz und Ritter sich auf die Suche nach den Goronzien. Der Soldan von Astur hatte den Palast seiner Lieblingstochter mit den herrlichsten Anlagen umgeben. Ein kunstvolles Kanalsystem durchzog die Insel.

Zwischen den Wasserachsen wuchsen Bafnanien und Ortotrit, und Blumen in allen Farben bedeckten den Boden wie ein gemusterter Teppich. Weiße Pfauen schlugen ihr Rad, und Springbrunnen erfrischten die Luft. Es gab zahme Leoparden und lustige Äffchen zum Spielen, auf den Rasenflächen grasten Gazellen, und im Schatten der Zypressen suchten Zwergnashörner Schutz. Nachtigallen und ganze Schwärme von Kanarienvögeln und Tauben saßen in den Palmen und Platanen, und ihr Gezwitscher und Gegurre durchdrang die schweren und süßen Düfte des Gartens, die Pfauen riefen miau, und von fern war ein leises Blöken zu hören. Prinz Diego war für die Schönheit von Gartenanlagen ja wenig empfänglich, aber Bredur stand vor Staunen der Mund offen, denn die Gartenkunst des Nordlands erschöpfte sich in den graden Furchen eines Rübenackers.

Eine leichte Abendbrise bewegte die Wipfel der Zypressen, es begann bereits zu dämmern, und Prinz Diego und Ritter Bredur hatten immer noch keine Goronzie entdeckt. Bevor sie ganz und gar von der Dunkelheit verschluckt wurden, schlüpften sie in einen Kiosk, auf dessen kühlen Kacheln sie die Nacht verbrachten.

Bei Morgengrauen nahmen sie ihre Suche wieder auf. Einmal begegnete ihnen trotz der frühen Stunde eine Sklavin, doch die beiden Pflanzendiebe eilten im Schutz ihrer Verkleidung an ihr vorbei, als wären sie Dienerinnen im dringenden Auftrag der Soldanstochter, und die Sklavin wagte nicht, sie anzuhalten oder auch nur anzusprechen. Sie suchten den ganzen Morgen, sahen hinter jedem Palmenhain und jeder Mastixhecke nach. Als es auf Mittag zuging, wischten sie sich den Schweiß von der Stirn und setzten sich auf den Rand eines Seerosenbeckens, dorthin, wohin der leichte Seewind das sprühende Wasser der Fontäne trieb.

»Vielleicht gibt es hier gar keine Goronzien, vielleicht ist Moebius nur einem Gerücht aufgesessen«, sagte Bredur, lüftete ein wenig seinen Gesichtsschleier und fächelte sich Luft zu.

»Eine so seltene und kostbare Pflanze wie die Goronzie wird wahrscheinlich in der Nähe des Palastes stehen — wenn wir Pech haben, sogar in einem der Innenhöfe«, vermutete Prinz Diego und folgte mit seinen schwarzumrandeten Augen den goldenen und blauen Fischen, die neben ihm durchs Wasser flitzten.

Aber bevor sie entsprechende Pläne schmieden konnten, näherte sich Stimmengewirr. Bredur und Diego sahen sich um, wohin sie fliehen könnten, die Stimmen schienen von allen Seiten zu kommen. Schließlich kletterten sie, so schnell das in der asturischen Tracht möglich war, in den Wipfel eines hohen Baumes. Ritter Bredur teilte vorsichtig das Laub vor seinem Gesicht. Die Soldanstochter — das mußte sie sein! Sie hatte schwarze, zu dicken Zöpfen geflochtene Haare, in die Perlschnüre eingearbeitet waren, ihre Stirn war blütenweiß, ihre Wangen rosig, ihr Mund rot wie Blut, und sie prangte zwischen ihren Gespielinnen wie der Mond zwischen lauter Sternen. Die Weste, die sie trug, bestand aus goldener Gaze, mit Flitter betupft und eingefaßt mit Pfauenfedern. Wie all die anderen Mädchen ging sie unverschleiert, und ihre Hosen fielen so weich und eng, daß man ihre Beine erahnen konnte. Die Sklavinnen und Dienerinnen liefen heiter im Garten umher, sie tändelten mit den Tieren und

umarmten und herzten einander. Als sie an das Seerosenbecken kamen, entledigten sie sich auch noch des wenigen, das sie am Leibe trugen, stiegen in das Bassin und
planschten und spielten miteinander, daß es eine Freude
war. Die asturische Prinzessin blieb auch ohne Kleider
ein Vorbild an Anmut und Ebenmaß. Ihre Glieder waren
zart und biegsam, ihre Hüften schwer und geschwungen,
und ihre Brüste wie Granatäpfel, die nebeneinander am
selben Stamm wachsen. Zwei Wächterinnen patrouillier-
ten vorbei, und die Soldanstochter rief: »Yah, Usar! Yah,
Usar!« und winkte sie her. Da entledigten sich die Wächterinnen ihrer Helme und Harnische und aller Kleider,
gesellten sich zu den nackten Dienerinnen und kosten
mit ihnen, und nirgends gab es einen mißgünstigen Eunuchen, der ihnen Einhalt geboten hätte.

Bredur beugte sich so weit vor, daß er von seinem Ast zu
fallen drohte.

»Sie heißt Sarilissa«, flüsterte Diego und packte ihn an
einem Bein seiner Pluderhose, »und jetzt halt dich gefälligst zurück! Oder willst du, daß wir entdeckt werden?«

Die Mädchen kletterten aus dem Seerosenbecken,
wärmten sich auf der sonnensatten Marmoreinfassung,
küssten und streichelten einander und schubsten sich gegenseitig wieder ins Wasser, worauf sie sich wieder auf den
Marmor wälzten, nur um erneut ins Wasser zu springen,
und verbrachten so in wohliger Muße und Albernheit den
Nachmittag. Währendessen wurde es den beiden Pflanzen-
räubern in ihrem Wipfel zunehmend heißer und unbeque-
mer, und sie sehnten sich sehr danach, das Bad mit den süßen Mädchen zu teilen und ihre runden Arme zu strei-
cheln. Endlich kehrte die Prinzessin mit ihrem Gefolge in

den Palast zurück. Bredur und Diego stiegen vom Baum herunter, tauschten einen Blick der Entsagung und erfrischten ihre ausgedörrten Kehlen mit dem Wasser, in dem sich eben noch die irdischen Nymphlein vergnügt hatten. Dann machten sie sich wieder auf die Suche nach einer Goronzie, diesmal in der Nähe des weißen Palastes. Jeder Schritt bot ihnen einen neuen, das Auge entzückenden Ausblick aufs Meer, Mandelbaumalleen wechselten mit Maulbeerbäumen und Zypressen ab, doch Prinz Diego hielt stur Ausschau nach einem kleinen hellblauen Tier, das um eine geplatzte violette Melone herumsprang, und Ritter Bredur hatte für keine andere Schönheit mehr Augen als für die der Prinzessin Sarilissa. Wieder ging es auf den Abend zu, und das Gezwitscher und Gegurre der Vögel und das Miauen der Pfauen nahm zu und auch das helle Blöken, nur daß es jetzt viel näher war als am letzten Abend. Es schien direkt aus dem Palast zu kommen.

»Für Lämmer ist nicht die Jahreszeit …«, sagte Diego.

»… und Ziegen wird es im Garten der Prinzessin wohl kaum geben«, ergänzte Bredur.

Mit gesenkten Köpfen schlichen sie sich durch das Tor zum ersten Hof. Im nächsten Augenblick stand auch schon eine der nubischen Amazonen vor ihnen und blaffte sie an. Sie war mindestens einen Kopf größer als Diego und Bredur, die ihre Sprache nicht verstanden und verschüchtert ihre Schleier rafften. Die Wächterin ließ sie trotzdem passieren. Als die beiden sich davonstahlen, zupfte sie lachend an Diegos Gewand und rief ihnen noch etwas hinterher, was sie wiederum nicht verstanden. Aber sie waren drin. Und richtig, hinter den hohen, weißen Mauern, die den äußeren Ring des Palastes bildeten, wuchsen die schönsten und größten Goronzien, eine neben der anderen. Manche blühten noch samtig und violett, andere trugen schwer an ihrer einen, einzigen Frucht, aber die meisten hatten bereits Goronzi-Kälber geboren. Munter sprangen die hellblauen Goronzis umeinander herum, wackelten mit den Stummelschwänzen, stießen mit ihren kleinen Hörnern nach einander und verhedderten sich mit ihren kurzen, dicken Beinen in den Nabelschnüren. Eines kam gleich auf Diego und Bredur zugelaufen – so weit sein Nabel-Radius reichte – und rüsselte ihnen mit einer ungewöhnlich langen Oberlippe entgegen.

»Wir brauchen kleinere Pflanzen, viel kleinere«, sagte Diego, »am besten welche, die noch nicht blühen. Schau mal – da hinten! Die sind richtig.«

Sie steuerten ein Beet in einer entlegenen Ecke des Hofes an und knieten sich vor der Goronzien-Nachzucht hin.

»Wir tun so, als wären wir Gärtnerinnen, graben drei Pflanzen aus, nabeln noch ein Goronzi ab und marschieren damit einfach an der Wache vorbei, ganz so, als würden wir im Auftrag der Soldanstochter handeln. Frechheit siegt. Im Lagerhaus finden wir vielleicht Blumentöpfe, und wenn es dunkel ist, packen wir die ganze Ladung auf eine Kajike und hauen ab.«

Aber dieses Vorhaben gestaltete sich mit den armseligen kleinen Schaufeln, die ihnen Johannes Moebius mitgegeben hatte, weit mühsamer, als sie sich das vorgestellt hatten. Während sie gruben, huschten immer wieder Dienerinnen durch die Bogengänge des Palastes und sahen erstaunt zu ihnen herüber.

»Wir tragen die falschen Kleider«, schimpfte Bredur,

»keine einzige Frau läuft hier so rum. Alle starren uns an, weil wir verschleiert sind.«

»Was meinst du, wie die erst mal starren würden, wenn wir nicht verschleiert wären!«

Ungeduldig versuchte Bredur, die halb ausgegrabene Goronzie einfach aus dem Boden zu reißen und brach dabei die Wurzel ab, die sogleich wie ein verletztes Tier zu bluten begann und seine Hände besudelte. Die Blätter welkten vor seinen Augen und verloren alle Farbe, so daß er diese Pflanze drangeben und mit einer anderen ganz von vorn anfangen mußte. Diego hatte seine erste Goronzie hingegen glücklich ausgegraben und machte sich bereits an die zweite, als die Soldanstochter erschien.

SARILISSA

Prinzessin Sarilissa hatte an diesem Abend noch einmal Lust verspürt, ein wenig in ihrem Garten umherzuschweifen, und als sie mit ihrem Gefolge durch die Torhalle vom inneren in den äußeren Hof trat, fielen ihr sogleich die beiden vollkommen verschleierten Dienerinnen auf, die in der dunkelsten aller Ecken in der Erde gruben. Sie waren beschmutzt und seltsam gekleidet, und sie stellten sich so ungeschickt an, daß Sarilissa laut auflachte und mit dem Finger auf sie wies, worauf alle Dienerinnen in ihr Lachen einstimmten. Die Vorstellung, jemand könnte unrechtmäßig auf die Insel gelangt sein und hier womöglich etwas stehlen wollen, war so abwegig, daß weder die Prinzessin noch ihr Gefolge Verdacht schöpften. Sarilissa winkte die beiden Erdarbeiterinnen zu sich. Wie begossene Pudel schlichen sie heran, den Blick zu Boden gesenkt. Es mußten neue Sklavinnen sein, gestern mit dem Schiff gekommen, denn sonst war hier niemand verschleiert. Deswegen waren sie auch so scheu. Die Soldanstochter fragte, wer sie seien und was dieser Schmutz zu bedeuten hätte, aber die neuen Sklavinnen schienen sie nicht zu verstehen. Es mußte sich um Mädchen handeln, die vor nicht allzu langer Zeit von Seeräubern aus ihrem Heimatland entführt, auf dem Markt von Konstantinopel verkauft und so in den Besitz ihres Vaters gelangt waren. Und der mußte sie dann irrtümlich auf die Insel der Glückseligkeit geschickt haben, bevor die Sklavinnen Gelegenheit hatten, die asturische Sprache zu erlernen. Sarilissa versuchte es mit Persisch, dann mit Arabisch, und schließlich redete sie die beiden sogar auf Baskarisch an. Aber die neuen Sklavinnen senkten die Köpfe nur immer tiefer und scharrten vor Verlegenheit mit den Füßen. Usar, Sarilissas erste Leibwächterin, packte eine von ihnen und beleuchtete sie mit einer Laterne, damit die Soldanstochter sie ansehen konnte. Die neue Sklavin hatte eisblaue Augen. Sarilissa wollte ihr den Schleier abnehmen, um auch den Rest ihres Gesichts zu betrachten, aber die Sklavin klammerte sich an das Stückchen Stoff, als ginge es um ihr Leben. Über diese Prüderie auf der Insel der Sinnenfreude mußten die Prinzessin und ihr Hofstaat nun wieder unbändig lachen. Sarilissa erlaubte der Neuen, den Schleier bis auf weiteres zu behalten, und befahl ihr bloß, sich dem Spaziergang anzuschließen. Als Ritter Bredur, denn um niemand anderen handelte es sich ja, zögerte und wieder Verständnisschwierigkeiten vortäuschen wollte, stieß ihm Usar das stumpfe Ende ihrer Lanze äußerst schmerzhaft in den Rücken. Also tat er, wie ihm geheißen, und preßte bloß den Schleier fest über seine Kinnpartie, auf der in den letzten dreißig Stunden ein kratziger Schatten nachgewachsen war. Hilfeheischend drehte er sich nach Prinz Diego um. In diesem Moment erschien er ihm plötzlich nicht mehr als sein Feind, sondern als das einzige menschliche Wesen auf der ganzen Insel, das ihm keine Furcht einflößte. Prinz Diego schloß zur neuen Favoritin der Prinzessin auf und drückte ihr die Hand.

»Nur Mut, mein Freund«, flüsterte er. »Ich hole dich hier raus.«

Bredur drückte dankbar zurück.

Prinzessin Sarilissa ging die Gazellen füttern, dann die Papageien, und schließlich mußten auch noch die Zwergnashörner aufgeweckt werden, damit die Soldanstochter sie mit Keksen vollstopfen konnte. Bredur hoffte, sie würde auch noch die Affen, die Fische, die Pfauen und die Goronzis füttern gehen und ihn im Laufe des ganzen Gefütteres irgendwann einfach vergessen, so daß er sich in die Büsche schlagen könnte. Aber Prinzessin Sarilissa vergaß keineswegs. Sie sparte sich die neue Sklavin bloß als besondere Süßigkeit für später auf, so wie sie das fetteste Stück Hammel in einem Pilaw oder die kandierte Kirsche auf einem Reispudding immer erst als letztes aß. Nachdem die Zwergnashörner satt waren, entzündeten alle Dienerinnen ihre Laternen an der von Usar, und wie eine Kette von Glühwürmchen ging es wieder zum Palast. Im ersten Hof befahl die Soldanstochter ihren Dienerinnen, zurückzubleiben, während sie mit ihrer Leibwächterin und dem kreuzunglücklichen Bredur durch einen Bogengang in den zweiten trat. Dieser Innenhof war mit weiß und blau glasierten Ziegeln ausgelegt. Plätschernde Brunnen und üppige Rankpflanzen sorgten für eine angenehme Kühle. Durch zwei sich kreuzende Wasserrinnen rieselte es wie ein zarter Faden, und in den abgesenkten Beeten wuchsen zur Kugelform gestutzte Orangenbäume. Im hinteren Teil des Hofes stand ein weißes Gebäude mit einer goldenen Kuppel. Prinzessin Sarilissa trat allein ein und ließ Bredur mit der Wächterin zurück. Der arme Ritter starb vor Angst tausend Tode. Usar nahm Bredur bei der immer noch schmutzigen Hand und führte ihn durch eine Nebentür in ein Badezimmer. Es war grün gekachelt, vergoldete Ibisköpfe spien Wasser in Alabasterbrunnen, und auf dem Boden standen Kannen und Schalen. Auf einem kleinen Holzkäfig, der wohl als Schemel dienen sollte, lagen weiche Tücher. Durch Gebärden befahl ihm Usar, seine Kleidung abzulegen und sich mit den Schalen zu begießen. Dann ließ sie ihn allein. Was diese Mädchen nur immer mit dem Wasser hatten. Bredur begriff nicht, worin der Sinn liegen sollte, seinen Körper naß zu machen. Wie bereits erwähnt, wurde die wohltätige Wirkung sauberen Wassers damals nicht überall gebührend gewürdigt. Der Ritter plätscherte ein bißchen mit den Händen in einem Brunnen, dann drehte er sich um und schlich wieder hinaus. Er kam nicht weit. Usar hatte vor der Tür Posten bezogen. Sie hatte sich lässig auf ihre Lanze gestützt und hob amüsiert die Augenbrauen, als sie die neue Sklavin ertappte. Kleinlaut kehrte Bredur in den Baderaum zurück. Nachdem er sich ausgezogen und mit Wasser übergossen und sich anschließend mit den Tüchern trockengerieben hatte, stellte er erstaunt fest, daß er sich erfrischt fühlte. Er legte seine Kleider und den Schleier wieder an, trat heraus, und die Wächterin brachte ihn nun in die inneren Räume des Palastes.

Prinz Diego, der mit den anderen Dienerinnen hatte zurückbleiben müssen, entfernte sich von ihnen und schlich zu den Goronzien zurück. Jeden Moment konnte das Geschrei im Palast losgehen, und dann würden sich die Wächterinnen mit gezogenen Säbeln auf Ramon stürzen.

Und als nächstes würden sie die Insel nach weiteren Männern absuchen. Das Klügste wäre es gewesen, sofort zu fliehen, aber Diego brachte es einfach nicht fertig, seinen Freund, den ersten Freund, den er je gehabt hatte, hier zurücklassen. Er hatte ihm doch versprochen, seinen Einfluß geltend zu machen und ihm die Hochzeit mit seinem Mädchen zu ermöglichen. Und er hatte sich schon so auf Ramons dummes Gesicht gefreut, wenn er ihm erzählte, daß er in Wirklichkeit der Thronfolger Baskariens war. Aber erst einmal mußte er ihn heil von dieser Insel runterbekommen. Da ihm im Moment noch nicht einfiel, wie, beschloß er, auf einen günstigen Zufall zu vertrauen und bis dahin alles für ihre gemeinsame Flucht vorzubereiten. Diego nahm die Pflanze, die er bereits ausgegraben hatte, und trennte außerdem noch ein Goronzi-Kalb von seiner Nabelschnur. Mit der Pflanze in der Hand und dem fetten, strampelnden Goronzi unter dem Arm ging er wie selbstverständlich durch das äußere Tor und kam auch glücklich an der Wächterin vorbei. Inzwischen war es schwarze Nacht, aber auf der Hafenmauer brannten Fackeln und wiesen ihm den Weg. Diego hielt dem ständig vor sich hin plärrenden Goronzi die Schnauze zu und brachte seine Beute in eine künstliche Wildnis mit dichten Büschen in der Nähe des Hafens. Dort schlachtete er das Goronzi-Kalb, schabte den blutigen Kern sauber und steckte ihn in die kleine Umhängetasche, so daß sie bei einer überstürzten Flucht, auf die es seines Dafürhaltens immer mehr hinauslief, wenigstens einen Kern mitbringen würden. Das tote Fleisch deckte er mit Laub zu. Dann band er sorgfältig die Zweige der Goronzie zusammen, trug sie an den Strand, verstaute sie in der kleineren Kajike und schob das

Boot zur Hälfte ins Wasser. Aus der großen Kajike nahm er sämtliche Ruder heraus und versteckte sie im Gebüsch. Anschließend besorgte er sich den größten Knüppel, der sich im künstlichen Urwald auftreiben ließ, legte sich in der Nähe des Palastes in einen Bambusstrauch und wartete, daß Ramon wider Erwarten zurückkäme oder daß das Geschrei im Palast einsetzte.

Die Wächterin begleitete Bredur in eine kühle Säulenhalle und zeigte auf einen Gang, der durch vier mit blauen Stoffen behängte Bögen zu einer Tür führte. Als sie den ersten Vorhang für Bredur zur Seite raffte, rutschte ihm ein baskarisches »Danke« heraus. Darauf erwiderte die Wächterin in derselben Sprache: »Tritt ein, neues Vögelchen im Harem der Soldanstochter. Unsere Herrin erwartet dich mit Ungeduld.«

Bredur ging unter den vier Bögen hindurch und trat durch die Tür, die Usar gleich wieder hinter ihm schloß. Staunend blieb er in dem sanft beleuchteten großen Raum stehen. So eine Pracht und Herrlichkeit hätte er nicht für möglich gehalten. Die Wände, verwinkelt und voller Nischen, waren mit orientalischen Mustern in Grün, Blau, Rot und Gold bemalt. Selbst die Decke und ihre runde Kuppel in der Mitte waren bunt emailliert und mit goldenen Einlegearbeiten und Schriftzeichen aus Lapislazuli versehen. Vor den Wänden standen perlmuttverzierte Tische und prunkvolle Kaschmirsofas mit glänzenden Kissen, und auf dem Boden lagen weiche persische Teppiche, die das leiseste Geräusch des Fußes erstickten. In der Mitte des Raumes aber befand sich ein großes Wasserbecken, von dem glattesten, spiegelndsten Marmor eingefaßt. Die Ekken waren mit goldenen Delphinköpfen verziert, aus denen es leise und stetig sprudelte. Hinter dem Marmorbecken am anderen Ende des Raumes führten vier Stufen zu einem Podest hinauf. Und dort, zwischen üppigen Kissen aus türkiser Seide und purpurnem Samt, lag Sarilissa bäuchlings auf einem Leopardenfell, die Ellbogen aufgestützt. Sie trug ihre dicken schwarzen Tscherkessinnenzöpfe jetzt um den Hals gebunden, hatte die ersten Knöpfe ihrer Weste geöffnet, so daß man den Ansatz ihrer Granatapfelbrüste sah, und es brauchte nur noch einen einzigen Knopf, um die ganze Pracht zu enthüllen. Einen ihrer seidenen Pantoffeln hatte sie abgestreift, den anderen balancierte sie wippend auf den mit Henna gefärbten Zehen ihres linken Fußes. Bredur zitterte. Aber nicht mehr, weil er um sein Leben bangte, sondern weil die geheimnisvolle Schönheit der Soldanstochter begann, sein Herz gefangenzunehmen, das doch ganz der Prinzessin Lisvana gewidmet sein mußte. Sarilissa winkte ihm, näher zu treten, und Bredur sammelte sich und gehorchte. Die Soldanstochter war aus der Nähe aber noch weit süßer und bezaubernder, dazu kam der berauschende Duft der Kräuter, die auf einem Silbertablett vor sich hin qualmten, die schummrige Beleuchtung und die seltsamen, verzückten Schwirrtöne eines unbekannten Instruments, die von irgendwo-nirgendwo in den Raum sickerten. All dies erweckte Bredurs Verlangen, und wie er eben noch darum gekämpft hatte, sich möglichst lange in seinen Frauenkleidern zu verbergen, so wollte er sie jetzt so schnell wie möglich von sich werfen. Als Prinzessin Sarilissa aufstand und nach seinem Schleier fasste, riß er ihn selber mit einem Ruck fort, zog sich dann ein wenig ungeschickt und strampelnd das knielange Gewand über den Kopf, streifte erst auf dem linken, dann auf dem rechten Bein hüpfend die Pluderhosen aus und stand schließlich in seiner ganzen männlichen Anmut, nur mit den Haaren auf seiner Brust und der knielangen Unterhose der Matrosen bekleidet, vor seiner Gebieterin. Die Prinzessin erschrak nicht wenig. Sie schrie auf, warf sich Bredur zu Füßen und flehte tränenreich zuerst in ihrer Sprache, danach in persisch und arabisch um Gnade.

Ritter Bredur hockte sich zu ihr und sprach sie auf baskarisch an:

»Verehrungswürdige Prinzessin Sarilissa, seid versichert, daß Ihr von mir nichts zu befürchten habt. Ich bitte Euch, steht wieder auf!«

»Bist du ein Djinn?« rief Sarilissa nun ebenfalls auf baskarisch. Sie blieb auf dem Boden liegen und bedeckte das Gesicht mit den Händen.

»Aber nein, ich bin ein Mensch aus Fleisch und Blut, genau wie Ihr. Ich bin ein Mann.«

»Uuuuh, ein Mann, ein Mann!« heulte Sarilissa, »töte mich nicht! Bitte, töte mich nicht!«

»Eher sollen mir die Hände abfaulen, als daß ich mein Schwert gegen Euch erheben würde«, rief Bredur. »Zumal ich es ja gar nicht dabei habe. Seht nur: Als Ausdruck meiner Friedfertigkeit werfe ich mich vor Euch auf den Boden.«

Es gab ein bißchen Verwirrung, als Ritter Bredur sich auf den Boden legte und ihrer Gnade anempfahl, die Prinzessin ihrerseits aber weiterhin um seine Gnade flehte, so daß sie jetzt beide auf dem Teppich lagen. Der Ritter beschwor sie aus dieser Position aber so freundlich und innig, daß er nichts Böses im Schilde führe, daß sich die Prinzessin schließlich wieder beruhigte, sich hinkniete und ihn –

schon wieder etwas herrischer – fragen konnte, was er denn hier sonst eigentlich zu suchen habe. Ritter Bredur gestand, als ein Dieb auf die Insel der Glückseligkeit gekommen zu sein, um eine Goronzie zu stehlen, betonte aber gleichzeitig, daß er es nicht des schnöden Gewinns wegen getan hatte, sondern weil er damit ein höheres Ziel verfolgte, nämlich eine Prinzessin, ganz genau wie sie, Sarilissa, eine sei, aus ihrer Gefangenschaft zu befreien. Die Prinzessin erholte sich nun ganz und gar von ihrem Schrekken und wollte sogleich wissen, um wen es sich bei der schönen Konkurrentin handelte und womit sie das Herz des Ritter gefangen hatte. Bredur hockte sich ebenfalls auf die Knie und entdeckte ihr die Geschichte. Ihm war selbst nicht klar, wen er hier eigentlich von seiner edlen und unverbrüchlichen Liebe zu Lisvana überzeugen wollte – die Soldanstochter oder doch eher sich selbst. Prinzessin Sarilissa hörte ihm mit offenem Mund zu, dann hieß sie ihn, sich mit ihr auf den Diwan zu setzen, bot ihm von der Wasserpfeife an und ließ sich alles noch einmal haarklein erzählen, wobei sie erst nicht begriff, welche Schwierigkeiten einer Verlobung Ritter Bredurs und Prinzessin Lisvanas entgegenstanden – abgesehen von der Entführung –, denn die asturischen Prinzessinnen heirateten nur selten einen fremden Soldan oder Soldanssohn, sondern fast immer hohe Würdenträger des eigenen Hofes. Nachdem ihr Bredur die Sitten des Nordlands erklärt hatte, seufzte Sarilissa viele Male über das schreckliche Geschick der Prinzessin Lisvana, den Unverstand von Bredurs Vater und das geringe Vertrauen, das König Rothafur in den jungen Ritter gesetzt hatte, und sie legte ihm mehrmals tröstend die Hand auf den nackten Arm.

»Aber nun, da Ihr so viel von mir erfahren habt, müßt Ihr mir auch Eure Geschichte erzählen. Wie kommt es, daß Ihr abgeschieden von aller Welt auf dieser Insel lebt? Und warum hattet Ihr solche Angst vor mir?« fragte Bredur. Sarilissa nahm einen tiefen Zug aus der Nargileh und ließ den Rauch aus ihren Nüstern quellen.

»So wisse denn, tapferer Nordlandritter, daß ich Sarilissa, die jüngste Tochter des Soldans von Astur, bin. Glücklich und sorglos wuchs ich heran. Jeder Wunsch wurde mir von den Lippen abgelesen, denn schon als Kind übertraf ich alle anderen Frauen an Schönheit und Liebreiz und war der Augapfel meines Vaters. Eines Tages aber, sieben Jahren sind seitdem vergangen, erschien der Soldan ungewöhnlich bedrückt in der Halle des Vergnügens, und weder die Tänze seiner Odalisken noch die Possen seiner Zwerg-Eunuchen konnten ihn von seiner Schwermut heilen. Ich löste mich von der Hand meiner Mutter, der zweiten Kadin, kletterte auf seine Knie und kraulte seinen Bart, um ihn aufzuheitern. Doch mein Vater seufzte bloß, sah mich an, und Tränen traten in seine Augen. Da fragte ich: ›Oh mein geliebter Vater, was ist es, das Euch solchen Kummer bereitet?‹

Und mein Vater, der Soldan, seufzte noch einmal und antwortete: ›Ach, meine schöne Tochter, könnte ich nur verstehen, was ich letzte Nacht geträumt habe! Denn es macht mir das Herz über alle Maßen schwer.‹

Da beugte sich der junge weiße Eunuch, der wie stets an der Seite meines Vaters weilte, zu ihm und sagte:

›Oh mein teurer Gebieter, warum befragt Ihr nicht den Djinn, den Ihr in einem silbernen Kästchen gefangenhaltet? Er ist ein Geist unter den Geistern und wird sich auch auf das Träumedeuten verstehen.‹

Mein Vater, der Soldan, befahl den Schatzmeister zu sich und ließ sich von ihm das silberne Kästchen bringen. Der Schatzmeister stellte das Kästchen in die Mitte der Halle des Vergnügens und öffnete den linken von den drei Deckeln. Ein schwarzer Rauch quoll heraus, welcher emporstieg bis unter die Kuppel. Dort verdichtete er sich zu dem mächtigen Haupte des Djinns mit Augen, die Funken sprühten, und Zähnen wie Kieselsteine. Auf seinen Schultern hätten sechs Männer sitzen können, seine Arme waren wie Baumstämme und seine Hände wie Bratpfannen. Unterhalb der Brust aber bestand er bloß aus Rauch, denn die beiden Deckel, die noch verschlossen waren, hielten das mittlere und das untere Drittel des Djinns gefangen. Er selber vermag sie nicht zu öffnen, da sie den Siegelabdruck Suleimans tragen. Aber auch so war sein Anblick furchterregend genug, und eine Odaliske, die den gedrittelten Djinn zum ersten Mal erblickte, fiel vor Angst in Ohnmacht.

›Kein Willkommen dir noch einen Gruß, du Sohn einer Hündin‹, schleuderte mein Vater dem Djinn entgegen. ›Höre dir an, was ich letzte Nacht geträumt habe, und dann sage mir, was es bedeutet. Kannst du das nicht oder lügst du mich an, so versenke ich dich für eine Woche in den Abort der Verschnittenen.‹

›Ich höre und gehorche‹, erwiderte der Djinn, ›bitte, bitte – nicht wieder in den Abort der Verschnittenen.‹

Und mein Vater erzählte.

›Mir träumte‹, sagte er, ›daß ich mit meinem weißen Lieblingsfalken auf die Jagd ritt. Und in meinem Traum ließ ich den Falken wieder und wieder in der Wüste steigen, und wieder und wieder kehrte der schöne Vogel zu mir zurück. Als ich ihn aber zum achten Mal steigen ließ, kamen zwei Adler geflogen, und der eine Adler senkte seinen Flug zu dem Falken herab und hielt sich neben ihm, als wollte er mit ihm spielen, und dann, ohne jede Warnung, schlug er zu, und der Falke stürzte tot zu Boden. Nun sprich: Was hat das zu bedeuten?‹

›So wisse denn, unglücklicher Soldan‹, sagte der Djinn, ›daß der Falke deine liebste Tochter Sarilissa ist. Und bevor sich der Tag ihrer Geburt noch acht Mal jähren kann, wird ein Mann kommen, ihr Vertrauen gewinnen und sie ermorden.‹

Mein Vater, der Soldan, war zutiefst erschrocken über diese Botschaft. Mehr noch als ich selbst. Er befahl, das Silberkästchen mit dem Djinn für einen ganzen Monat im Abort der Verschnittenen zu versenken und überlegte lange, wie er das Schicksal von mir abwenden könnte. Schließlich ließ er hier, auf der abgelegensten Insel seines Reiches, diesen Palast errichten, dessen innerste Gemächer ringförmig von zwei weiteren Gebäuden umschlossen sind, gleich der Pupille des Auges, die von der Iris und dem Weißen umschlungen wird. Hierher ließ er mich bringen und gab mir hundert Wächterinnen zu meinem Schutz und zweihundert Sklavinnen und Dienerinnen zu meiner Freude und Bequemlichkeit und hundert Gärtnerinnen, die einen herrlichen Garten entstehen ließen, in dem es an nichts fehlt. Selbst die seltenen Goronzien, die du stehlen willst, wachsen darin, und das Blöken der Goronzi-Kälber erfreut mein Herz. Jedem Mann ist es bei Todesstrafe verboten, sich der Insel auch nur auf Sichtweite zu nähern. Nicht einmal sich selbst erlaubt mein Vater, die Insel zu betreten. Hier lebe ich nun in ständiger Furcht, daß mein

Mörder mich findet, und ertrage klaglos die Verbannung … und die Einsamkeit, die mich manchmal zwischen all meinen vielhundert Gespielinnen überkommt.«

Nun war es an Ritter Bredur, die Prinzessin Sarilissa zu trösten, wobei seine Stimme verdächtig zu zittern begann, denn inzwischen hatte Sarilissa ihr Bein um das seine geschlungen; und so gerieten sie unversehens ins Kosen, er sank ohne Widerstand mit ihr auf den Teppich, die Soldanstochter löste auch noch den letzten Knopf, und Ritter Bredur stammelte, daß aber die Schönste von allen Frauen doch Sarilissa sei.

»Schöner auch als Prinzessin Lisvana?« flüsterte Sarilissa und preßte sich mit all ihren Schätzen an ihn.

»Viel schöner«, bestätigte Bredur, schob seine linke Hand in ihre Achselhöhle und umfaßte mit der rechten das kühle Fleisch ihres Schenkels.

»Oh mein Geliebter, tue mit mir, was du tun wirst«, hauchte Sarilissa, und im weiteren Verlauf der Nacht wurde der Name Lisvana nicht mehr erwähnt.

DAS UNGLÜCK

ie Morgensonne, die ihre ersten schrägen Strahlen durch die hölzernen Fenstergitter des Palastes streckte, fand die Soldanstochter und ihren Ritter im warmen Wasser des Marmorbeckens, noch immer hellwach. Sie hatten ihre Hände ineinander verflochten, und Sarilissa überschüttete ihren Geliebten mit einem Regen von Küssen, während Bredur nach ihrer Unterlippe schnappte, sie schließlich auch zwischen die Zähne bekam, dort festhielt und mit der Zungenspitze liebkoste. Ihm war, als steckte er mitten in einem Traum. Das warme Wasser, in dem er schwebte, Sarilissa, die sich an ihn drückte, das nasse Haar, das ihr im Gesicht klebte, ihr Beckenknochen, der sich in seine Hüfte bohrte, die Wasserperlen auf ihren runden Schultern, die Beuge ihres Arms an seinem Hals, seine Hand an ihrer Wade, an ihrem Schenkel und was es darüber an noch Schönerem gab.

Sarilissa erschauerte, dann umarmte sie Bredur schläfrig, murmelte zärtliche, alberne Worte und berührte seine Stirn. Aber gleich darauf stieß sie ihn plötzlich von sich und tat, als wollte sie vor ihm davonschwimmen. Bredur fing sie wieder ein, und nun balgten sie miteinander und neckten sich, als hätten sie schon immer zusammen gespielt. Sarilissa, das Zuckerstückchen, das Schwälbchen, das

Marienkäferlein, und wie die Kosenamen alle waren, die der Ritter ihr gab, spritzte Bredur, dem Honigbären, dem Glückskarpfen, dem Beißerlein, mutwillig Wasser ins Gesicht, und der Glückskarpfen war nicht faul, sich sogleich mit dem Untertauchen ihres Kopfes rächen zu wollen. Sarilissa aber entwischte ihm, kletterte geschmeidig wie eine Meerkatze aus dem Wasser und rannte nackt und rosig um das Becken herum. Ritter Bredur kletterte ebenfalls aus dem Bassin und rannte ihr weniger rosig, aber nicht weniger nackt hinterher.

Und da geschah es. Er hatte sie beinahe eingeholt, berührte schon ihre Schulter, da rutschte das Zuckerstückchen auf dem nassen Marmor aus. Der Ritter griff zu, er wollte sie auffangen, aber er erwischte nur ihren Arm und bekam sie so unglücklich zu fassen, daß ihr Kopf auf die Kante des Beckens schlug.

»Sarilissa!«

Er beugte sich über sie. Voll Schrecken sah er, wie alle Farbe aus ihrem Gesicht wich, selbst die Lippen wurden ganz grau. Sie faßte nach seinem Arm und versuchte, sich an ihm hochzuziehen. Ihre Augenlider flatterten.

»Sari, was hast du?«

Er nahm sie in seine Arme.

»Es ist nichts, mein Geliebter«, sagte Sarilissa, dann schoß ein Schwall Blut aus ihrer Nase, sie verdrehte die Augen, und von einem Augenblick zum nächsten war der Körper in Bredurs Armen nicht mehr die Frau, die er liebte, sondern etwas Schreckliches. Das konnte nicht sein. Das war nicht möglich. Wenn er den Gedanken nicht zuließ, war es auch nicht geschehen. Aber schon tat sich ein Loch des Entsetzens in ihm auf, eisige Finger griffen nach seinem

Herzen, und ein seltsam hohler Ton kam aus seiner Kehle. Es war gar nicht, als würde er selber diesen Ton zustande bringen, sondern als würde in seiner Brust ein Tier gequält. Dann zitterten seine Lippen, der Ton hatte mehr und mehr mit ihm selbst zu tun, und Bredur begann lauthals und wie ein Kind zu weinen. Er vergrub sein Gesicht in Sarilissas nassen Haaren, wiegte ihren toten Leib hin und her, er heulte, klagte und schrie und konnte sich nicht vorstellen, je wieder damit aufzuhören. Und dann fiel ihm das Zauberglöckchen ein. Einen Wunsch hatte er noch frei. Er bettete Sarilissas Kopf vorsichtig auf den Boden, lief zum Diwan zurück, wo seine Kleider lagen, zerriss den Saum des Hemdes, holte das verbeulte Glöckchen hervor und schwenkte es über seinem Kopf.

»Die Prinzessin Sarilissa soll leben!«

Er lief wieder zu ihr hinüber. Still lag sie auf dem Marmorboden. Das Blut zog in den Pfützen Schlieren. Bredur wartete, daß sie anfangen würde, zu seufzen oder zu husten, daß sie die braunen Augen aufschlug und alles wieder gut wäre. Nichts wurde wieder gut. Nichts würde je wieder gut werden. Bredur packte Sarilissa an den Armen und schüttelte sie.

»Ich will, daß du lebst«, heulte er. »Ich will, daß du lebst! Ich will es!«

Dann wieder schwenkte er das Glöckchen.

»Nur ein Jahr noch, ein einziges Jahr!«

Nichts.

»Einen einzigen Monat! Eine Woche nur.«

Er hielt sein Ohr an die Lippen seiner Geliebten, er fühlte ihr klebriges Blut an seiner Ohrmuschel. Sarilissa atmete nicht.

Als Usar, die erste Leibwächterin der Soldanstochter, an die Tür ihrer Gebieterin klopfte, um die neue Sklavin wieder fortzubringen, antwortete ihr niemand. Als sie es eine Stunde später noch einmal versuchte, bekam sie wieder keine Antwort. Es gab keinen Grund zur Sorge, aber weil das zu ihren Pflichten gehörte, öffnete sie nun die Tür und drang mit allen Zeichen der Ehrerbietung ein. Neben dem Wasserbecken saß ein nackter Mann, ein Ungläubiger vermutlich, sein weißer Körper war unanständig behaart, und in seinen Armen hielt er die ebenfalls nackte Leiche der Prinzessin. Nun war es also doch passiert. Der Ungläubige machte keinerlei Anstalten, zu fliehen. Er umklammerte Prinzessin Sarilissa, vergoß Ströme von Tränen und wimmerte zum Steinerweichen.

Usar schloß die Tür hinter sich. Noch war ihr nicht ganz klar, wie aus der neuen Sklavin ein nackter Mann geworden war, aber eines wußte sie: Wenn der Soldan von Astur erfuhr, daß sie nicht imstande gewesen war, seine Tochter zu beschützen, warteten die grausamsten Strafen auf sie. Im besten Falle würde sie wohl zusammen mit einer Schlange in einen Sack gesteckt und im Bosporus versenkt werden. Die Hand an ihrem Krummsäbel ging sie zu dem weinenden jungen Mann hinüber, las unterwegs seine Unterhose auf und hielt sie ihm hin.

»Bei Allah, der dich aus Straßenkot schuf, bedecke deine Scham und erzähle mir, was sich zugetragen hat! Doch sag mir erst, ob noch mehr deinesgleichen auf der Insel der Glückseligkeit sind.«

Der aufgelöste junge Mann hob sein tränenverschmiertes Gesicht:

»Sie ist tot! Sie ist tot! Siehst du das denn nicht? Und ich bin schuld! Warum schlägst du mir nicht endlich den Kopf ab?«

Dann weinte er wieder so herzzerreißend, daß Usar beinahe Mitleid mit ihm hatte. Als er sich ein bißchen beruhigte, konnte sie ihn dazu bewegen, seine Unterhose anzuziehen, und nach und nach bekam sie auch aus ihm heraus, was vorgefallen war.

»Fasse dich!« sagte sie. »Des Menschen Geschick steht in den Nähten seines Schädels verzeichnet. Es gibt keine Auflehnung gegen das Schicksal. Prinzessin Sarilissa war es bestimmt, daß ihr zustoßen sollte, was ihr letzte Nacht zustieß. Und dir war es auf die Stirn geschrieben, daß du sie töten würdest. Was dem Menschen auf die Stirn geschrieben steht, das muß er erfüllen. Und wärst du auf den allerhöchsten Berg gestiegen, um deinem Schicksal zu entkommen, und hätte die Prinzessin sich im Erdinneren selbst vergraben oder wäre in einem Gefäß in die tiefsten Tiefen des Meeres versenkt worden, ihr wäret einander begegnet, und du hättest sie getötet. Noch nie ist ein Mensch dem entgangen, was ihm auf der Stirn geschrieben steht.«

»Töte mich!« sagte der Ungläubige tonlos. »Das ist doch wohl deine Aufgabe. Worauf wartest du? Steht das nicht auf deinem Schädel? Dann bringe mich zu Sarilissas Vater, damit ich für mein Verbrechen büßen kann. Denn ich verdiene den Tod.«

»Oh du Dummkopf«, rief Usar. »Glaub doch nicht, daß der Soldan dich einfach töten läßt. Er läßt dich hundert Jahre foltern und mich dazu.«

»Ist mir egal«, schluchzte der Ungläubige, »ich bin so unglücklich, mir kann man gar nicht mehr weh tun.«

»Du hast ja gar keine Ahnung, wie sehr der Soldan dir weh tun kann«, sagte Usar. »Seiner untreuen Odaliske Maffa hat er Hände und Füße abschlagen lassen und sie ihr an einer Schnur um den Hals gehängt. Ihrem Liebhaber ließ er kochende Butter in den Schlund gießen und ihn bei lebendigem Leibe in einem Ofen braten. Zwei Kannibalen-Köche kühlten dabei die ganze Zeit sein Herz mit einem Schwamm, so daß er daran nicht starb und noch miterleben konnte, wie sie ihn tranchierten. Ich selber sah zu, wie der Soldan einem Sklaven die Brust aufschlitzte, sein Herz herausriß und einem anderen Sklaven in den Mund stopfte. Und beide hatten sich nichts zuschulden kommen lassen. Das hat er nur aus Langeweile gemacht. Du kannst dir also vorstellen, wie es jemandem ergeht, der ihm den Augapfel seines Harems genommen hat.«

Der Ungläubige schluckte.

»Dann sollte ich mich vielleicht doch lieber selbst entleiben«, sagte er. »Kannst du mir vielleicht deinen Säbel leihen, damit ich von meinem Kummer und meiner Schuld erlöst werde?«

»Hör auf, immer nur an dich zu denken«, rief Usar. »Wenn herauskommt, daß Prinzessin Sarilissa tot ist, wird der Soldan sämtliche Sklavinnen seiner Tochter mit ihr gemeinsam bestatten lassen. Willst du das? Willst du deine Schuld noch durch vielhundertfachen Mord vergrößern?«

»Nein, natürlich nicht. Was schlägst du vor? Was soll ich tun?« fragte der Ungläubige ergeben.

Usar atmete auf.

»Erst einmal hilf mir, die Leiche der Prinzessin in die Kleider zu hüllen, in denen du dich hier eingeschlichen hast.«

Nachdem sie das getan hatten, wobei der haarige junge Mann wiederholt in Tränen ausbrach, holte Usar aus einem Seitenzimmer einen Schleier und eines der wenigen hochgeschlossenen Gewänder der Soldanstochter und gab ihm beides.

»Stoff von Mossul, meine liebliche Herrin«, sagte Usar.

Der Ungläubige starrte sie an, als ob sie plötzlich verrückt geworden wäre.

»Von nun an«, erklärte Usar, »sollst du den Platz unserer Prinzessin einnehmen. Das bist du uns schuldig, denn du hast mit deiner Tat nicht nur dein eigenes Leben verwirkt, sondern auch das von allen Bewohnerinnen der Insel. Ich werde den Wächterinnen, Sklavinnen und Gärtnerinnen sagen, daß wir von nun an dir dienen wollen. Wir werden so tun, als wäre alles beim Alten, und wenn die Seefahrerinnen aus Astur kommen, sollen sie keinen Unterschied bemerken. Es ist abzusehen, daß die Sache irgendwann auffliegt; spätestens in einem Jahr, wenn Prinzessin Sarilissa wieder an den Hof von Astur hätte zurückkehren sollen, werden wir alle sterben müssen. Aber bis dahin, solange wir mit Allahs Hilfe vortäuschen können, daß die Prinzessin noch lebt, wollen wir glücklich sein. Nun sag mir, wo ich deinen Freund finde. Ihn werde ich töten müssen, das ist nicht zu ändern.«

DER SCHWAN

Prinz Diego hatte die ganze Nacht im Bambusge-
büsch wach gelegen, aber Ramon war nicht zu-
rückgekehrt, auch der erwartete Tumult war aus-
geblieben, und gegen Morgen schlief er ein. Als er
wieder erwachte, war alles schon vorbei. Vor dem Palast gab
es einen großen Auflauf, sämtliche Dienerinnen, Gärtnerinnen und Wächterinnen schienen anwesend. Die Frauen
schrien durcheinander, und ein Körper wurde über den
Köpfen weitergereicht. Der Körper war in ein grünes
Kleid gehüllt – Ramons Kleid. Schließlich legten die Dienerinnen den Leichnam ab, und vier Frauen begannen unter den Zypressen eine Grube auszuheben. Diego ballte
verzweifelt die Fäuste. Er hatte versagt. Er hatte den Mord
an seinem Freund verschlafen, und nun wurde Ramon wie
ein Tier verscharrt, und er lag hier feige in einem Busch
und sah zu. Jetzt trat eine verschleierte Frau aus dem Palast,
violetter Samt verhüllte ihren ganzen Körper. Die Dienerinnen wichen ehrfürchtig zur Seite. Wenn die Prinzessin
so tief verschleiert ging, dann konnte das nur bedeuten,
daß die Frauen wußten, daß noch ein weiterer Mann auf
der Insel war. Sie mußten Ramon gefoltert haben, sonst
hätte er es ihnen nie verraten.

Die Wächterinnen nahmen Aufstellung, rasselten mit

ihren Armschienen und Schulterplatten und marschierten dann in Achtergruppen los, die Insel zu durchkämmen. Nun war es höchste Zeit. Geduckt lief Diego, jede Deckung ausnutzend, zum Hafen hinunter, sprang in die Kajike, packte die ersten beiden Ruder und stieß ab. Kaum hatte er die Mitte der Bucht erreicht, ging auch schon ein Pfeil- und Bolzenhagel auf ihn nieder. Es war das reinste Glück, daß er nicht getroffen wurde, aber das Ruderboot wurde an mehreren Stellen durchbohrt, nahm schnell Wasser auf und drohte zu sinken. Diego warf die vollgesogenen Teppiche und Kissen über Bord und ruderte, bis zum Bauch im Wasser, weiter. Als er außerhalb der Reichweite der Geschosse war, riß er sein Oberkleid in kleine Streifen und verstopfte damit notdürftig alle Löcher, die er finden konnte. Dann schöpfte er das Wasser mit einem Silbertablett, das im Boot gelegen hatte, umständlich heraus. Die Kajike nahm gleich wieder Wasser, und er kam nur langsam voran, weil er immer wieder schöpfen mußte. Ein großer Hai schwamm dicht unter der Wasseroberfläche neben ihm her und blinzelte ihm zu, so daß er die Arme beim Rudern nicht allzuweit über den Bootsrand hinauszustrecken wagte. Endlich sah er am Horizont das goldene Heck der Manati blinken. Er verdoppelte noch einmal seine Anstrengung, und bevor es dunkel wurde, hatte er das Deck erklommen und erstattete Bericht.

Johannes Moebius konnte sich vor Begeisterung über die Goronzie kaum fassen, und auch die Mannschaft war aufgekratzt, da nun die doppelte Heuer in Aussicht stand. Rum wurde ausgegeben, jemand blies auf einer Flöte, und es wurde getanzt und gefeiert. Nur Prinz Diego selbst bzw.

Pedro Galbano, der das Heldenstück doch vollbracht hatte, wollte sich nicht feiern lassen, sondern stand abseits am Heck und sah angewidert auf die ausgelassenen Männer. Moebius und der Kapitän stellten sich zu ihm und versuchten, ihn aufzumuntern.

»Nun nehmt Euch den Tod eines einfachen Matrosen doch nicht so zu Herzen, mein Prinz«, sagte Johannes Moebius. »Schaut Euch die Mannschaft an. Sieht die bekümmert aus?«

»Der Tod hat im Leben eines Seemanns seinen festen Platz«, fiel der Kapitän ein. »Hier werdet Ihr keinen trauern sehen. Im Gegenteil, die Männer sind der Auffassung, ein einzelner ertrunkener Seemann bringe Glück. Wenn sich das Meer seine Beute bereits geholt hat, wird es den Rest der Mannschaft verschonen.«

»Er ist nicht ertrunken«, rief Prinz Diego, »er wurde wahrscheinlich zu Tode gefoltert, weil er mich nicht verraten wollte. Er war mein Freund, mein bester Freund und Seelengefährte – und ich habe ihm im entscheidenden Moment nicht helfen können. Und alles nur wegen dieser blöden Pflanze, wegen dieser widerlichen Goronzie. Oh, armer Ramon! Oh, deine schöne Braut! Sie wird nie erfahren, wohin ihr Liebster verschwunden ist. Und alles nur, weil meine Mutter mit ihrem Garten den Hals nicht voll kriegen kann! Fluch! Fluch auf alle Gartenkunst, auf diese Beschäftigung für verblödete Weiber, die nicht imstande sind, etwas Nützliches zu tun. Fluch auf euch alle, die ihr Pflanzen euren Mitmenschen vorzieht.«

Er ließ die beiden stehen und ging in seine Kajüte. Er hatte Moebius nicht gesagt, daß er noch einen Kern mitgebracht hatte, denn er wollte sich die Genugtuung nicht nehmen lassen, den Kern seiner Mutter vor die Füße zu werfen.

Zurück in Basko begrüßte Prinz Diego seine Eltern nur flüchtig, bestieg am Hafen sogleich ein Pferd, und bevor ihm jemand von Lisvanas Flucht berichten konnte, galoppierte er schon zum Schloß. Er wollte die Prinzessin allein treffen, sie noch einmal um Verzeihung bitten, und dann wollte er ihr verbieten, weiter Wäsche zu waschen. Er wollte ihr von seinem Freund erzählen, dem er nicht mehr hatte helfen können und dessen Braut nun einen ungeliebten Mann heiraten mußte. Und dann wollte er ihr die Freiheit zurückgeben. Er würde ihr die Wahl lassen, auf einem Schiff ins Nordland zurückzukehren oder für immer bei ihm zu bleiben, und dann, erst dann, würde er sie abermals um ihre Hand bitten.

Nachdem er eine halbe Stunde lang die Wege zur Goldenen Grotte auf- und abgaloppiert war, konnte es die Gräfin Tolsteran nicht länger mitansehen, stellte sich seinem Schimmel in den Weg und empfahl dem Prinzen, mit Königin Isabella und König Leo zu sprechen.

Prinz Diego fand seine Eltern im blauen Salon.

»Es kann nicht mit rechten Dingen zugegangen sein«, sagte Königin Isabella, während sie ein Blatt der Goronzie mit einem feinen Pinsel abstrich, den Pinsel an den Sohn des Takasue weiterreichte und sich von ihrem Lieblingszwerg Pedsi einen frischen Pinsel reichen ließ, »allein hätte sie nie über die Mauer klettern können. Irgend jemand muß ihr geholfen haben. Ich hätte nicht gedacht, daß die Nordlandritter so schnell hier sind. Dabei habe ich die Prinzessin den ganzen Tag überwachen lassen. Aber kurz nachdem du abgereist bist, war sie plötzlich wie vom Erdboden verschluckt. Inzwischen dürfte sie es schon fast bis ins Nordland hinauf geschafft haben.«

Prinz Diego schnappte nach Luft. Er mußte sich am Kaminsims festhalten. Innerhalb weniger Wochen seinen einzigen Freund und die Liebe seines Lebens zu verlieren, war mehr, als ein Mann ertragen konnte.

»Eigentlich ist das ja auch die beste Lösung«, sagte König Leo, der mit einem Buch über Jagdhunde am Fenster saß. »Wir haben sie einmal entführt, nun haben die Nordländer sie zurückentführt, damit sind wir mehr oder weniger quitt, und keiner braucht dem anderen noch Vorwürfe zu machen. Man hat ja nie ganz ausschließen können, daß diese störrischen Ritter hier noch Streit anfangen. Und Krieg ist doch immer eine unangenehme und unberechenbare Sache, auch wenn der Gegner noch so unterlegen ist.«

»Also können wir alle zufrieden sein«, sagte die Königin heiter. »Laßt uns doch nachher noch einmal die Liste der heiratsfähigen Königstöchter durchgehen. Findest du nicht auch, daß die Albinoprinzessin aus Tesbetanien viel besser zu einem rot bepflanzten Hochzeitsgarten mit schwarzen Tieren passen würde? Ich könnte natürlich auch alles in unseren Wappenfarben, in Blau und Gelb bepflanzen lassen, dann wäre es egal, wen du heiratest ...«

Der Wutausbruch des Prinzen war so heftig, daß die Spaniels der Königin in den Garten flohen und erst am Abend von Pedsi und Osamu unter dem ostakischen Kiosk gefunden werden konnten.

»Du und deine Scheißhochzeit, in deinem Scheißgarten, mit deinen Scheißgoronzien«, brüllte Prinz Diego.

»Du denkst doch immer nur an dich, dich, dich! Und weißt du was? Ich habe noch einen Kern. Ich habe einen von diesen Goronzienkernen, auf die du so scharf bist. Aber ich werde ihn dir nicht geben!«

Und damit zog er den handtellergroßen Kern aus der Tasche.

Die Königin sprang von ihrem Stuhl auf.

»Mein bester Freund ist dafür gestorben. Mein Freund! Weißt du überhaupt, was das ist – ein Freund? Und seine Braut wird nun vergeblich auf Befreiung warten und muß einen fetten Baron heiraten, den sie gar nicht will. Aber das ist dir ja egal! Hauptsache, Madame hat ihre Scheißgoronzie, mögen doch alle anderen währenddessen verrecken.«

In der Tat näherte sich die Königin wie hypnotisiert dem Goronzienkern. Prinz Diego hielt ihn am ausgestreckten Arm über seinen Kopf.

»Noch einen Schritt weiter, und ich schmeiß ihn ins Feuer.«

Sofort erstarrte die Königin.

»Nein, nein«, flüsterte sie beschwörend, »tu das nicht! Du mußt ihn mir geben. Es ist ein Goronzienkern. «

»Du hast mich nie geliebt«, brüllte der Prinz, während ihm die Tränen in die Augen traten, »immer hat dich nur dein Garten interessiert. Und jetzt zieh ich los und bring dir die Pflanze, auf die du so versessen bist, und du schaffst es nicht einmal, auf die Frau aufzupassen, die alles für mich bedeutet. Die ich liebe! Und die mich auch geliebt hätte. Sie hätte mich nämlich geliebt. Verstehst du das? Geliebt! Weißt du überhaupt, was das heißt – lieben?«

»Ja ja, du hast völlig recht. Wir sollten unbedingt darüber

sprechen, aber jetzt gib mir erst einmal den Goronzienkern, hörst du? Gib ihn mir einfach.«

Mit einem Aufschluchzen schleuderte Diego den Kern
ins offene Feuer. Die Königin setzte wie ein Panther hinterher und fischte ihn mit bloßen Händen aus der Glut.

»Du verstehst nichts. Du verstehst überhaupt nichts«,
heulte Prinz Diego.

»Aber gewiß doch«, sagte seine Mutter und pustete sorg-
sam die Asche vom Fruchtkern, ohne die starken Verbren-
nungen an ihren Händen zu beachten. »Aber gewiß doch,
mein lieber Sohn, ich habe dich sehr gern. Nun beruhig
dich wieder. Du hast mir eine große Freude gemacht mit
diesem Kern. Eine wahrhaft große Freude!«

»Übertreib es nicht, Isabella«, sagte König Leo.

»Ach, fahrt zur Hölle – alle beide!« rief Diego und rannte hinaus.

Der Kummer des baskarischen Prinzen erreichte ein für
Männer ungewöhnliches Ausmaß. Er verließ seine priva-
ten Gemächer kaum noch, und wenn ihn jemand ansprach, antwortete er nicht, sondern sah mit versteinertem
Gesicht aus dem Fenster, fest entschlossen, nie wieder
glücklich zu werden. Vor ihm auf dem Tisch lagen der
grüngoldene Schuh, den Prinzessin Lisvana beim Über-
klettern der Mauer verloren hatte, und Ramons Schwert.
Er hatte nämlich über den Hofmarschall herausfinden lassen, wo Ramon Delgado gewohnt hatte, und dann hatte er
persönlich seinen Rechnungen im Goldenen Anker bezahlt und dafür sein Pferd, sein Schwert und seine paar
Habseligkeiten ausgelöst. Daß Ramons Pferd genauso aussah wie die kurzbeinigen Tiere in Lisvanas Heimat, machte

den toten Freund in Diegos Augen noch liebenswerter. Jetzt graste es in den königlichen Gärten, und nicht einmal die Königin wagte, es entfernen zu lassen, obwohl die Zwerge sich beklagten, daß das komische gelbe Pferd schon zwei Pfauen gefressen hatte.

Woche um Woche verging. Prinz Diego gab sich in seinem Zimmer den wildesten Spekulationen hin, was aus Lisvana geworden sein könnte. Sein einziger Trost war, daß die Prinzessin den Schwan mitgenommen hatte. Inzwischen ließ König Leo diskret Auskünfte einholen, ob die Nordlandprinzessin irgendwo aufgetaucht war, aber keiner der Herolde konnte etwas in Erfahrung bringen. Auch die Königin blieb nicht untätig. Während der Goronzienkern unter der Aufsicht ihrer Gartenzwerge im Treibhaus keimte, verschickte sie Einladungen an die Botschafter sämtlicher Länder, in denen es heiratsfähige Prinzessinnen gab. Und wenn Prinz Diego ausnahmsweise doch einmal zum Abendessen herunterkam, wartete dort auf ihn bereits der Botschafter Septimeniens, Polens oder Spaniens.

An diesem Abend waren es gleich zwei Gesandte, der Botschafter Lurkistans und der Botschafter der Tukaninseln. Der Botschafter aus Lurkistan pries die Schönheit der Tochter seines Königs, ohne jedoch ins Detail gehen zu können, weil noch kein Mann außer ihrem Vater sie je zu Gesicht bekommen hatte. Aber war das allein nicht Vorzug genug – würdig Euer und Eures Ranges? Der Botschafter von den Tukaninseln schwärmte von der Häuptlingstochter, die, seit sie von den Heiratsabsichten des baskarischen Thronfolgers gehört hatte, nur noch auf ihrer Bambusmatte lag und ununterbrochen Plampuak, den tukanesischen Nationalpfannkuchen, in sich hineinschlang, obwohl sie schon zuvor so schön fett gewesen war, daß nur ein Mann ohne Herz ihre Werbung ausschlagen könnte. Sieben Liter Milch wurden jetzt täglich zugefüttert, und die Häuptlingstochter wurde im Sand gerollt und geknetet, damit das Fett auch überall gleichmäßig ansetzte. Bei diesem Bericht belebte sich Prinz Diego seit langer Zeit zum erstenmal etwas, und er schaute sich sogar das Porträt der gemästeten Braut an, von einer Hochzeit wollte er aber immer noch nichts wissen.

Gerade setzte der Botschafter Lurkistans zu einer weiteren Lobrede auf die Königstochter seines Landes an, als an der Tür zum Speisesaal Unruhe entstand. Der Oberhofmarschall, der gerade dem König das Fleisch vorschnitt, ging selber hin und kam mit der Nachricht zurück, daß draußen der Oberhofjäger aus dem ersten Hofjagddepartement mit einem weißen Schwimmvogel stünde.

»Er sagt, es wäre der zahme Schwan von Prinzessin Lisvana.«

»Laßt ihn ein. Sofort einlassen«, rief Prinz Diego.

Der Oberhofjäger kam mit dem Schwan unter dem Arm herein, verbeugte sich tief und bat tausendmal um Vergebung für die Störung. Dann berichtete er, daß er den Vogel in einem Waldsee gefangen hatte. Er hatte alle seine Unterjäger sofort angewiesen, das Gelände nach der Prinzessin abzusuchen, jedoch vergeblich. Auch hatte der Schwan einen so erschöpften Eindruck gemacht, daß er wohl weit geflogen sein mußte.

Prinz Diego sank am Tisch zusammen.

»Ich werde sie nie wiedersehen«, klagte er. »Ach, warum kann ich nicht tot sein wie mein Freund? Von wo mag dieser Schwan gekommen sein? Falls es überhaupt der von

Lisvana ist. Sieht nicht ein Schwan wie der andere aus? Vielleicht kommt er sogar aus dem fernen Nordland?«

Dann rappelte er sich mit neuer Energie plötzlich auf.

»Ich weiß, was ich tun werde«, rief er, »ich werde noch einmal ins Nordland reisen, ich nehme so viel Gold mit, wie aufs Schiff paßt, ich schütte König Rothafur zu mit unserem Gold und flehe ihn um Vergebung an. Dann bitt ich noch einmal um Lisvanas Hand.«

»Kommt ja gar nicht in Frage«, sagte König Leo, »erst mal die Schande und so. Und dann nehmen sie dich am Ende noch als Geisel. Ne, ne, ne, dafür kriegst du von mir kein Schiff. Außerdem – was machst du, wenn die Prinzessin gar nicht da ist? Stell dir mal vor, wie peinlich das wäre, dann vor König Rothafur zu stehen. Warte ab, bis die Herolde zurück sind und wir mehr wissen.«

Er winkte dem Jäger, daß er sich wieder entfernen könne, aber der machte viele Bücklinge und Kratzfüße, räusperte sich und hatte noch etwas zu sagen.

»Der Schwan – er trägt einen gewachsten Beutel über seinem Fuß.«

»Was interessieren mich die Krankheiten dieses Vogels«, rief Prinz Diego, den sein Kummer ein bißchen begriffsstutzig gemacht hatte, und wollte wieder in sein Brüten versinken. Zum Glück war König Leo neugieriger. Er ließ sich den Schwan bringen, und während der Jäger ihm den Vogel festhielt, schnitt er mit dem Bratenmesser die Schnur um den Beutel auf. Der schwarze Fuß kam zum Vorschein. Auf die Schwimmhäute waren Worte geschrieben, auf jede Schwimmhaut eins, aber sie waren auf dem schwarzen Untergrund kaum lesbar. König Leo spreizte die Häute und hielt sie vor die Kerzen.

»Hilfe«, las er vor. »Gosporor. Das hier heißt ›Gosporor‹ oder so ähnlich, und als drittes steht hier ›Rudatz‹.«

Der Prinz sprang auf. »Sie ist auf Schloß Gosporor in Rudatz! Und sie ruft mich um Hilfe. Sie ist gar nicht weggelaufen. Sie wurde entführt. Wehe diesem Schuft! Wehe ihm, wenn er ihr etwas getan hat.«

»So viele Soldaten, wie du willst«, rief König Leo, der etwas für Romantik übrig hatte.

»Wartet noch drei Wochen, dann ist sie dankbarer«, sagte die Königin, aber niemand hörte auf sie. Nur wußte auch niemand, wo Schloß Gosporor sein sollte. Und ein Landstrich, der sich Rudatz nannte, war weit und breit nicht bekannt. Aber dafür hatte man ja Herolde, und von denen schickte man sofort alle verfügbaren los. Den Fuß des Schwans ließ der Prinz mit durchsichtigem Lack übermalen, außerdem bekam er Schwimmverbot, damit die kostbaren Schriftzüge nicht verlorengingen.

DIE NEUE SARILISSA

enn Bredur morgens erwachte, seine Traumwelt zurückwich und die Wirklichkeit ihn noch nicht erreicht hatte, gab es jedesmal einen kurzen Augenblick, in dem er sich so unbeschwert wie früher fühlte, ein seltsam leerer Moment, bevor die Erinnerung an Sarilissas Tod und seine Schuld wie ein Stein in seine Seele fiel. Dann wurde ihm wieder klar, wo er sich befand und was von nun an seine Aufgabe war: ein Leben zu führen, wie es bisher die Soldanstochter geführt hatte.

Dieses Leben bestand vor allem aus zeitraubenden, minutiösen Ritualen.

Vormittags wurde er gewaschen und massiert. Gewissenhaft trugen die Badesklavinnen verschiedene Pasten und Öle auf seine Haut auf, reichten einander die Badetücher zu, die auf eine bestimmte Art zusammengelegt waren und nur von einer bestimmten Sklavin auseinandergefaltet werden durften. Bredur wurde mit Wasser übergossen, mit Schwämmen abgestrichen und wieder trockengerieben, sein Haar wurde gebürstet und geflochten und seine Hände und Füße mit Henna gefärbt. Unter viel Getuschel und Hände-vors-Gesicht-Schlagen strichen wieder andere Sklavinnen eine stark nach Honig duftende Paste auf seine Beine, seine Brust und sein Kinn und rissen ihm damit die

Körperhaare aus. Außer Usar sprach keine der Dienerinnen Baskarisch, so daß Bredur sie nicht verstand. Im besten Fall nannten sie ihn wohl einen Bären oder Dämonen, im schlimmsten Fall den leibhaftigen Sheitan. Dann kam die Sürmelin-Sklavin und malte ihm mit einer gefährlich aussehenden Nadel schwarze Linien auf die Lidränder. Bredur ließ alles über sich ergehen und rauchte dabei den sinneverwirrenden und leicht betäubenden Tabak, den Usar ihm ständig anbot. Nach den Waschungen wurde er angekleidet. Auch hierbei waren zwanzig Sklavinnen anwesend, die nach streng eingehaltenem Zeremoniell die Kleidungsstücke entweder aus den Truhen nahmen oder in Tücher gewickelt weiterreichten oder ihm vor die Nase hielten oder ihm hineinhalfen. Keine Sklavin hatte mehr als eine einzige Handreichung zu erledigen, und die beiden Sklavinnen, die ihm die Pluderhosen anzogen, waren selbstverständlich verschieden von denen, die ihm das lange Hemd überstreiften, und die Sklavin, die ihm die bis zu den Knien reichenden Perlenketten umhängte, war eine andere als die, die ihm den Brillantgürtel umlegte, welche sich wiederum von jener unterschied, die das Smaragdarmband an seinem Handgelenk befestigte.

Diese Art der Bedienung kostete enorm viel Geduld, und es nützte Bredur auch nichts, daß er jedesmal das violette Kleid wählte, er mußte sich trotzdem jeden Morgen wieder zehn verschiedene Gewänder vorlegen lassen. Anschließend klapperte er auf hohen Perlmuttpantinen in den großen Raum mit dem Wasserbecken, wo er das harte Schuhwerk gegen Ziegenleder-Babuschen vertauschte und sich inmitten einer neuen Schar völlig nutzloser Dienerinnen auf einem Leopardenfell niederließ. Dort steckte er sich gleich wieder die Nargileh an und hörte alles andere als neugierig zu, welche Vorschläge ihm Usar für die Nachmittagsgestaltung unterbreitete. Ob die Mädchen Musik machen und sich vor ihm in roten Gewändern winden sollten. Oder in blauen. Ob es die liebliche Herrin in den Garten lockte. Ob sie durch die Allee der Granatapfelbäume spazieren oder den dressierten Goronzi-Tieren zusehen wollte, die zum Rythmus der Tambourine lustige Stapftänze aufführten.

»Ja, ja«, sagte Bredur mit Mattigkeit im Blick zu jedem Vorschlag, und das Licht, das durch die Holzgitter fiel, flimmerte im bläulichen Tabakrauch.

Jedesmal wenn Bredur laut ›ja, ja‹ sagte, dachte er im stillen ›nein, nein‹. Nein, nein, das alles ist nicht schlimm, denn ich bin ja eigentlich schon tot – jedenfalls sollte ich es sein. Das hier ist nur meine Hülle, die die Prinzessin vertreten muß, damit den armen Frauen hier noch ein weiteres Jahr der Heiterkeit vergönnt ist. Ich sollte kein Spielverderber sein.

Hatte er den Nachmittag nach Usars Vorschlägen mit den Goronzis im Garten oder nach seiner eigenen Idee mit den Sklavinnen im Seerosenbecken verbracht, wurde er abermals gewaschen und massiert, worauf er auch den Abend in Ziegenleder-Babuschen verschlurfte. Stets ein Pfeifchen im edelsteinbestickten Gürtel, lümmelte er in einem Berg von Kissen, streute sich Opium auf das Brot, das die Brotsklavin gebracht hatte, und ließ sich von den Kaffeesklavinnen laufend das heiße schwarze Wasser nachschenken. Vergeblich versuchte Usar, ihn zu einer richtigen Mahlzeit zu überreden. Essen interessierte ihn nicht. Eigentlich interessierte ihn überhaupt nichts, außer, daß er mit den Sklavinnen schlief und manchmal Usar zu sich an den niedrigen Kaffeetisch auf eine Partie Schach befahl.

»Es ist eine weise Strafe«, sagte er bei dieser Gelegenheit einmal zu ihr. Die Zunge war ihm schwer, und er fand es so anstrengend, seine Gedanken zu formulieren, daß er erst noch einmal einen großen Zug aus der Nargileh nehmen mußte.

»Eine sonderbare Strafe, aber weise. Jawohl, weise.«

Er mußte abermals eine Pause machen.

»So sollte man alle Mörder und Totschläger bestrafen. Sie müssen das Leben derjenigen weiterführen, deren Tod sie verschuldet haben, und zwar so lange, bis ihnen ganz und gar klar geworden ist, wen sie da für immer ausgelöscht haben. So lange müßten sie ihre Strafe tragen ...«, jetzt gerieten ihm seine Gedankengänge durcheinander, » ... bis sie beinahe selber zu Sarilissa geworden sind, so daß ihnen ihr Tod wie der eigene erscheint.«

Aber wie jedesmal, wenn er Usar gegenüber einen Gedanken zu formulieren versuchte, ging sie überhaupt nicht darauf ein, sondern antwortete bloß:

»Gewiß, meine liebliche Herrin. Was immer Ihr sagt, ist die reinste Wahrheit. Der Verstand öffnet sich Euren Ideen so unweigerlich wie eine Blüte am Morgen. Wie wäre es mit einer Ausfahrt auf der Kajike für den kommenden Nachmittag?«

Und Bredur antwortete schläfrig:

»Sehr gern. Was für eine wundervolle Idee.«

Irgendwann dämmerte er mit irgendeinem Mädchen auf irgendeinem Diwan oder Teppich ein und blieb dort liegen, bis Usar ihn wieder weckte, ihm die frisch gefüllte

Nargileh entgegenhielt und der Kreislauf seiner müßigen Beschäftigungen sich von neuem vollzog.

Tage und Wochen vergingen so im Sumpf träumerischer Trägheit. Schwere Wandbehänge und schwere moschusartige Düfte, glitzernde Gewänder und glitzernde Juwelen, klebrige Süßigkeiten und süßes, willfähriges weibliches Fleisch.

Dann kam es zu einem Tabak- und Opiumengpaß. Da die holde Sarilissa in ihrer neuen Gestalt vier- bis fünfmal soviel von dem besänftigenden Tabak rauchte wie bisher, war der Vorrat auch vier- bis fünfmal so schnell aufgebraucht. Nun mußten alle Dienerinnen und Wächterinnen ihre Tabakreste herausgeben, und auch die schmauchte und paffte die Blume des Harems hinweg. Es folgte eine sehr unschöne Zeit, in der die liebliche Gebieterin all ihrer Gelassenheit und Fügsamkeit verlustig ging.

»Ich halte das nicht mehr aus«, brüllte Bredur schon am Morgen und warf mit Tiegeln und Töpfen nach den Sklavinnen. »Rührt mich bloß nicht an! Und nehmt diese weibischen Lappen weg. Ich will meine alten Kleider.«

»Deine alten Kleider waren auch Frauenkleider«, sagte Usar, die von den verzweifelten Mädchen herbeigerufen worden war.

»Du bist als Frau auf diese Insel gekommen. Was beklagst du dich? Daß deine Kleider nun prächtiger sind?«

»Diese verdammten Sklavinnen«, schrie Bredur, »sie haben noch Kiff und Opium. Ich weiß es. Sie verstecken es bloß vor mir. Sag ihnen, ich verpasse allen eine Bastonade, falls sie es nicht bis zum Abend bei mir abgeliefert haben.«

Tagelang war Bredur wie krank. Seine Augen rollten in

den Höhlen umher. Er konnte nicht schlafen, lief schweiß-
gebadet durch den Palast, wälzte sich brüllend auf dem Boden und unterhielt sich wild gestikulierend mit unsichtba-
ren Dämonen.

»Jajajajaja, du hast es natürlich gleich gewußt«, beschimpfte er ein Fenstergitter. Dann brach er zusammen,
umklammerte seine Knie und wimmerte: »Alles, was ich
anfasse, geht schief. Sarilissa, Sarilissa! Mein armes Käfer-
chen! Wir haben uns so lieb gehabt!«

Endlich kam das Versorgungsschiff. Bredur versteckte sich
wie verabredet im Palast, und am späten Nachmittag trat
Usar mit einer angesteckten Nargileh und einer Schale
vergoldeter Opiumkugeln bei ihm ein.

»Nein, danke«, sagte Bredur zu Usars Erstaunen, obwohl es ihn sichtbar Überwindung kostete. Kalter Schweiß
war beim Geruch des köstlichen Tabaks auf seine Stirn getreten, und seine Hände zitterten. »Das mache ich kein
zweites Mal durch. Außerdem brauche ich einen klaren
Kopf.«

»Wozu?« fragte Usar. »Die Opiumkugeln sind aus bester
Juwelenpaste – weißer Mohn, pulverisierte Smaragde und
zerstoßene Perlen.«

»Ich will sie trotzdem nicht. Ich muß über einiges nachdenken.«

Und Ritter Bredur dachte nach. Er dachte an Sarilissa, die
wilde Schöne, die er durch seine Unbesonnenheit getötet
hatte. Jetzt, wo sein Kopf wieder klar war, mußte er Tag
und Nacht an sie denken. Er dachte auch an Prinz Diego,
der anscheinend von der Insel entkommen war und nun

zu Prinzessin Lisvana fuhr, um sie zu heiraten, ohne daß Bredur es verhindern konnte. Oder er dachte an seinen Vater, der schon immer gewußt hatte, daß er ein Versager war. Beides erschien ihm auf einmal völlig nebensächlich – jetzt, wo er einen Schmerz und eine Traurigkeit kennengelernt hatte, über die ihn weder die Liebe einer Prinzessin noch das Lob eines ungerechten alten Mannes je würde hinwegtrösten können. Die Liebe war überhaupt etwas Fürchterliches, etwas, das nur schief gehen konnte. Dann wieder wollte ihm einfallen, daß das Ganze doch eigentlich ein Unglücksfall gewesen war. Sarilissa war ausgerutscht, und er konnte nichts dafür. Hätte er sie nicht am Arm gepackt, so wäre sie wahrscheinlich nur noch schlimmer gestürzt. Die Voraussage des Djinns hätte genausogut heißen können, die Soldanstochter würde vor Ende ihres siebzehnten Lebensjahres ausrutschen. Seine Anwesenheit war der reine Zufall gewesen. Aber kurz darauf haßte und verachtete er sich für solche Gedanken, mit denen er sich doch nur feige aus der Verantwortung stehlen wollte. Manchmal holte er das Zauberglöckchen hervor, das er immer noch bei sich trug, obwohl es doch Sarilissa nicht wieder lebendig gemacht hatte. Er betrachtete es lange und schleuderte es dann fort, nur um kurz darauf den Sklavinnen zu befehlen, danach zu suchen und es ihm wiederzubringen. In seinen besten Stunden dachte Bredur an den Großen Gaspajori und seinen Versager-Drachen, den guten, sabbernden Grendel. Wie glücklich der war, dieser Zauberer, daß er keine anderen Sorgen hatte, als einen Drachen zu trainieren.

Eines Nachmittags stand Bredur mit einer Edelsteinschatulle in der Hand am Wasserbecken und ließ die Tänzerinnen nach Perlen und Diamanten tauchen. Usar stand neben ihm.

»Ich freue mich, daß meine holde Gebieterin wieder Spaß an der Unterhaltung findet. Denkt Prinzessin Sarilissa immer noch nach, oder soll ich ihr wieder einmal die Wasserpfeife füllen?«

Das Tambourinmädchen tauchte direkt vor Bredur auf und spuckte die große Perle, die es sich erkämpft hatte, auf den Beckenrand. Bredur beugte sich herunter und strich ihr anerkennend über die nassen Haare.

»Ich habe keine Lust mehr«, sagte er unvermittelt zu Usar. »Warum spielst du zur Abwechslung nicht mal selber die Prinzessin? Ich weiß ja, daß ich an Euch allen schuldig geworden bin. Aber wenn ich hier weiter in Frauenkleidern herumlaufe, macht das die Sache auch nicht besser. Ihr braucht mich doch überhaupt nicht. Ihr könntet genauso gut eine Strohpuppe nehmen oder eine der Sklavinnen zur Herrin erheben.«

»Wenn eine der Sklavinnen Herrscherin wird, gibt es hier Mord und Totschlag. Jede wird Prinzessin sein wollen. Und die anderen werden sich weigern, sie zu bedienen. Dann tut hier niemand mehr etwas, der Garten verwildert, alles fällt auseinander, und die Besatzung der Fateh Mohammed merkt sofort, was los ist.«

»Schluß damit«, rief Bredur, »genug! Ihr wollt doch bloß, daß ich euch … – na, du weißt schon … Und ich bin euch wie ein Dummkopf auf den Leim gegangen.«

Er schüttete den restlichen Inhalt der Schatulle in das Schwimmbecken, und das Wasser brodelte von den schlagenden Armen und Beinen der Tänzerinnen, als kämpften Haifische um einen blutigen Köder.

»Ich will hier weg«, sagte Bredur. »Ihr habt lange genug euren Spaß mit mir gehabt. Die einzige, die meine Hilfe wirklich braucht, ist Prinzessin Lisvana. Sie rechnet auf mich. Es ist meine Pflicht, ihr zu helfen.«

Usar sah ihn mit zusammengekniffenen Augen an und ging, ohne ihn um Erlaubnis zu fragen oder auch nur »Wie Ihr wünscht, hohe Gebieterin« zu sagen. Sofort wurde Bredur klar, daß er einen Fehler gemacht hatte. Er hätte überhaupt nicht darüber reden dürfen, daß er fortwollte. Usar würde vor nichts zurückschrecken, um das Geheimnis von Sarilissas Tod zu wahren. Vielleicht würde sie noch diese Nacht versuchen, ihn zu töten. Er mußte ihr zuvorkommen und fliehen, sofort. Er durfte keine Minute länger zögern.

Das Tambourinmädchen tauchte wieder vor seinen Füßen auf und spie einen ganzen Berg von Juwelen auf den Marmor. Mit Wassertropfen in den Wimpern sah es zu ihm auf. Er hielt ihr die Hand hin und zog sie aus dem Becken. Keine der Sklavinnen fand etwas Verwunderliches dabei, daß er mit ihr aufs Meer hinausrudern wollte.

Ein paar Stunden später war er auch schon auf hoher See und kämpfte gegen die Wellen an. Allein. Auf die Schwimm- und Tauchkünste des Tambourinmädchens vertrauend, hatte er sie in der Bucht über Bord geworfen. Nun wurde es dunkel. Vielleicht schlich Usar gerade mit gezogenem Krummsäbel ins Gemach der holden Gebieterin. Bredur überließ sich der Strömung, die die Kajike erfaßt hatte. Er wußte sowieso nicht, in welche Richtung er rudern sollte, und so kam er viel schneller voran. Es wurde wieder Tag, und er verfluchte sich, daß er kein Trinkwasser mitgenommen hatte, dann wurde es noch einmal dunkel und noch einmal Tag, und dann führte die Strömung ihn glücklich an eine Küste.

DER DIENER

on dem Erlös aus dem Verkauf seiner Perlenketten und des Brillantgürtels erstand Bredur, der
ein schlechter Händler war, einfache Männerklei-
dung und eine Überfahrt nach Basko. Dort such-
te er als erstes den Bruder des Friseurs auf, löste sein Jacki
aus, tauschte seine orientalischen Gewänder gegen die ge-
schlitzte Tracht Baskariens und erfuhr, daß die Hochzeit
des Thronfolgers immer noch nicht stattgefunden hatte.
Mit seinem restlichen Geld klopfte er bei seiner alte Herberge, dem Goldenen Anker, an, gab sich als Ramon Delgado zu erkennen und fragte nach seinem Pferd, seinem
Schwert und seinen übrigen Habseligkeiten. Der Wirt
zuckte die Schultern, erklärte, daß man ihn für tot gehalten
hatte, beglückwünschte ihn zu seiner Rettung und berichtete, daß ein gewisser Pedro Galbano all seine Sachen und
sein Pferd ausgelöst und mitgenommen habe.

»Hier«, er reichte ihm ein Kupferstück, »dies ist der Ge-
winn aus dem Verkauf, das übrige Geld ist bereits für die
Unterbringung und das Futter des Pferdes draufgegan-
gen.«

Bredur mietete sich wieder in seine alte Kammer mit
dem zugigen Kamin und dem breiten Bett ein. Diesmal
schlief er jedoch allein darin, und er ließ sich auch noch ei-

nen Tisch und einen Stuhl bringen. Am nächsten Morgen zog er los, besorgte sich Feder und Papier und kaufte auf dem Hafenmarkt ein langes Messer, wobei er nicht versäumte, sich überall nach der Wohnung des königlichen Pflanzenforschers zu erkundigen. Die Wohnung kannte niemand, aber die Fischfrau, die Bredur eines ihrer Messer überlassen hatte, wußte, daß Johannes Moebius seine Mahlzeiten im Gasthaus Zur Türkischen Tulpe einzunehmen pflegte. Dort paßte er ihn ab. Moebius staunte nicht schlecht über diese Begegnung und wollte sogleich Ramons unverhoffte Auferstehung erklärt bekommen. Aber der blieb seltsam einsilbig, murmelte nur etwas von unvorhergesehenen Schwierigkeiten, die ihn länger aufgehalten hätten, wollte sonst nicht recht mit der Sprache heraus und verzichtete sogar darauf, Königin Isabella vorgestellt zu werden. Da er auch keine weitere Goronzi mitgebracht hatte, verlor Moebius bald das Interesse und fragte Ramon nur noch, wo er wohnte – denn gewiß würde Pedro Galbano ihn aufsuchen wollen. Darauf hatte Bredur gehofft. Von nun an blieb er in seiner Dachkammer, wartete auf den Prinzen und vertrieb sich die Zeit, indem er die Mottenlöcher in seinem Jacki ausbesserte und das Zauberglöckchen wieder in den Saum nähte.

Als Prinz Diego erfuhr, daß sein Freund noch lebte, machte er sich sofort auf den Weg in den Goldenen Anker. Da er nicht als Prinz erkannt werden wollte, hatte er seine schlichtesten Kleider angezogen und nur vier Leibwächter mitgenommen.

»Ramon, mein Freund«, rief Prinz Diego und schloß Ritter Bredur in seine Arme, »du lebst, du lebst!«

»Nicht mehr lange, wenn du weiter so zudrückst«, knurrte Bredur.

»Du weißt nicht, wie glücklich mich deine Rettung macht«, rief Diego. »Habe ich doch mit eigenen Augen gesehen, wie sie deinen Leichnam verscharrten! Warst denn nicht du es, den die Sklavinnen aus dem Palast trugen?«

»Sieht nicht so aus«, sagte Bredur knapp. »Ich bitte dich, Pedro, schick deine Männer hinaus, damit ich endlich mit dir allein reden kann. Was ist los mit dir? Wirst du verfolgt, daß du mit Wachen reist?«

»Das will ich dir gern erkären«, sagte Diego und winkte seine Eskorte hinaus, »du sollst nun alles von mir erfahren. Freue dich mit mir, denn dein Glück ist gemacht! Ich werde dir helfen, deine Liebste zu befreien, und dafür sorgen, daß du sie heiraten darfst. Zuerst aber mußt du mir erzählen, was dir widerfahren ist. Nein, bevor du erzählst, mußt du mir verzeihen. Ich merke doch, daß du böse bist. Aber du mußt mir glauben, daß ich dich nicht wissentlich zurückgelassen habe. Ich war so sicher, daß du tot wärst. So sicher. Hätte ich nur das Grab geöffnet und mich selber davon überzeugt. Ich werde es mir nie verzeihen, aber ich flehe dich an: Tu du es!«

»Nun, du wirst mir tatsächlich dabei helfen, meine Liebste zu befreien, aber anders, als du denkst«, sagte Bredur, zog sein Messer und setzte es dem Prinzen an den Hals.

»Du schreibst jetzt einen Brief an das Schloß. Los, setz dich! Setz dich hier hin. Nimm die Feder. Und nun schreib: Ich, Prinz Diego von Baskarien, befinde mich in der Gewalt von …«

Diego versuchte, sich zu Bredur umzudrehen, aber das Messer bohrte sich in seine Haut.

»Du weißt, wer ich bin? Woher weißt du das? Und hat sich nichts anmerken lassen, der Kerl! Nun steck endlich das Messer weg, der Spaß ist dir gelungen. Es gibt nichts, was du von mir erpressen könntest, was ich dir nicht von ganzem Herzen schenken möchte. Ich habe es dir ja bisher noch nicht sagen können, aber ich bin steinreich.«

Bredur ließ das Messer dort, wo es war.

»Dann gib mir die Prinzessin Lisvana«, sagte er kalt.

»Was?« rief Diego. »Was verlangst du da? Das einzige, was ich dir nicht geben will und nicht einmal geben kann? Was ist denn mit deiner Braut, von der du immer erzählt hast? Hast du die jetzt plötzlich vergessen? Ich dachte, ich könnte dich glücklich machen, indem ich dich zum Grafen erhebe und dir die Hochzeit mit ihr ermögliche. Wie kommst du denn jetzt auf Lisvana?«

»Wenn ich von einer Frau sprach, habe ich immer nur die Prinzessin gemeint. Nie eine andere. Du hast eben nicht richtig zugehört.«

»Aber du kennst sie doch gar nicht«, brüllte Diego wütend die Tischplatte an. »Ich, ich liebe sie! Und sie liebt mich. Was hast du mit ihr zu schaffen? Nimm doch irgendeine andere!«

Dann stutzte er.

»Dein komischer Akzent!« rief er. »Dein dämlicher, breiter, ausländischer Akzent! Dein häßliches Pferd! Du bist einer aus dem Nordland, stimmt's? Du bist ein verdammter Nordlandspion!«

»Du erkennst mich also immer noch nicht«, seufzte Ritter Bredur und nahm kurz das Messer weg. Diego drehte sich zu ihm um.

»Doch! Und wie ich dich erkenne! Du bist der Tänzer,

der mir ein Bein gestellt hat. Du hast dir bloß deinen filzigen Bart abgekratzt.«

»Ganz ruhig«, sagte Bredur, während er das Messer wieder an den Hals des Prinzen setzte. »Kein Mensch hat dir ein Bein gestellt. Und jetzt fangen wir den Brief an. Du schreibst, daß du mein Gefangener bist und daß ich dir beide Ohren und die Nase abschneide und danach jeden Finger einzeln, wenn die Prinzessin Lisvana nicht unverzüglich hierhergebracht wird.«

»Das geht nicht. Du kommst zu spät. Die Prinzessin ist nicht mehr da.«

Er faßte für Bredur kurz zusammen, wie er nach seiner Rückkehr von der Insel der Glückseligkeit das Schloß ohne Lisvana vorgefunden, wie er die Nachricht durch den Schwan erhalten und wie er die Herolde in alle Richtungen ausgeschickt, aber nirgends eine Spur von der Prinzessin gefunden hatte.

»Ich glaub dir kein Wort«, rief Bredur. »Eben behauptest du noch, daß die Prinzessin dich so sehr liebt, und jetzt soll sie plötzlich fortgelaufen sein. Nicht nur ein schlechter Tänzer, auch noch ein schlechter Lügner. Schreib den Brief!«

»Sie ist nicht fortgelaufen. Sie muß entführt worden sein!« sagte Diego und beschwor Bredur so eindringlich, daß der ihm schließlich gestattete, den Leibwächtern durch die Tür zuzurufen, sie möchten doch alle zum Schloß zurückkehren, einer von ihnen möge aber zurückkommen und Prinzessin Lisvanas Schwan mitbringen.

»Sag ihnen, sie sollen auch mein Pferd und mein Schwert holen.«

»Und er soll auch das Schwert mitbringen, überhaupt alles, was in meinem Gemach auf dem Tisch am Fenster liegt, und das häßliche gelbe Pferd aus dem Garten!« rief Diego durch die Tür.

»Dein Pferd ist vollkommen verrückt, wenn nicht sogar tollwütig«, sagte er zu Bredur. »Es hat vier Pfauen und acht Kaninchen gefressen.«

Während sie warteten, beschimpfte Bredur den Prinzen abwechselnd als Lügner und als Versager. Als er die Sprache zum elften Mal auf Prinzessin Lisvanas Verschwinden brachte, begann Prinz Diego zu weinen, und da beschimpfte Bredur ihn auch noch als Memme.

Endlich kam der Leibwächter zurück und klopfte an.

»Draußen bleiben! Reich zuerst die Sachen und dann den Vogel herein!« rief Bredur und öffnete die Tür einen Spalt. Der Prinz nahm alles in Empfang und packte es auf den Tisch.

»Das ist Prinzessin Lisvanas Pantoffel«, sagte Diego, »sie hat ihn bei ihrer Entführung verloren.«

»Das ist irgendein Schuh, das beweist gar nichts«, sagte Bredur.

Der Prinz steckte den Pantoffel behutsam unter sein Wams und hielt Bredur den gefesselten Schwan hin. Der Schwan trug, ganz wie Diego vorausgesagt hatte, einen Lederbeutel um den rechten Fuß. Bredur schnürte den Beutel auf.

»Lies vor«, raunzte er Diego an.

Der Prinz zog kaum merklich die Augenbrauen hoch.

»Das hier heißt ›Hilfe‹, eindeutig. Das zweite ist schon schwieriger: Gosporor oder Bosporus oder auch Gaspogori oder so ähnlich. Die Schrift ist schon ziemlich abgebrökkelt, vielleicht ist da am Ende mal ein ›i‹ gewesen. Sie hat

Blut als Tinte benutzt. Wahrscheinlich ihr eigenes Blut – stell dir das nur vor! Auf der schwarzen Schwimmhaut ist das natürlich kaum zu entziffern, aber Gosporor ist noch am wahrscheinlichsten.«

Der Schwan zischte wütend und hackte nach seiner Hand. Diego packte ihn schwermütig am Hals und drückte ihm die Luft ab.

»Das dritte heißt Rudatz.«

Bredur sah ihn verblüfft an.

»Lies noch einmal!« rief er ganz aufgeregt und hielt Diego das Messer so fest an den Hals, daß ein kleiner Blutstropfen hervorquoll.

»Hilfe, Gosporor oder Gaspogori und Rudatz. So schwierig ist das nun wirklich nicht zu merken.«

»Das letzte, dieses Rudatz, könnte das auch Rudeck heißen?«

Der Prinz starrte auf den Schwimmfuß.

»Ja. Ja, jetzt, wo du es sagst. Kennt du einen Ritter, der Rudeck heißt?«

Bredur lachte und nahm endlich das Messer von Diegos Hals.

»Ich glaube dir«, sagte er. »Ich glaube dir. Und noch mehr. Ich weiß, wo Prinzessin Lisvana ist und bei wem. Ich weiß sogar, warum.«

Er lachte immer noch und steckte sein Messer ein.

»Bring mich zu ihr«, rief Diego. »Ich flehe dich an, nimm mich mit. Ich kann ohne Lisvana nicht leben.«

»Du bist wohl nicht ganz dicht. Warum sollte ich dich mitnehmen? Du bist zu blöd zum Tanzen und zu blöd, um auf eine Prinzessin aufzupassen. Du hast sie unrechtmäßig in deine Gewalt gebracht, und jetzt hast du sie auch noch verloren. Es gibt wohl kaum jemanden, der Prinzessin Lisvana weniger verdient als du.«

»Du mußt mich mitnehmen oder auf der Stelle töten.«

Diego stürzte sich auf den Ritter, warf ihn um, und sie rollten über den Boden. Bredur war viel stärker, aber Diego kämpfte wie ein wildes Tier. Er riß Bredur an den Haaren, biß ihn in die Hand, trat nach ihm und war überhaupt nicht zu bändigen. Endlich machten die Kämpfenden einen solchen Lärm, daß der Leibwächter trotz des Verbots hereinstürzte und die Sache endgültig für seinen Herrn entschied.

»Wieder einmal mit Hilfe gesiegt«, höhnte Bredur, als er, die Hände auf den Rücken gefesselt, am Boden lag, »allein würdest du ja nie etwas zustande bringen. Aber denk nicht, daß ich dir sag, wo die Prinzessin ist, niemals – und wenn du mich folterst.«

Diego setzte sich schweratmend auf, half Bredur, den Oberkörper aufzurichten und lehnte ihn gegen die Wand.

»Ich will dich nicht foltern«, sagte er. »Und ich weiß ja längst, was ich angerichtet habe. Ob du es glaubst oder nicht: Es tut mir leid. Wir waren doch mal Freunde. Das heißt, ich habe dich einmal für meinen Freund gehalten. Du hast ja nur so getan.«

»Nicht die ganze Zeit«, gab Bredur mürrisch zu. »Die ersten Wochen auf dem Schiff, als du noch deinen Bart hattest, habe ich tatsächlich nicht gewußt, daß du es bist. Ich habe dich auch für meinen Freund gehalten – hah, von wegen!«

»Dann beschwöre ich dich bei dieser Freundschaft: Nimm mich mit! Ich will sie ja nur noch einmal sehen und ihr sagen, wie leid es mir tut. Ich will dir bloß helfen, sie zu befreien, damit ich wenigstens einen Teil meiner Schuld wieder gutmachen kann. Danach gehe ich nach Hause.«

»Und was habe ich davon?«

»Na ja, zum ersten würde ich dich jetzt freilassen, statt in den Kerker zu werfen. Und solange ich bei dir bin, hast du eine Geisel, das wolltest du doch, und niemand in ganz Baskarien wird dich verfolgen und dir etwas zuleide tun. Außerdem wirst du vielleicht Hilfe brauchen, um Lisvana zu befreien. Du bist ganz allein.«

Bredur dachte nach. Er stellte sich vor, wie er ins Nordland zurückkehrte, mit der Prinzessin hinter sich auf dem Pferd, und der baskarische Königssohn folgte als Geisel an einem Strick. Das würde seinen Vater aus den Fellstiefeln hauen. Es war zwar nicht mehr wichtig, was sein Vater von ihm hielt – Bredur hatte zu viel Schmerz erlebt, um dem noch Bedeutung beizumessen –, aber aus den Stiefeln hauen würde es ihn schon.

»Ich sag dir was: Ich nehm dich tatsächlich mit. Aber dann bleibst du meine Geisel. Nicht nur, bis die Prinzessin befreit ist, sondern du kommst anschließend als mein Gefangener mit ins Nordland. Und du mußt mir die ganze Zeit aufs Wort gehorchen.«

»Einverstanden«, rief Diego, ohne lange zu überlegen, und schnitt zum Entsetzen seines Leibwächters den Strick durch, mit dem Bredurs Handgelenke gefesselt waren.

Kelpie begrüßte seinen Herrn mit freudigem »Höchöchöch«.

»Soll ich uns aus dem Schloß Geld bringen lassen? Dann können wir vernünftige Pferde kaufen und Diener einstellen«, fragte Prinz Diego.

»Vergiß es«, sagte Bredur und bestieg sein kurzbeiniges Tier.

»*Du* wirst mein Diener sein.«

Diener Diego mußte zu Fuß gehen. Er mußte auch seinen üppig bestickten, schwarzen Hofrock bei seinem lamentierenden Leibwächter zurücklassen und stattdessen die alte Schlitzjacke von Bredur anziehen. Das Samtwams mit den goldenen Knöpfen durfte er anbehalten.

»Die sind so protzig, das glaubt sowieso niemand, daß die echt sind«, meinte Bredur, der trotz milden Wetters wieder sein gelbes Jacki trug.

Sechs Tage dauerte der Weg zur septimenischen Grenze. Jetzt, wo der Prinz sich ihm ganz und gar ausgeliefert und jeden Anspruch an Lisvana aufgegeben hatte, war seine Gesellschaft Bredur beinahe wieder angenehm. Es war nicht das gleiche wie auf dem Schiff, als sie noch Freunde gewesen waren, aber es war doch netter, als allein zu reisen. Da Prinz Diego immer wieder danach fragte, erzählte Bredur ihm schließlich sogar von seinem Abenteuer auf der Insel der Glückseligkeit, von der wunderschönen Sarilissa, ihrem Tod und dem seltsamen Ersatz, den er dafür hatte leisten müssen. Prinz Diego brauchte keine Aufforderung, um von Lisvana zu erzählen. Tagaus, tagein mußte Bredur das Loblied auf die Prinzessin ertragen. Wie Diego sie mit den kostbarsten Geschenken hatte in Versuchung führen wollen und wie sie immer standhaft geblieben war. Und wie schnell sie die Gebräuche am baskarischen Hof erlernt hatte und wie elegant sie sich schon nach wenigen Tagen zu benehmen verstand und es dann trotzdem vorzog, Wäsche zu waschen, und selbst dabei so unnachahmlich hoheitsvoll gewesen war. Nachts, wenn sie unter freiem Himmel lagerten und der Prinz das Feuerholz nachlegte, redete er immer noch von Prinzessin Lisvana – wie schön und klug und liebenswert und tapfer sie sei, nur daß sie ihn die ganze Zeit nicht erhören wollte, dabei liebe sie ihn, davon sei er immer noch überzeugt, aber sie habe nun einmal so unmenschlich viel Ehrgefühl.

»Du mußt mir schwören, Lisvana gut zu behandeln, wenn du sie zur Frau bekommst«, verlangte Diego. »Schwör mir, daß du ihrer wert sein wirst!« Denn er, Diego, sei es ja nun einmal nicht gewesen. Das wisse er jetzt selber. Ein Nichts sei er, ein Versager, und im Grunde genommen geschehe es ihm ganz recht, daß er jetzt den ganzen Weg laufen müsse, und er hoffe nur, König Rothafur werde ihn recht hart bestrafen.

»Na, na«, sagte Ritter Bredur unangenehm berührt und kratzte seinen unregelmäßig nachwachsenden Bart. Die spröde Lisvana, die ihm gerade mal gestattet hatte, ihren Arm zu streifen und bei seinem Kuß so zurückgezuckt war, sie konnte in seiner Erinnerung nicht bestehen gegen die wilde, leidenschaftliche Sarilissa, das Zuckerklößchen, das Marienkäferchen. Aber Sarilissa war tot. Ein schrecklicher Unglücksfall, für den niemand etwas konnte. So hatte es jedenfalls Prinz Diego bezeichnet. Und Lisvana war mehr, als ein Ritter von Bredurs Herkunft erwarten durfte, und zweifellos schön. Wenn auch nicht so schön, wie Prinz Diego nicht müde wurde zu behaupten. Der war ja völlig verblendet.

Kurz vor der septimenischen Grenze weihte Bredur seinen Gefangenen ein und erzählte ihm von dem Zauberer und dem Drachen.

»Wenn ich mich nicht irre, dann soll das zweite Wort auf dem Schwanenfuß ›Gaspajori‹ heißen, und bei ›Rudatz‹ muß es sich um Rudeck handeln, die Burg, auf der der Große Gaspajori haust. Er ist ein wenig verschroben, besonders, was seinen Drachen betrifft, aber eigentlich harmlos. Ich gehe davon aus, daß er Prinzessin Lisvana entführt hat, um Grendel eine Symphatieverbindung zu beschaffen. Jedenfalls hat er davon ständig geredet. Drachen brauchen seiner Meinung nach adlige Jungfrauen, um sich gut zu entwickeln. Es ginge jetzt zu weit, dir alles zu erklären. Nein … nein, keine Sorge. Er wird sie nicht fressen. Grendel ist ein liebenswerter, ungefährlicher Drache. Das ist ja Friedlins Kummer … Er wird natürlich denken, ich komme ihn einfach bloß besuchen. Ich glaube nicht, daß er Verdacht schöpft. Du wartest besser vor der Burg. Wenn ich es geschickt anstelle …«

»Aber er wird dich Prinzessin Lisvana nicht sehen lassen. Er weiß doch, daß du sie kennst. Er wird sie vor dir verstecken.«

»Das ist richtig«, murmelte Bredur.

»Also brauchst du mich«, rief Diego ganz aufgeregt. »Ich gehe als dein Diener und warte mit dem Pferd im Hof. Und während du mit dem Zausel die alten Zeiten hochleben läßt, seh ich mich um, wo Prinzessin Lisvana gefangengehalten wird.«

Die Idee, daß es Diego und nicht er selber sein würde, der die Prinzessin befreite – so müßte es dann jedenfalls für sie aussehen –, behagte Bredur ganz und gar nicht.

»Ich brauch deine Hilfe nicht. Erstens bin ich mit Friedlin befreundet, und zweitens ist er alt, und ich glaube nicht, daß er irgendwelche Wachmannschaften in seiner

Burg unterhält. Er schien mir eher knapp bei Kasse zu sein.«

»Er kann zaubern«, rief Diego, »und du weißt nicht, ob er Lisvana freiwillig herausrückt. Du mußt mich als deinen Diener ausgeben. Wir dürfen die Prinzessin nicht in Gefahr bringen!«

Diesem Argument konnte sich Bredur nicht entziehen.

»Aber du kundschaftest bloß aus, wo sie sich aufhält. Du zeigst dich ihr nicht und redest auch nicht mit ihr, und du fängst auf keinen Fall einen Streit mit dem Drachen an. Was auch immer passiert, du rührst den Drachen nicht an, ist das klar? Halt dich von beiden fern!«

Diego schwor bei seiner Ehre und allen seinen Ahnen, Bredurs Anweisungen zu folgen.

BURG RUDECK

Die schlecht erhaltene Burg war von einem tiefen Graben umgeben. Eine Zugbrücke führte hinüber, deren Ketten so verrostet waren, daß sie gar nicht mehr eingeholt werden konnte. Das Tor hing schief in den Angeln. Als Bredur in den Hof trabte, klapperten Kelpies Hufe metallen auf dem Pflaster. Schwarze, zerbröckelnde Mauern warfen das Echo zurück. Krähen flogen von ihren Nestern auf und hoben sich schwarz gegen den verhangenen Himmel ab. Alles sah so verlassen und trostlos aus, daß dem Ritter ein Schauer über den Rükken lief.

»Hier muß sie irgendwo versteckt sein«, flüsterte Diego atemlos. Bredur war den ganzen Morgen getrabt, aber Diego hatte sich nicht abhängen lassen.

Eine Tür ging auf, und ein affenähnliches Wesen kam ihnen entgegen. Beim Gehen schaukelte es von einer Seite auf die andere und benutzte seine langen Arme als Stützen. Kelpie wieherte entsetzt.

»Wönschen?« röchelte das häßliche Wesen. Es hatte Blatternarben und ein falsches Grinsen im Gesicht. Auf der Stirn trug es ein gelbes Haarbüschel, während der Schädel selbst völlig kahl war. Sieben Zähne verteilten sich ungleichmäßig in seinem Mund.

»Mein Name ist Bredur von Wackertun, und ich möchte meinen lieben Freund, den Großen Gaspajori, besuchen«, antwortete Bredur.

»Warten«, befahl die Mißgeburt pampig und schlingerte davon, seinem Herrn Meldung zu machen. Kurz darauf kam auch schon der Große Gaspajori mit ausgebreiteten Armen auf Bredur zugelaufen.

»Willkommen! Willkommen, mein Freund. Wie schön, daß du zu mir gefunden hast! Na, das wird eine Überraschung für Grendel!«

Seine Freude war aufrichtig und so groß, daß die Quallenbrille beschlug. Beinahe schämte sich Bredur, daß er vorhatte, ihm die Prinzessin wegzunehmen. Mit dem Zauberer war auch sein Faktotum wieder herausgehumpelt, und als dem Großen Gaspajori im Überschwang der Spitzhut vom Kopf fiel, sprang es erstaunlich behende hinzu, hob ihn auf, putzte ihn ab und reichte ihn mit demütig gesenkten Augen und blödem Grinsen seinem Herrn. Der Zauberer riß ihm den Hut ungnädig aus den Fingern und stülpte ihn sich wieder auf den Kopf.

»Mein lieber Bredur, welcher Stümper hat dir denn den Bart gestutzt? Ohne dein gelbes Pferd hätte ich dich gar nicht erkannt. Komm, ich zeig dir meine Burg, ich zeig dir die Laboratorien. Aber laß dein Schwert hier, nachher reißt du damit etwas um. Du kannst es meinem Diener Placebo geben.«

»Ich kann es nehmen«, sagte Diego schnell und nahm Bredurs Greinderach entgegen.

»Placebo, du bringst den Diener meines Freundes in die Küche. Biete ihm Milch an«, befahl der Große Gaspajori.

Das Faktotum winkte Prinz Diego, ihm zu folgen, und

führte ihn in eine Küche ohne Dach, in deren Herd kein Feuer brannte. Es stellte einen Krug Milch auf den Tisch und streckte fordernd die langen Arme nach Bredurs Schwert aus, das Diego sich gegen jede Dienerart einfach umgegürtet hatte.

»Was willst du – das Schwert meines Herrn, auf das ich achten soll? Da könnte ja jeder kommen. Für was für einen Diener hältst du mich?«

Tatsächlich gab Placebo nach und setzte sich mißtrauisch knurrend an den Tisch.

Währenddessen folgte Ritter Bredur seinem Gastgeber eine bemooste Treppe mit unebenen, schlüpfrigen Stufen in die Kellergewölbe hinunter. Unten angekommen, zog der Zauberer eine brennende Fackel aus einer Mauerfuge und führte Bredur durch einen tropfenden Gang, bis sie an eine schwere, beschlagene Holztür kamen. Sie knarrte beim Öffnen, und der Große Gaspajori entzündete nun mit seiner Fackel mehrere an der Wand befestigte Leuchter. Das Laboratorium war in einem Gewölbe untergebracht, das aus dem Fels, auf dem Burg Rudeck stand, herausgebrochen worden war. Vor Bredur breitete sich ein Durcheinander von Tischen, Destillierapparaten, Galvanisierpfannen, spiralförmigen Glasröhren, ekelhaften Tiermumien, Töpfen voller ungesunder Substanzen, Blasebälgen und zerfledderten Manuskripten aus. Mittendrin saß ein fetter, keuchender Kater, der der Heerscharen von Mäusen und Ratten, die beim Auflodern der Leuchter von den Tischen gehuscht waren, offensichtlich schon länger nicht mehr Herr wurde. An den Wänden bogen sich Regale unter der Last von Keramikflaschen, Tiegeln und hölzernen Kästen, alles in einer Ordnung, die wohl nur dem

Zauberer bekannt war. Er forderte Bredur auf, sich umzusehen. Der Ritter öffnete eines der Kästchen und rümpfte die Nase – es enthielt getrocknete Tausendfüßler.

»Gut für Mixturen gegen das Reißen oder Hühneraugen«, erkärte der Zauberer, »gibt aber auch einem speziellen, von mir entwickelten Kleister die nötige Kraft und Festigkeit.«

Bredur heuchelte Interesse und stöberte weiter, um Prinz Diego die Zeit zu geben, das Faktotum abzuwimmeln und Prinzessin Lisvana zu finden. Da stand eine Dose, in der lebende Mehlwürmer raschelten, hier war ein Kästchen mit Zähnen von Gehenkten, hier ihre Fußnägel, hier Fingernägel, hier Sargnägel. Jungfernhaar, Engelshaar, Teufelshaar. In großbauchigen Flaschen ruhten Froschaugen, Unkenfüße, ganze Kröten oder Hundelungen in Spiritus. Auf einem Regal stapelten sich getrocknete Katzenschwänze. Im Regal darunter allerlei fertige Pasten, Pülverchen und Tränke, vornehmlich in gelb und grün.

»Das hier ist ein Schönheitstonikum auf der Basis von Quecksilber«, sagte der Zauberer stolz, »verkauft sich überaus gut und ist sehr wirksam.«

»Dann solltest du es deinem Diener Placebo nicht länger vorenthalten«, bemerkte Bredur.

Unter der Gewölbedecke waren Leinen gespannt, an denen Kräuter, Wurzeln und Entenfüße zum Trocknen aufgehängt waren. Bredur bewunderte das ausgeklügelte Lüftungssystem, das durch den Fels getrieben war, wie ein Kamin die Luft ansog und das Laboratorium trocken hielt. Neben den gedörrten Pflanzen hingen kleine gewachste Säcke, die die Kräuter darin vor der Austrocknung schützen und statt dessen gären und silieren lassen sollten. Genau so ein Säckchen hatte der Schwan um den Fuß getragen. Offenbar war auch Prinzessin Lisvana in den Genuß einer Laboratoriumsführung gekommen und durch den Anblick der getrockneten Entenfüße und Wachssäckchen zu ihrer Botschaft inspiriert worden. Fragte sich bloß, wo sie jetzt war.

Diego bemühte sich, mit Placebo ins Gespräch zu kommen.

»Viel Arbeit in so einem alten Gemäuer, was«, versuchte er es leutselig von Dienstbote zu Dienstbote, aber Placebo knurrte nur.

»Du bist doch nicht etwa der einzige Diener? Sag bloß, du mußt hier alles alleine machen.«

Wieder ein Knurren, das weder Zustimmung noch Ablehnung verriet.

»Hast da ja einen Riesen-Schlüsselbund, Mensch! Was gibt es denn hier zuzusperren? Ist doch eh alles so verfallen, daß man von rechts und links und von oben guten Tag sagen kann. Oder gibt's hier noch andere Zimmer, die man nicht gleich sieht?«

»Grmpf«, machte Placebo.

»Kannst du nicht sprechen oder willst du es nicht?« rief Diego böse.

»Grmmmpf.«

»Ich versuch mich ja bloß höflich zu unterhalten, also sperr endlich deinen blöden Schnabel auf!«

Als Antwort kam ein Grollen, so tief und laut wie von einem wütenden Bären, und Diego hob beschwichtigend die Hände.

Im Labor bewunderte Bredur unverdrossen das Reliquienregal mit Fetzen von geweihtem Samt und Holzsplittern von Kreuzen.

Friedlin hielt Bredur ein messingbeschlagenes Kästchen hin.

»Es ist ganz und gar aus Kreuzdorn hergestellt. Die einzige Möglichkeit, eine Springwurz einzusperren. Ansonsten knackt die jede Tür und jede Truhe.«

Darunter ein Kasten voller Knochen – ungeordnet. Ein Fläschchen Schneckenöl, ein Töpfchen Sternenschleim. Eine Büchse Asa foetida. Darüber eine Reihe brauner Flaschen, alle mit Totenkopf bemalt.

Endlich gab es kein Fledermaushäutchen und kein einziges getrocknetes Froschauge mehr, das Bredur nicht schon ausgiebig betrachtet und gebührend bewundert hatte, und der Zauberer führte ihn wieder ans Tageslicht.

»Komm, ich zeige dir Grendels Trainingsplatz. Er befindet sich im zerstörten Teil der Burg.«

Der zerstörte Teil war zugleich der größte Teil der Burg. Genau genommen waren nur ein Turm und ein Seitenflügel des Gebäudes noch vollständig erhalten. In jahrelanger Arbeit hatte Placebo die Schuttmassen zur Seite getragen, dort aufgehäuft und so eine Art Arena geschaffen. Bredur nahm die Gelegenheit wahr, in aller Unschuld nach Grendel zu fragen.

»Können wir ihm nicht schnell einen Besuch abstatten? Ich habe ihn schon so lange nicht mehr gesehen und richtig Sehnsucht nach dem alten Ungeheuer.«

»Grendelchen? Oh nein, äh … nicht jetzt, … jetzt geht das nicht. Er hält seinen Mittagsschlaf, muß sich erholen. Das ist wichtig für das Training, weißt du. Ich hol ihn heute abend raus, zeig ihn dir auf dem Platz. In seinem Verlies mag er neuerdings nicht gestört werden. Wird dann aufsässig. Er ist sehr eigen. Du kennst ihn ja.«

Bredur war nun sicher, daß die Prinzessin sich bei Grendel aufhielt.

»Und wo ist sein Verlies?« fragte er freundlich.

»Oh … äh, … da hinten …«

Der große Gaspajori beschrieb mit seinem Arm einen Halbkreis, der praktisch die ganze Burg mit einbezog.

»Laß uns jetzt ins Kekszimmer gehen und etwas knabbern. Du mußt doch hungrig sein. Ich zeige dir das neue Buch, das ich angefangen habe. Es geht um die Korrektur von schwierigen Drachen.«

Prinz Diego wurde das Faktotum einfach nicht los. Placebo verfolgte ihn sogar, als er vorgab, austreten zu müssen, und in Richtung der ruinösen Burgscheune ging.

»Was ist los mit dir?« rief Diego, als Placebo hinter ihm hergeschnauft kam. »Willst du mir dabei zusehen? Ich würde jetzt gern mal eine Minute allein sein, wenn das möglich ist, jaaaah?«

Placebo sah ihn irritiert an und kratzte sich am Hinterkopf.

»Na los, Großer! Sch, sch…«, machte Diego und wedelte mit einer Hand, während er mit der anderen seinen Hosenstall loszurrte.

Endlich trollte sich Placebo widerwillig um die nächste Ecke.

Sofort zurrte Diego den Hosenlatz wieder fest und rannte in die Scheune. Verzweifelt suchte er eine zweite Tür oder ein Loch in der Wand, wo er hätte wieder hinausschlüpfen und Placebo abhängen können. Gerade noch rechtzeitig konnte er sich hinter einem Fass verstecken, als das Faktotum auch schon in die Scheune gestürzt kam.

»Wo?« bellte es. »Wowo?«

Diego hielt den Atem an. Nun begann Placebo, sämtliche Fässer, Bretter und Kisten, die es in der Scheune gab, hochzuheben, umzudrehen und durcheinanderzuwerfen.

»Wo«, bellte er dabei, »wo?« und kam immer näher.

Diego faßte nach dem Schwert an seiner Seite. Aber den Diener des Zauberers gleich zu töten, war vielleicht ein bißchen übertrieben. Er sah sich vorsichtig um. Nicht allzuweit entfernt standen einige Gerätschaften für die Feldarbeit, und als sein Blick auf eine breite Schaufel fiel, wußte er, daß er das passende Instrument gefunden hatte. Während Placebo links von ihm beschäftigt war, kroch er hinter einem Stapel Wagenrädern nach rechts, bewaffnete sich, sprang plötzlich hervor und rannte laut schreiend auf ihn zu. Mit einem wohlgezielten Schlag hieb er ihm die Schaufel über den Kopf. Er mußte noch zweimal nachlegen, aber dann stellte sich die beabsichtigte Wirkung ein, und Placebo fiel der Länge nach hin. Diego nahm ihm den Schlüsselbund ab und lief, Prinzessin Lisvana zu befreien. An das Versprechen, daß er Bredur gegeben hatte, dachte er nicht eine Sekunde. Nur — wo sollte er suchen?

IM VERLIES

m verlassensten und tiefsten Winkel der Burg, einem unterirdischen Gewölbe, das früher einmal Kerker und Folterkammer gewesen war, saß Prinzessin Lisvana auf einer Strohschütte. Sie trug einen Eisenreif um den Hals, der mit kurzer Kette an die Wand geschmiedet war. Auf ihrem Schoß ruhte der Kopf des Drachens. Grendel blies ihr seinen stinkenden Atem entgegen und drückte ihr allmählich die Blutzufuhr in den Beinen ab. Der unappetitliche weiche Kinnsack des Ungeheuers breitete sich wie eine Schürze über ihre Knie. Seit vielen Wochen schon mußte sie seinen dicken Kopf auf ihrem Schoß wiegen und ihn hinter den Maultierohren kraulen. Wenn sie darin auch nur einen Moment nachließ, begann Grendel sogleich zu fiepen und zu jaulen und mit seiner rauhen Zunge ihre Prinzessinnenhände abzuschlecken, wobei ihm grüner Geifer aus dem Maul lief. Der Geifer hatte bereits eine unschöne Borke auf Lisvanas einstmals prunkvollem Kleid hinterlassen. Außerdem war es voller Brandlöcher, denn bei den Fütterungen entfuhr Grendel manchmal ein kleiner Feuerrülpser.

Die Prinzessin war am Ende ihrer Kräfte. Was der Wäschedienst bei Königin Isabella nicht fertiggebracht hatte, hatten die Wochen im Drachenverlies spielend geschafft. Ihre Haut war fahl und stumpf, der Glanz in ihren Augen erloschen, die Wangen eingefallen, und durch den Schmutzfilm auf ihrem Gesicht hatten sich Tränen ihren Weg gewaschen.

»Ich weiß gar nicht, was es da zu jammern gibt«, hatte der böse Zauberer gesagt, »Ihr seid verwöhnt – das ist es. Aber man muß auch mal geben können. Nicht immer nur nehmen und nehmen und nehmen.«

Sie hatte ihn angefleht, ihr wenigstens die Halsfessel zu erlassen, aber der Große Gaspajori wollte sichergehen, daß sie still am Boden saß und seinem Drachen Gelegenheit gab, Kräfte und Fähigkeiten zu sammeln.

»Freut Euch, daß Ihr Euch mit einem so seltenen und bedeutenden Tier beschäftigen dürft. Seht doch, wie gern Grendel Euch bereits hat! Alles, was ihm fehlte, war eine Prinzessin. Im nächsten Jahr wird er unschlagbar sein.«

Lisvana kam es vor, als saugte der Drache ihre Kräfte auf. In gleichem Maße, in dem Grendel immer stärker und selbstbewußter wurde, schienen ihre Kraft und Zuversicht zu schwinden. Und wenn nicht bald ein tapferer Königssohn kam …

Königssohn, dachte Prinzessin Lisvana, nicht Ritter. Wann immer sie ihren Kopf zu den Gitterstäben der Kerkertür wandte, war es Prinz Diego, den sie zu sehen hoffte, Diego, wie er mit gezogenem Schwert zu ihrer Rettung erschien, nicht Bredur oder ihr Vater. Diego liebte sie – unbesonnen, heftig und ohne jede Einschränkung. Seine Liebe hatte sie immer stärker und schöner und strahlender gemacht, und überhaupt war er herzensgut und mit allen erdenklichen Vorzügen ausgestattet. Er würde kommen und dem scheußlichen Drachen den Kopf abschlagen, diesem Biest, das sie so quälte und erschöpfte.

»Ich liebe dich«, würde sie zu Diego sagen, einfach nur das. Er würde sie ungläubig anschauen, und dann würde sein schönes Gesicht zu strahlen beginnen, und er würde ihre Ketten durchschlagen und sie auf seinen Armen hinaustragen und vor sich auf ein Pferd setzen und nach Basko zurücksprengen. Im Schloß würden schon die Schneider warten, um ihr das schönste Hochzeitskleid anzupassen, das man je gesehen hatte. Zwölf Zwerge würden die Schleppe tragen. Zwölf silbergewandete Jungfrauen würden voranschreiten. Aber Rosamonde und Pedsi dürften nicht dabeisein, weil sie aus dem Nordland kamen. Die aus dem Nordland, die waren überhaupt schuld daran, daß sie hier saß. Alle! Ihretwegen war sie in diese Falle geraten, statt im Schloß zu bleiben, wo es ihr gut gegangen war, wo sie Kleider und Schmuck besessen hatte, wo kein Wunsch zu abwegig gewesen wäre, als daß man ihn ihr nicht erfüllt hätte. Warum waren die Nordländer denn nicht gekommen, um sie zu befreien?

Der dicke Drache hob den Kopf, schnaufte, ließ ein wenig Rauch aus seinen Ohren quellen, stubste sie verliebt an und watschelte dann zu einer Schwingtür, die in den Burggraben hinausführte. Der Burggraben war das eigentliche Drachengehege, aber seit Lisvana im Verlies angekettet war, blieb Grendel fast den ganzen Tag bei ihr. Den Graben benutzte er nur noch als Abort.

»Ja genau, hau ab! Geh Gassi. Mach ein Häufchen! Und laß dir schön Zeit dabei. Brauchst nicht so schnell wieder zukommen«, knurrte Lisvana mit zusammengebissenen Zähnen. Sie dehnte und reckte die Beine, versuchte ihren Kreislauf wieder in Gang zu kriegen, bis das häßliche Biest sie für die nächsten Stunden zur Bewegungslosigkeit verdammen würde.

»Diego«, dachte sie wieder. »Liebster Diego, komm doch bitte. Wenn du mich wirklich liebst, mußt du bald kommen.«

Zum tausendsten Mal sah sie zu den Gitterstäben der Kerkertür.

Und dann stieß sie einen leisen Schrei aus, denn da stand tatsächlich jemand und hantierte mit Placebos riesigem Schlüsselbund.

»Wer ist da?«

»Ich bin's, der tölpelhafte Tänzer. Ich bring Euch Euren Schuh.«

»Diego«, flüsterte Lisvana. Mehr fiel ihr nicht ein. Das Blut dröhnte in ihren Ohren, und das Herz sprang ihr in der Brust.

Es gab einen mächtigen, knirschenden Riegel, den der Prinz zurückschieben mußte, und dann noch das große rostige Schloß. Es schien endlos zu dauern, aber schließlich schwang das Kerkertor auf, und Diego lief zu ihr, kniete sich neben sie und steckte der Prinzessin den Pantoffel an ihren schmutzigen kleinen Fuß.

»Paßt. Und sieht genauso aus wie der andere. Dann muß es wohl Eurer sein. Wird Zeit, daß Ihr ihn zurückbekommt.«

»Oh, Diego.«

Er holte Placebos Schlüsselbund wieder hervor und probierte, welcher Schlüssel zu Lisvanas Halsfessel paßte. Während Prinz Diego dem Schlosserhandwerk nachging, konnte Lisvana immer nur seinen Namen flüstern, aber als er sie endlich befreit und ihr aufgeholfen hatte, fiel ihr noch etwas anderes ein.

»Ich liebe dich«, sagte sie und schluckte. Er antwortete nicht. Sie sah ihn erschrocken an. Für einen erhörten Liebhaber machte er keinen besonders begeisterten Eindruck. Er sah bloß starr an ihr vorbei, und als sie seine Schulter berühren wollte, stieß er sie so grob zur Seite, daß sie zu Boden stürzte. War es möglich? War seine Liebe erloschen? Hatte sie ihn zu lange hingehalten und alles verdorben? Prinzen waren so schwer berechenbar. Zum Teufel mit Stolz und Ehre! Endlich wußte sie, daß sie ihn liebte, und wenn er sie nicht wiederliebte, dann hatte ihr Leben keinen Sinn mehr. Sie wollte sich ihm zu Füßen werfen, seine Fußgelenke umklammern und ihn anflehen, es noch einmal mit ihr zu versuchen, ihr den schlechtesten Platz in seinem Herzen einzuräumen, aber sie nicht ganz und gar daraus zu verbannen. Da hörte sie hinter sich dieses vertraute Schnauben und das Knarren der Schwingtür. Es war Grendel, der von seinem Misthaufen zurückkehrte. Grendel in voller Drachengröße. Er war es, der die Aufmerksamkeit des Prinzen gefesselt hatte. Der Geifer klekkerte von seinen kleinen krummen Zähnen. Seine Maultierohren peitschten die Luft. Er legte den Kopf in den Nakken, soweit der Gewölbehimmel es zuließ und fauchte eine Feuerfontäne, daß sich Prinz Diegos Haarspitzen kräuselten, obwohl es bis zur Schwingtür gute fünfzehn Meter waren. Aber der Prinz wich keinen Schritt zurück, sondern zog das Schwert. Grendel trampelte auf ihn zu.

»Hah, du Biest«, schrie Diego, stellte sich vor Prinzessin Lisvana und donnerte Grendel das Schwert auf die Nase.

»Nimm das und das und das!«

Er kam nicht durch, die Haut war einfach zu dick. Erst beim dritten Schlag ritzte er sie leicht an, ein paar Blutstropfen rollten, so, als hätte der Drache Nasenbluten. Nichts Ernstes, aber Grendel fing sofort an zu jammern und zu winseln und legte beide Tatzen auf die blutende Stelle.

»Dich mach ich fertig!« brüllte Prinz Diego.

Nicht nur Grendel jammerte, auch die Prinzessin. Unschlüssig stand sie in der Kellertür.

»Lauft«, rief Diego, »lauft hinaus, ich lenk ihn ab.«

Grendel schmetterte ihm eine zweite Feuerfontäne entgegen, aber dieses Mal aus unmittelbarer Nähe, so daß Diego sich zu Boden werfen und auf die Seite rollen mußte. Das Stroh im Verlies begann an mehreren Stellen zu glimmen, dann schlugen die ersten Flammen empor, schnell bildete sich dichter Rauch.

»Lauft«, rief er der Prinzessin noch einmal zu.

»Nicht ohne dich«, rief Lisvana

»Ich komm ja gleich nach!«

Während er Grendel auf die Pfoten hackte, hörte er sie endlich auf ihren Pantoffeln hinausklappern. Der Drache wich feige rückwärts, und Diego nutzte diesen Augenblick, um ebenfalls aus dem Kerker zu laufen, die Gittertür hinter sich zuzuschlagen und den Riegel vorzuschieben. Aber nun hatte Grendel begriffen, daß Lisvana entflohen war, und seine Liebe zu ihr konnte sich mit der des Prinzen durchaus messen. Er erhob ein jammervolles Geheule, und dann rannte er durch das brennende Stroh und warf sich mit der ganzen Wucht seines riesigen Leibes gegen das Türgitter. Der Riegel barst, Holz splitterte, und die Tür flog auf. Von Grendels Weinerlichkeit, Zaghaftigkeit und

Feigheit war nichts mehr zu bemerken. Er atmete tief ein, um sich genügend Luft für einen kräftigen Feuerstrahl zu holen. Prinz Diego wartete das Ergebnis nicht ab, sondern lief, so schnell er konnte, hinter Lisvana her. Zum Glück machte der unterirdische Gang schon nach ein paar Metern eine scharfe Biegung nach rechts, so daß Diego dem Feuerstoß des Drachen um Haaresbreite entwischte. Hinter ihm glühte rot die Luft, und vor ihm erstreckte sich ein völlig gerader Tunnel von mindestens dreißig Metern. Diego rannte, was er konnte. Gleich würde der Drache um die Ecke biegen und ihn in seinem feurigen Atem braten. Schon hörte er ihn keuchen und scharren. Noch zehn Meter bis zur nächsten Abzweigung. Verzweifelt drehte er sich um. Das Ungeheuer war in der scharfen Biegung stekkengeblieben. Es kämpfte sich gerade frei. Diego warf sich nach links. Hinter seinem Rücken toste der Feuersturm vorbei. Acht Meter geradeaus und noch einmal nach links, dann zweimal rechts, und Diego brauchte nur noch dem Licht zu folgen, das aus dem Schloßhof hereinfiel. Dort wartete bereits Lisvana auf ihn und rang nach Luft. Ihr Gesicht war zerschunden, und ihre Nase blutete. Sie mußte gestürzt sein. Er faßte sie beim Arm, aber bevor er sich mit ihr verstecken konnte, schoß der Drache ans Tageslicht, stellte sich auf die Hinterbeine und fegte mit seinem Schwanz einige Zinnen von der Burgmauer. Er sah so furchterregend aus, daß sogar Kelpie vor ihm erschrak und aus dem Burgtor galoppierte. Diego lief auf ihn zu, um ihn von Lisvana fernzuhalten, und Grendel hob brüllend den Kopf gegen den Himmel und hieb mit seinen Vorderpranken durch die Luft.

Ritter Bredur saß gerade mit dem Großen Gaspajori im Kekszimmer der Burg, knabberte Gebäck und besah illustrierte Folianten.

Der Zauberer schrak hoch.

»Was ist das da draußen für ein Lärm?«

»Ich hör nichts«, behauptete Bredur.

Aber Gaspajori lief schon zum Fenster.

»Grendel«, schrie er. »Es ist Grendel! Dein Diener quält ihn!«

»Unsinn, die spielen bloß«, sagte Bredur, klang aber selbst nicht überzeugt. Gaspajori rannte los, riß sich in der zuklappenden Tür eine gehörige Portion Barthaar aus und fegte die Treppen hinunter. Bredur hatte Mühe, ihm auf den Fersen zu bleiben.

Unten im Hof scharrte und tobte der Drache, versuchte abwechselnd, Prinz Diego zu verbrennen oder ihn zu erschlagen. Sein Schwanz und seine Tatzen sausten in immer schnellerer Folge durch die Luft, und jeder einzelne Schlag wäre für den Prinzen tödlich ausgegangen, hätte Grendel nur ein einziges Mal getroffen. Aber Diego sprang mit seiner tänzerischen Leichtigkeit um ihn herum, wich den Krallen und dem Feueratem aus und fehlte mit keinem einzigen Schwerthieb. Er hätte den Drachen längst erlegt haben müssen, hätte auch nur ein einziger seiner Schläge etwas an der Drachenhaut ausgerichtet. Aber er ritzte sie kaum. Und Grendel war jetzt zu wütend, um noch wehleidig zu sein. Die einzige, die jedesmal schrie, war Prinzessin Lisvana. Ihre Schreie brachten Grendel noch mehr auf, er klappte mit den Flügeln und brüllte furchterregend. Und wenn er bisher immer meterweit daneben geschlagen hatte, so knallte sein Schwanz allmählich bedenklich dicht neben Diego zu Boden. Aber auch der Prinz entdeckte nun, wie diesem Ungeheuer beizukommen war. Er mußte ihm nur das Schwert von unten in den Kehlsack rammen. Dort sah es weich und empfindlich aus.

»Nein! Nicht!«

Es war der Große Gaspajori, der mit fliegendem Bart in den Schloßhof gerannt kam.

»Tu meinem Drachen nichts«, rief er. »Er ist ja noch ganz klein.«

Diego packte den Schwertgriff mit beiden Händen und rammte die Klinge von unten gegen das Drachenmaul. Grendel zuckte gerade noch zur Seite, und das Schwert schlitzte bloß seine Unterlippe. Er jaulte empört auf, drehte sich um sich selbst und ließ seine Pratzen auf das Burgtor fallen, wie ein Cembalospieler beim Schlußakkord. Kaum war das Tor zerstört, versetzte Grendel der Außenmauer einen Tritt. Die Quader purzelten wie Würfel durch den Hof, und der Große Gaspajori und Bredur konnten gerade noch zur Seite springen. Grendel setzte sich auf die Hinterbeine und heulte mit zurückgelegtem Kopf den Himmel an. Dem Heulen folgte eine gigantische Feuerfontäne.

»Jaaa, Jaaa! So ist recht, mein Kleiner«, rief der Große Gaspajori, »spuck nur tüchtig Feuer. Du kannst es ja, und wie du es kannst!«

»Hast du gesehen, wie weit sein Feuer reicht?« rief er Bredur zu.

»Ja ... äh ... großartig«, sagte Bredur, der gerade versuchte, sich zu Prinzessin Lisvana hinüberzuschleichen.

»Was geht hier eigentlich vor?« rief der Große Gaspajori.

Jetzt bemerkte auch der Drache, was Bredur im Schilde

führte. Mit einem Satz sprang er zwischen ihn und die Prinzessin. Die Erde bebte. Er fauchte Bredur an, spuckte Funken und hieb mit seinen Vorderpranken nach ihm.

»So ist es recht«, feuerte ihn der Große Gaspajori an, die Gastfreundschaft nun völlig außer acht lassend. »Reiß ihm die Eingeweide heraus. Röste seine häßlichen Ohren. Laß dir dein Mädchen nicht wegnehmen!«

»Alter Trottel«, schrie Bredur den Zauberer an. »Was ist in dich gefahren? Hast du nicht schon genug Unheil angerichtet? Gib Prinzessin Lisvana vom Nordland frei!«

»Hol sie dir doch«, schrie der Große Gaspajori mit wahnsinnigem Lachen, »hol sie dir doch! Hahahaha!«, und Grendel breitete seine Fledermausschwingen zu voller Spannweite aus und stellte sich wie ein Paravent vor die Prinzessin. Dann, als wäre er selbst überrascht, daß er Flügel besaß, probierte er sie aus, schwang sie vor und zurück. Der Sand im Schloßhof wirbelte meterhoch auf.

»Siehst du, wie er pleddert«, rief der Große Gaspajori, der vor lauter Aufregung schon wieder vergessen hatte, daß Bredur ja nun sein Feind war. »Gleich hebt er ab, gleich hebt er ab.«

Sein gelber Bart flatterte im Luftzug, und seine vierfach vergrößerten Augen funkelten irr. Er rannte auf seinen Drachen zu. Aber Grendel mißverstand diese Begeisterung. Er glaubte, auch sein Herr und Meister hätte es nun darauf abgesehen, ihm seine Prinzessin wegzunehmen. Böse zischend streckte er ihm den langen Hals entgegen.

»Nicht doch, Grendel, Grendelchen, ich bin's ... Grendelchen ...«

Im nächsten Moment hatte sich der Drache zur Seite gedreht und fegte mit einem Schwanzschlag den Großen

Gaspajori in die Luft. Der Zauberer flog quer über den Hof und schlug in den Resten des zerstörten Tores auf. Bredur lief zu ihm und stützte Gaspajoris Kopf. Blutiger Schaum quoll aus den Ohren des Zauberers, verfärbte sich grün und dann violett. Grendel drehte sich fauchend zu seiner Prinzessin um. Aber die war nicht mehr da. Prinz Diego hatte die Gelegenheit genutzt, um Prinzessin Lisvana am Arm zu packen und mit ihr zurück in das Verlies zu laufen, den tiefsten und damit im Moment sichersten Platz in dieser Burg. Als Grendel seine Gebieterin nicht mehr an ihrem Platz fand, kannte seine Verzweiflung keine Grenzen. Er hob die Trümmer auf und sah unter jedem Mauerstück nach. Er zwängte seinen Kopf und seinen Hals in jeden Gang und jedes Fenster, unter jeden Torbogen, stemmte sich dann hoch und sprengte Dächer und Bögen. Er scharrte mit den Vorderpfoten die Treppe zum Labor auf und schmiss mit Steinen nur so um sich. So, wie er wühlte und tobte, hätte Prinzessin Lisvana ihr Auffinden wohl kaum überlebt, und es war reines Glück, daß er den Zugang zu ihrem wahren Aufenthaltsort nicht verschüttete.

»Mein Gott, du blutest ja«, keuchte Diego, als sie das Verlies erreicht hatten. Das Strohfeuer war von selbst wieder ausgegangen, aber die Luft war noch verqualmt und biß in den Augen. Diego brachte Lisvana hinaus in den Burggraben, wo es ein bißchen nach Drachenmist stank.

»Du bist verletzt. Da, an der Nase und am Mund. Es tut mir leid. Das ist alles meine Schuld. Alles, was geschehen ist, tut mir unendlich leid. Die Entführung und die Ohrfeige und überhaupt alles. Ich akzeptiere jetzt, daß du mich nie lieben wirst. Nein, hör mir zu, dies ist wahrscheinlich meine letzte Gelegenheit, mit dir zu reden. Ich wollte nur nicht wahrhaben, daß du mich nicht liebst. Das liegt daran, daß ich so furchtbar verwöhnt bin. Und weil ich dich so sehr liebe. So ist das nun einmal. Aber das entschuldigt natürlich gar nichts. Ich will dich nur noch schnell retten, und danach wird Bredur dich nach Hause zurückbringen, und wenn du irgend etwas zur Entschädigung haben willst, sollst du es kriegen, dein Vater auch, aber mir ist natürlich klar, daß ich mit unserem Scheißgold überhaupt nichts wiedergutmachen kann. Laß mich dir nur noch das Blut abwischen und den Drachen für dich erledigen. Danach werde ich dich nie wieder belästigen.«

Er holte ein großes, nicht allzu sauberes Tuch aus der Tasche und tupfte damit an Lisvanas Lippe herum.

Sie warf ihm die Arme um den Hals.

»Aber ich liebe dich doch«, schluchzte sie. »Begreif das doch endlich. Es stimmt, ich habe immer das Gegenteil behauptet, aber in Wirklichkeit habe ich dich von Anfang an geliebt. Ich habe dich schon geliebt, als ich dich das erste Mal vom Schiff kommen sah, mit deinem schwarzen Mantel und den schwarzen Haaren und den schwarzen Handschuhen und den blauunterfütterten Schlitzen.«

»Das weißt du noch«, stammelte Prinz Diego. »Das weißt du wirklich noch? Ich dachte, die Schlitze wären rotunterfüttert gewesen?«

Er zog ihren Kopf an seine Brust und vergrub seine Nase in ihrem Haar.

»Nein, blau! Ich muß es wissen, denn ich habe dich gleich geliebt«, sagte Lisvana, ihr Kinn gegen sein Samtwams gestemmt, »und ich habe dich noch mehr geliebt, als du mich auf dein Schiff entführt hast. Jede Nacht habe ich mich nach dir gesehnt, aber ich konnte es doch nicht sagen.«

»Nein, nein, das konntest du nicht«, bestätigte Prinz Diego und hob ihre zerschrammten Hände an seinen Mund.

»Ich habe dich so sehr geliebt, daß ich sogar glücklich war, deine Gefangene zu sein. Und ich liebe dich immer noch so sehr, daß ich mit Freuden die niederste Arbeit im Schloß deines Vaters verrichten werde, wenn du nur wieder bei mir bist. Alles, alles will ich für dich tun. Soll ich deine Stiefel mit meinen Haaren putzen?«

»Auf keinen Fall«, sagte Prinz Diego, und dann küßte er Prinzessin Lisvana auf den Mund.

GRENDEL FLIEGT

Es wurde ein langer Kuß, so leidenschaftlich, wie nur ein Kuß ist, auf den man monatelang hat warten müssen. Dann sahen sie sich an, und dann küßten sie sich wieder, und dann sahen sie sich wieder an. Prinz Diego riß sich als erster los.

»Wenn es dir soweit gutgeht, dann muß ich jetzt zurück und Bredur helfen, den Drachen zu erlegen.«

»Nein, geh nicht. Der beißt dich tot«, flehte Prinzessin Lisvana, aber Diego küßte sie schnell auf die Stirn, und dann flog er auch schon wieder die unterirdischen Gänge entlang. Als er ans Tageslicht trat, war die Burg ein einziges Trümmerfeld. Nur der schmale Turm stand noch. Der Drache wühlte und kratzte in den Mauerresten. Ritter Bredur saß immer noch bei dem verletzten Zauberer, hielt seinen Kopf, versuchte, ihm die verbogene und zersplitterte Brille wieder aufzusetzen, und kümmerte sich überhaupt nicht um den wütenden Grendel. Er war wohl doch nicht so tapfer, wie er immer getan hatte. Diego faßte das Schwert fester und bewegte sich langsam auf den Drachen zu. Aber bevor er nahe genug herangekommen war, um ihm das Schwert in die Kehle zu rammen, drehte Grendel sich mit einem Felsbrocken in der Vorderpranke um und fixierte ihn aus böse glitzernden Augen. Im nächsten Moment sprang und hopste Prinz Diego wie ein Hase, um den Steinen auszuweichen, die Grendel in seine Richtung pfefferte.

»Hilf mir endlich«, brüllte er zu Bredur hinüber, aber die Hilfe kam von anderer und unerwarteter Seite. Placebo, der erstaunlicherweise dem Abrißgeschäft des Drachen nicht zum Opfer gefallen war, erwachte aus seiner Ohnmacht. Er wühlte sich unter den Brettern der ehemaligen Scheune hervor, erfaßte mit einem Blick die Lage und beschloß, seine Rechnung mit den Gästen auf später zu verschieben. Mit einer der rostigen Ketten aus den Trümmern des Burgtors schlich er sich von hinten an den Drachen heran. Er wollte sie ihm um den Fuß schlingen. Grendel hob einen besonders großen Stein auf, aber statt ihn gegen Diego zu schleudern, drehte er sich plötzlich um und hieb ihn Placebo auf den Schädel. Es gab ein unheilvolles Knacken, und hinterher waren sich alle Überlebenden einig, daß das Burgfaktotum nicht lange hatte leiden müssen. Grendel spreizte seine Flügelhäute, klappte sie ein paarmal vor und zurück, knickte leicht in den Gelenken ein, stieß sich vom Boden ab und erhob sich in die Luft. Es rauschte und zischte, Grendels gewaltiger Schatten verdunkelte den Burghof, dann stieg er höher und begann, um den Burgturm zu kreisen, ein Auge zuzukneifen und mit dem anderen in die Turmzimmer zu plieren, ob seine geraubte Braut nicht vielleicht dort steckte.

Der sterbende Zauberer krallte seine Hand um Bredurs Arm:

»Er fliegt«, flüsterte er heiser. »Siehst du, wie er fliegt? Ich wußte doch, daß er es kann. Gib einem Drachen eine jungfräuliche Prinzessin, und er kann alles. Wir werden ihn im nächsten Jahr auch zur Flugschau anmelden. Die werden staunen.«

»Na klar doch«, sagte Bredur und fühlte mit Schrekken, wie kalt die Hand des Zauberers bereits war, »zur Flugschau und zu sämtlichen anderen Disziplinen. Grendel schafft sie alle, und du stellst dir den Kamin voller Pokale.«

»Jaaaa«, seufzte der Große Gaspajori, »das wird toll! Hast du gesehen, wie er fliegt? Laß nicht zu, daß ihm jemand etwas antut. Sorg für meinen kleinen Drachen, dich kennt er doch. Jetzt, wo er fliegen ka…«

Bredur nahm die kaputte Brille, die er dem Zauberer gerade erst aufgesetzt hatte, wieder ab und drückte ihm die Augen zu.

Grendel zerschlug jetzt das Dach des Turmes. Er tobte, wühlte und zerstörte, steckte den Kopf hinein, hielt sich am Rand fest und schraubte seinen Hals die enge Wendeltreppe hinunter. Den entstehenden Spannungen hielt das alte Gemäuer nicht lange stand, und schließlich brach der ganze Turm ein und stürzte mitsamt dem Drachen zu Boden. Offenbar hatte sich darin die Bibliothek befunden, denn auf einmal regnete es Folianten und Schweinsgebundenes mit Goldschnitt. Das Turmsegment wie einen Kragen um den Hals, blieb Grendel liegen.

»Auf ihn«, brüllte Diego und rannte mit gezücktem Schwert los, um dem bewußtlosen Drachen den Kopf abzuschlagen.

Aber Bredur stellte sich ihm in den Weg.

»Zurück! Du tötest die Prinzessin!«

»Weg da. Gleich wacht er wieder auf«, rief Diego und

wollte sich an Bredur vorbeidrängen. Der Ritter stieß ihn zu Boden und setzte ihm seinen Fuß auf die Brust.

»Du tötest Prinzessin Lisvana«, brüllte er. »Hast du mich verstanden?«

Jetzt erst ließ Prinz Diego das Schwert los und sah Bredur verwirrt an.

»Wenn du den Drachen tötest, tötest du auch die Prinzessin. Sie haben zu lange miteinander gelebt. Wenn ein Drache und eine Jungfrau eine gewisse Zeit miteinander verbringen, kannst du den Drachen nicht mehr töten, ohne daß gleichzeitig die Jungfrau stirbt.«

»Du meinst …?«

»Genau. Hau dem Drachen eine Vordertatze ab, und Lisvana verliert die Hand. Schneid Lisvana die Halsader auf, und der Drache wird mit ihr verbluten. So etwas nennt man Sympathieverbindung.«

»Daß du an so etwas überhaupt nur denken kannst«, sagte Diego.

Bredur nahm den Fuß von seiner Brust, und der Prinz stand auf und gab ihm das Schwert zurück.

»Was machen wir denn jetzt?«

»Ich würde sagen, wir holen so schnell wie möglich Prinzessin Lisvana her, bevor der Drache aufwacht und sich wieder aufregt.«

»Ich hol sie schon«, rief Diego.

»Ich komme mit«, sagte Bredur. »Da der Drache ohnmächtig ist, wird sie es auch sein, und wir müssen sie tragen.«

»Hoffentlich ist dem Drachen nicht allzuviel passiert«, sagte Diego besorgt. »Er hat sich doch nichts gebrochen? Blutet er? Siehst du, ob er irgendwo blutet?«

»Nein, der hat einen steinharten Schädel und ist praktisch unverwundbar. Jetzt komm!«

Es war, wie er gesagt hatte. Lisvana lag besinnungslos im Burggraben. Ihr Gesicht war bleich, ihr Hals und ihre Arme waren zerschrammt und zerschunden, als hätte sie gemeinsam mit Grendel in der Burg gewühlt, aber sonst schien sie wohlauf. Diego beugte sich über sie und streichelte bekümmert ihre Stirn.

»Weck sie nicht auf«, herrschte Bredur ihn an, »sonst haben wir da draußen ein Problem.«

Gemeinsam trugen sie die Prinzessin nach draußen, setzten sie neben dem Kopf des Drachen auf die Erde und schichteten in ihrem Rücken ein paar Steine auf, um sie anzulehnen. Bredur schob Lisvanas Beine unter Grendels weiches Kinn.

»Ist das wirklich nötig?« murrte Diego, aber da war Bredur unerbittlich.

»Ein Teil der unverzichtbaren Lebensenergien der Prinzessin ist auf den Drachen übergegangen und durch seine ersetzt«, dozierte er. »Diese Verbindung funktioniert nur, solange die beiden Organismen immer wieder in Verbindung treten. Der eine kann ohne den anderen nicht existieren.«

»Ja, aber was machen wir denn nun? Was sollen wir denn jetzt bloß machen?« rief Diego verzagt. Die Erklärung hatte er nicht ganz verstanden, wohl aber ihre Konsequenzen.

»Nun, wir werden sehr, sehr nett zu Grendelchen sein und ihm die allerbeste Pflege angedeihen lassen«, antwortete Bredur.

»Heißt das, du willst ihn mitnehmen?«

»Es wird uns wohl kaum etwas anderes übrigbleiben. Je besser es dem Drachen geht, um so besser geht es auch Lisvana.«

»Gott im Himmel«, rief Diego, »wir müssen mit einem fünf Meter hohen Drachen reisen – aufgerichtet fast acht. Kein Schiff wird uns mitnehmen.«

»Wir werden eben zu Fuß gehen«, antwortete Bredur ruhig. »Dir, als meinem Diener und Gefangenen, wird die Drachenpflege zufallen.«

»Na vielen Dank auch.«

Die Prinzessin stöhnte und bewegte sich etwas, und im selben Moment röchelte auch der Drache und sprengte dabei sein steinernes Halsband. Synchron schlugen sie die Augen auf. Prinzessin Lisvana schrie vor Entsetzen, als sie das scheußliche Haupt abermals auf ihrem Schoß sah. Der Drache gluckste zufrieden.

Ritter Bredur wagte sich vor, setzte sich neben die Prinzessin und streichelte den Drachen hinter einem Maultierohr. Grendel zischte böse, hielt aber still.

»Bist ein Braver. Jajajajajajaj ... bist ein ganz Braver«, lobte Bredur, und der Drache beruhigte sich wieder, peitschte bloß noch ein bißchen mit dem Schwanz.

»Halt ihn fest«, sagte Bredur zu Lisvana und stand wieder auf, »halt ihn ganz fest! Gegen dich wird er sich nicht wehren und kann uns dann nichts tun.«

Die Prinzessin brach in Tränen aus.

»Wieso ich? Wieso soll ich euch retten? Ich dachte, ihr befreit mich. Ich halt das hier nicht mehr aus. Ich will weg. Ich kann diesen stinkenden Drachen nicht mehr ertragen. Er verbrennt mir mein Kleid.«

Bredur redete begütigend auf sie ein. Er erklärte ihr geduldig, was eine Sympathieverbindung war und daß er sie durchaus retten würde, daß er dafür aber einige Zeit benötigte.

»Eine Sympathieverbindung läßt sich nicht von heute auf morgen auflösen. Für die Entwöhnung brauchen wir fast genauso viele Wochen, wie es gedauert hat, die Bindung entstehen zu lassen. Eine abrupte Trennung könnte euch beide töten. Grendel und dich.«

Prinzessin Lisvana sah es ein, blieb aber untröstlich, bis Diego sich neben sie setzte, beinahe furchtlos die knurrende, schnappende Drachenschnauze tätschelte und versprach, von nun an den Kopf des Drachen gemeinsam mit ihr zu tragen, wenn es sein mußte, Tag und Nacht. Bredur begriff, daß es nicht die Sympathie zwischen dem Drachen und der Prinzessin war, die ihm die meisten Sorgen bereiten würde.

»Grendel muß gar nicht ständig geschaukelt werden«, sagte er wütend zu Lisvana. »Fünf, sechs Stunden über den Tag verteilt genügen. Es reicht, wenn du die übrige Zeit in Sichtweite bleibst. Wir fangen morgen mit sechs Stunden an und gehen dann jede Woche eine halbe Stunde runter.«

Dann wandte er sich an Diego, bevor der es sich neben Lisvana so richtig gemütlich machen konnte.

»Der Drache legt keinen Wert darauf, von dir gewiegt zu werden, falls du es noch nicht bemerkt hast. Also steh gefälligst wieder auf, bevor etwas passiert. Durch deine Dummheit hast du Prinzessin Lisvana eben schon beinahe umgebracht. Sieh zu, daß du mein Pferd wieder einfängst, und dann suchst du dir zwischen den Trümmern etwas, womit du ein Grab für Friedlin und seinen Diener ausheben kannst. Sonst nimm die Hände. Daß die beiden tot sind, ist auch deine Schuld.«

Erstaunt beobachtete Lisvana, wie der Prinz sich den Befehlen des Ritters widerspruchslos fügte. Während Diego sich auf die Suche nach Kelpie machte, klärte Bredur Prinzessin Lisvana über die letzten Geschehnisse auf, insbesondere darüber, daß es nicht Diego, sondern er selber war, dem sie ihre Rettung zu verdanken hatte.

»Diego ist nur dein Helfer?« fragte Lisvana bestürzt.

»Nicht einmal das. Er ist mein Gefangener. Und dieser ganze Drachenkampf, mit dem er dich beinahe getötet hätte, war sowieso völlig unnötig. Ich hätte dich ohne eine Schramme hier herausgeholt. Der Große Gaspajori war mein Freund.«

»Schöner Freund, der mich in Ketten gelegt hat. Mir tut es nicht leid, daß er tot ist.«

»Beinahe wärst du auch gestorben! Ich hatte Diego verboten, den Drachen anzurühren, und er hatte geschworen, mir zu gehorchen. Gott sei Dank habe ich das Schlimmste ja noch verhindern können. Ich hätte ihn gar nicht erst mitnehmen sollen.«

In diesem Moment kam der Prinz mit einer Hacke in der Hand und Bredurs Pferd am Zügel über die Trümmer geklettert. Als Grendel seinen alten Freund Kelpie wiedererkannte, sprang er auf und begrüßte ihn so ungestüm, daß Prinz Diego die Zügel fahren ließ und sich lieber in Sicherheit brachte.

Grendel schleckte Kelpie ab, bis er triefte, wobei Kelpie schnaubte und dem Drachen viele freundliche Nasenstüber versetzte. Beide tanzten in wilden Sprüngen umeinander herum, bis sie endlich wieder ganz friedlich wurden und sich nebeneinander legten, Grendel mit dem Kopf auf Lisvanas Schoß.

Bredur war nicht entgangen, was für einen Blick Lisvana dem Prinzen zugeworfen hatte.

»Willst du damit die Gräber ausheben?« herrschte er Diego an und wies auf die Hacke. »Das wird ja ewig dauern! Nein, nicht neben dem Drachen – da hinten, wo schon Löcher sind. Sonst sitzen wir ja morgen noch hier. Komm mit, ich zeig dir, wie.«

Als sie sich weit genug entfernt hatten, daß Lisvana sie nicht mehr hören konnte, sagte Bredur leise und wütend:

»Hör zu, du hattest versprochen, mir in allem zu gehorchen. Das war die Bedingung, damit ich dich mitnehme. Wieso hast du dein Wort nicht gehalten?«

»Ich wollte ja, aber die Ereignisse haben sich überstürzt«, antwortete Diego. »Von jetzt an tue ich, was du sagst. Ich halte meine Versprechen.«

»Gut«, sagte Bredur, »das heißt: Fortan kein Wort mehr zu der Prinzessin, es sei denn, sie fragt dich etwas. Dann antwortest du so kurz wie möglich. Und du siehst sie nicht an. Keine Blicke! Du weißt schon, was ich meine. Und rede niemals, in welchem Zusammenhang auch immer, rede niemals von Liebe!«

Prinz Diego nickte.

»Schwöre, daß du mir von nun an gehorchen wirst!« forderte Bredur. »Egal, was ich verlange oder tue.«

Wieder nickte Diego ernst.

»Ich schwöre – bei der Freundschaft, die uns einmal verbunden hat. Ich gebe dir mein Ehrenwort, mich dir niemals zu widersetzen.«

Bredur spuckte in den Sand.

»Was dein Ehrenwort wert ist, haben wir ja bereits erleben dürfen. Jemand wie du ist wahrscheinlich gar nicht in der Lage, ein Versprechen zu halten.«

»Du wirst es sehen«, sagte Diego und hackte wütend in die Erde.

Während der Prinz die Gräber schaufelte, suchte Bredur das Burggelände nach den Packtaschen des Drachen ab. Er fand sie tatsächlich, halb verdeckt von einem Haufen Holz. Um hinzugelangen, mußte er durch einen See von Büchern und Folianten waten. Mittendrin stieß er auf das Drachenbuch des Zauberers. Er erkannte es sofort, wischte Staub und Steinchen vom Einband und klemmte es sich unter den Arm. Auf ihrer Reise mit Grendel würde es ihnen nützlich sein. Da er selber nicht lesen konnte, würde Diego es ihm eben vorlesen müssen. Solange der las, konnte er Prinzessin Lisvana wenigstens nichts zuflüstern. Bei diesem Gedanken hob er wahllos noch drei Bücher auf und verstaute sie in den Packtaschen. Auf dem Rückweg fand er einen Kessel, eine eiserne Schelle und diverse Kleinigkeiten, die ihm ebenfalls nützlich schienen.

Diego hatte inzwischen die Löcher ausgehoben. Bredur half ihm, die Toten hineinzulegen und die Gräber wieder zuzuwerfen. Anschließend schichteten sie ein paar Steine darauf, dem Zauberer zwei mehr als seinem Faktotum.

Als sie zu Lisvana und dem Drachen zurückkamen, erwähnte Bredur die Jungfer Rosamonde, die man noch holen und mit nach Hause nehmen müßte, denn auf die wartete schließlich der Ritter Luntram. Lisvana hörte einen Augenblick auf, Grendel hinter den Ohren zu kraulen, und winkte ab.

»Laß Rosamonde in Baskarien. Ich weiß, daß sie nicht

ins Nordland zurück will. Sie hat es sich nun einmal in den Kopf gesetzt, Frau Hofzwergin zu werden. Sie will Pedsi heiraten.«

Bredur wollte das nicht glauben.

»Rosamonde und Pedsi? Unser Pedsi? Unmöglich!«

Wütend wandte er sich an Prinz Diego.

»Dazu habt ihr sie gezwungen, ihr Hunde!«

»Kein Mensch hat sie gezwungen, kein Mensch! Sie will ihn, verstehst du?«

»Nein, versteh ich nicht.«

Aber schließlich konnte Lisvana ihn doch überzeugen, daß Rosamonde dort am besten aufgehoben war, wo sie sich befand.

Bredur paßte Grendel die eiserne Schelle an, die er gefunden hatte, zog eine Kette hindurch und gab sie Lisvana. Der Drache folgte ihr so treu und brav, daß ein Seidenband, um Grendels Hals geschlungen, gewiß denselben Dienst getan hätte.

»Wenn er sich an Diego gewöhnt hat, kann er auch wieder ohne Kette gehen, und du reitest auf meinem Pferd«, sagte Bredur. Er führte Kelpie am Zügel neben Lisvana her. Dem Prinzen hatte er befohlen, hinter ihnen, noch hinter dem Drachen zu gehen, und Diego fügte sich widerspruchslos.

Lisvana wagte nicht, sich nach ihm umzudrehen. Ihr war inzwischen klar geworden, daß ihre Errettung und die übrigen Heldentaten, die Ritter Bredur vollbracht hatte, unweigerlich dazu führen mußten, daß ihr Vater ihm ihre Hand geben würde. Und daß sie sich gefälligst glücklich zu schätzen hatte, einen so tapferen und dazu noch ansehnlichen Ehegemahl zu bekommen. Ausgerechnet jetzt, wo sie sich für Prinz Diego entschieden und ihm ihre Liebe gestanden hatte. Warum konnte ihr Leben eigentlich nie einfach sein?

DER BRIEF

eo I., durch Gottes Gnaden König von Baskarien, entsendet dem guten und klugen König Rothafur von Snögglinduralthorma seinen Gruß und seinen Respekt.

Bedauerlicherweise hat es Eurer Majestät gefallen, Eure und die Ritter des Nebelreichs gegen unsere schöne und vielgeliebte Hauptstadt zu entsenden, welche an Mensch, Vieh und Gebäuden großen Schaden erlitten hat, sintemalen Eure Mannen nicht einmal davor zurückschreckten, eine der berühmten Brücken zu zerstören, von denen Basko zum Glück mehr als Venedig besitzt. Die Ritter hätten wohl noch größeren Schaden zugefügt, hätten Wir nicht eine solche Streitmacht eingesetzt, wie sie nach Unserem Urteil dreimal ausreichend erschien, und welcher es gelungen ist, Eure Mannen bereits am allerersten Tag ihres Erscheinens zurückzuschlagen, außerhalb der Stadtgrenzen einzukesseln und nach kurzem Kampf zu entwaffnen. Eure Majestät möge sich über diese unvermeidliche Niederlage nicht allzusehr betrüben. Seid versichert, daß Eure Ritter tapfer gewesen, nur litten sie stark unter dem hiesigen Klima, aus all ihren Scharnieren troff der Schweiß, und mehr als einer glitt ohnmächtig von seinem Roß. Auch standen sie vor einer solchen Übermacht, daß eine längere

Gegenwehr nicht von großer Tapferkeit, sondern von großer Unvernunft gezeugt hätte. Alle hundertvierundsiebzig Ritter nebst ihren hundersiebenundachtzig Schildknappen und etwa 300 Roßknechten befinden sich wohlauf in den Gefängnissen der umliegenden Burgen und werden angemessen verköstigt. Euer lieber Sohn und der Prinz des Nebelreichs halten sich auf Ehrenwort im baskarischen Schloß auf, wo sie Unserer Gastfreundschaft teilhaftig werden. Sintemalen uns zu Ohren gekommen ist, daß Unser eigener lieber Sohn Diego, Prinz von Amaret und Thronfolger Baskariens, sich als Geisel Eurem Ritter Bredur von Wackertun ausgeliefert hat, welcher vorgab, den Aufenthaltsort Eurer Tochter Lisvana vom Nordland zu kennen, welche Uns, wie Wir mit viel Bedauern einräumen müssen, leider abhanden gekommen ist. Ritter Bredur aber, sofern er die Wahrheit gesprochen hat, wird möglicherweise bald mit Prinzessin Lisvana und Prinz Diego ins Nordland zurückkehren. Das Schicksal meines Sohnes, über welches ich keine Gewißheit habe, jammert mich. Deshalb halte ich es nach Konsultation und mit Zustimmung meiner Ratsversammlung für angebracht, Euch einen Vorschlag zu unterbreiten.

Wir, Leo I., durch Gottes Gnaden König von Baskarien, versprechen und erklären hiermit, daß Wir unverzüglich zwei Schiffe ausrüsten, um Euren Sohn Prinz Jörgur vom Nordland nebst Prinz Harald vom Nebelreich nebst allen hundertvierundsiebzig Rittern und hundertsiebenundachtzig Knappen ins Nordland zurückzubringen. Die Roßknechte werden mit den Pferden auf dem Landweg folgen. Als Gegengabe erwarten wir von Euch Prinz Diego, lebend und gesund, und den Verzicht auf weitere Kriegshandlungen. Des weiteren hoffen wir auf Eure Freundschaft. Wir halten es deshalb nach Konsultation – allerdings ohne Zustimmung – meiner Gemahlin für einen guten Einfall, Euch den Hofzwerg Pedsi zurückzuerstatten, welcher die Entführung der Prinzessin angeregt hat, auf daß Ihr Euren Unwillen an ihm auslassen könnt und Uns fürderhin nicht mehr zürnt.

All dies wird ohne Aufschub geschehen, sobald die Esperanto und die Santa Arnimia seeklar sind, und Wir werden höchstselbst mit unseren Rittern die hohen Geiseln begleiten. Solltet Ihr es aber versäumen, meinen Sohn freizugeben, oder ihm irgendetwas antun, werden die Fische des Nordmeers in Blut schwimmen.

Geschrieben in Unserem Schloß, am 2. Tage des Juli im zwölften Jahr Unserer Regentschaft.«

»So«, sagte König Leo, setzte seine schwungvolle, große Unterschrift darunter und drückte sein Siegel in den roten Klecks, »besser kann ich's nicht.«

AM LAGERFEUER

ider jede Wahrscheinlichkeit verlief die Rückreise
von Ritter Bredur, Prinzessin Lisvana und dem
Gefangenen Diego anfangs friedlich. Allerdings
kamen sie so langsam voran, daß König Leos
Brief sie auf halbem Weg überholte und lange vor ihnen
im Nordland eintraf. Das lag vor allem daran, daß Bredur
darauf bestand, Prinz Diego den ganzen Weg zu Fuß gehen zu lassen. Und Diego fügte sich in seine Rolle, ließ
sich herumkommandieren, sprach die Prinzessin kein
einziges Mal an, wich ihrem Blick aus, versorgte den Drachen, machte das Lagerfeuer und das Essen und baute das
grün- und rotgestreifte alte Turnierzelt auf und ab. Bredur
hatte es gekauft, damit die Prinzessin nachts einigermaßen geschützt schlafen konnte, ohne daß Grendel sie aus
den Augen verlor und sich aufregte. Kein Gastwirt oder
Bauer wollte ihnen mit einem Drachen Obdach geben
und sich von seinem Feuer die Scheune anzünden lassen.
Ritter und Prinz nächtigten weiterhin im Freien. Bredur
machte das nichts aus, aber Diego holte sich gleich in der
ersten Woche einen tüchtigen Schnupfen. Dabei befanden sie sich immer noch in den warmen Gefilden Septimeniens. Lisvana hätte Prinz Diego gern gepflegt, aber
das ließ Bredur nicht zu, und sie wagte nicht, sich ihrem

Retter zu widersetzen, und wollte ihn auch nicht merken lassen, wie es um ihr Herz stand. Einerseits, weil sie fürchtete, er könnte es an Diego auslassen, und zum anderen, weil sie sich vor ihm schämte. Bredur hatte einiges von den Fährnissen und der Mühsal erzählt, die er auf sich genommen hatte, um sie zu befreien. Etwa, daß er im Nebelreich und in Slunzien beinahe erfroren und verhungert war, während der König des Nordlands und seine Ritter noch in aller Seelenruhe die Hochzeit von Prinz Jörgur mit der Tochter des Nebelkönigs abgewartet hatten. Bei dieser Erwähnung hatte sich Lisvanas Miene zum ersten Mal erhellt. »Mein Bruder mußte die häßliche, alte Prinzessin Bricca heiraten? Das ist einmal eine gute Nachricht.«

Abends am Lagerfeuer, wenn Lisvana nach Bredurs Dafürhalten den Drachen lange genug gekrault hatte, wurde Grendels Schädel dem niesenden Prinzen auf die Knie geschoben. Der nahm das gewaltige Schoßhündchen gar nicht so ungern in Empfang. Die heißen Ausdünstungen des Drachen wärmten gleichmäßiger als das Feuer, und in dem grünlichen Phosphoreszieren seines Schuppenpanzers konnte er Bredur und Lisvana sogar aus den Büchern des Zauberers vorlesen. Diego nannte Grendel deswegen »meinen dicken Johanniskäfer«. Meistens las er aus einem kleinen roten Buch, das eine Sammlung von Schauergeschichten enthielt, blätterte mit einer Hand um und kraulte mit der anderen Grendel. Der Drache nahm das hin, solange Lisvana in der Nähe blieb, Kelpie neben ihm lag und Diego die richtigen Stellen kraulte. Prinzessin Lisvana saß dabei an Ritter Bredurs Seite. Beide schienen dem Prinzen aufmerksam zuzuhören, und alle drei machten den Eindruck beschaulicher Eintracht, während es in jedem von ihnen wie in einem Kochtopf brodelte.

Seltsamerweise war es ausgerechnet Ritter Bredur, dessen Topf als erster überkochte und der womöglich gerade deshalb den Streit suchte, weil Prinz Diego ihm so wenig Anlaß dazu bot. Eines Nachts – sie waren seit fünf Wochen unterwegs, und die Zeit, die Prinzessin Lisvana mit dem Drachen auf dem Schoß verbringen mußte, hatte sich auf dreieinhalb Stunden täglich reduziert – wachte er von einem Geräusch auf, das er nicht gleich zuordnen konnte. Ohne sich zu bewegen, öffnete er die Augen einen winzigen Spalt und sah im Mondlicht, daß es Grendel war, der mit seinem Schwanz vor Freude auf den Boden klopfte, weil Prinzessin Lisvana sich zu ihm und Prinz Diego hinübergeschlichen hatte. Sie weckte den Prinzen, indem sie ihm den Mund zuhielt.

»Wann?« flüsterte sie und nahm die Hand von seinem Mund.

»Lisvana.«

»Nicht so laut. Sag schnell: Wann fliehen wir?«

Sie streifte seinen Mund mit ihren Lippen.

»Ich kann nicht fliehen: Ich habe Bredur mein Ehrenwort gegeben.«

»Na und?«

Ihr Gesicht nahm größeren Abstand zu dem seinen.

»Mein Ehrenwort kann ich nicht brechen.«

»Ich verstehe dich nicht. Mich zu entführen war doch auch mit deiner Ehre vereinbar – und jetzt, wo ich freiwillig mit dir fortlaufen will, geht es nicht?«

»Bredur ist mein Freund.«

»Bredur ist überhaupt nicht dein Freund. Bredur haßt

dich! Er will dich meinem Vater ausliefern. Bedeutet dir das Wort, das du ihm gegeben hast, mehr als deine Liebe zu mir?«

Grendel sah nervös von einem zum anderen und glomm etwas heller. Er konnte es nicht leiden, wenn Menschen, die er gern hatte, stritten.

»Aber es war Bredur, der dich befreit hat«, flüsterte Diego. »Ohne ihn hätte ich dich nie gefunden. Ich kann nicht den Mann betrügen, der dich gerettet hat. Du wärst tot, wenn er mich nicht daran gehindert hätte, Grendel zu erschlagen. Allein dadurch habe ich jeden Anspruch auf dich verloren.«

»Das ist nicht dein Ernst! Jetzt, wo ich bereit bin, meine Familie und das ganze Nordland zu verraten und für alle Zeiten in Schande zu leben ... – was ist denn das für eine Liebe?« rief Lisvana und vergaß ganz, zu flüstern. Erschrocken sahen beide zu Ritter Bredur hinüber, der einen tiefen, geräuschvollen Atemzug tat, als würde er fest schlafen.

»Bredur hat mich überhaupt nur mitgenommen, weil er weiß, daß er sich auf meine Freundschaft verlassen kann. Du hast ja keine Ahnung, was er deinetwegen alles durchgemacht hat. Außerdem habe ich schon genug Unrecht begangen, irgendwann muß ich ja mal damit aufhören.«

»Oh, ich hasse dich! Ich hoffe, ich muß dich nie mehr wiedersehen!« Prinzessin Lisvana lief wieder zu ihrem Zelt, ohne sich besondere Mühe zu geben, leise zu sein. Diego richtete sich auf, als wollte er ihr etwas hinterherrufen, ließ es dann aber sein.

Am nächsten Morgen ging Ritter Bredur, als wäre nichts vorgefallen, zum nahegelegenen Fluß, zog sich aus und badete. Das tat er jedesmal, wenn sie in der Nähe eines Gewässers lagerten.

»Es ist ungeheuer erfrischend, ganz erstaunlich«, sagte er mit aufgesetzt guter Laune, als er zum Lagerplatz zurückkehrte, und strich die Tropfen aus seinem inzwischen nachgewachsenen Bart. »Wirklich, ihr solltet es auch probieren.«

Wie immer sahen ihn Lisvana und Diego nur verständnislos an. Seine übertriebene Reinlichkeit war ihnen rätselhaft. Beide wirkten inzwischen ein bißchen verwildert. Das Goldhaar der Prinzessin war voller Kletten, ihr Gesicht freundlich gesagt staubig, und ihr ehedem kostbares grünes Kleid hätte keine Marketenderin mehr angezogen. Auch Prinz Diego ließ sich gehen, sein Kinn war unrasiert und sein Wams voller Drachengeifer und Fettflecken vom Küchendienst. Gerade nahm er den Kessel und die Vorräte aus Grendels Packtaschen und machte sich daran, die Fleischsuppe für das Frühstück zu bereiten. Als er den Wasserschlauch in den Kessel leerte, spritzten einige Tropfen auf Bredurs Jacki. Im selben Moment wich Bredurs angestrengtes Lächeln einer wütenden Grimasse.

»Du Trottel«, schrie er und trat Diego in die Seite, »zu dumm, um Suppe zu kochen!«

Einen Augenblick sah es so aus, als würde der Prinz sich auf ihn stürzen, aber dann wandte er sich mit hochrotem Kopf ab und legte vorsichtig die Fleischknochen ins Wasser.

»Was ist?« sagte Bredur. »Willst du dich mit mir anlegen? Kannst du haben!«

Grendel winselte und begann sich vor lauter Anspannung wie wild hinter dem Ohr zu kratzen.

»Nein, will ich nicht«, sagte Diego betont ruhig und biß sich auf die Unterlippe.

»Ist auch klüger so; ich würde nämlich sowieso gewinnen«, sagte Bredur. »Im Goldenen Anker hast du ja auch deinen Leibwächter rufen müssen, weil ich dir über war.«

Er warf schnell einen Blick auf Prinzessin Lisvana, die so tat, als wäre sie vollkommen davon in Anspruch genommen, Grendel zu beruhigen.

»Ich habe ihn nicht gerufen, er kam von selber herein«, sagte Diego und ging wieder zu den Packtaschen, »wegen des Lärms war er mißtrauisch geworden.«

»Na, Ausreden gibt es immer.«

Bredur wandte ihm verächtlich den Rücken zu und tat, als müßte er das Feuer noch einmal anschüren, weil Diego auch das nicht richtig gemacht hätte.

Schwärzeste Wolken verdunkelten das Gemüt des Prinzen, als er in einiger Entfernung hinter Bredur und Lisvana herlief. Der Ritter saß auf dem Drachen, und die Prinzessin ritt auf Kelpie. Er sah sie miteinander sprechen, ohne sie verstehen zu können. Einmal sah er, wie Lisvana den Kopf schräg hielt und Bredur von Grendels Rücken herunter nach ihrer Hand griff. Oder gab er ihr bloß ein Stück Brot?

Als sie an diesem Abend wieder am Lagerfeuer saßen, versuchte Diego, Lisvanas Blick aufzufangen. Sie wich ihm nicht einmal aus, sondern sah einfach durch ihn hindurch. Bredur schien nichts bemerkt zu haben, sondern erzählte so lange von seinen Abenteuern, daß Diego gar nicht mehr zum Vorlesen kam. Und Lisvana hielt sich an das, was ihr der zukünftige Bräutigam bot. Sie ging auf seine Scherze ein, lachte etwas zu laut und manchmal auch an den fal-

schen Stellen und errötete, wenn Bredur ihr Schmeicheleien sagte.

In dieser Nacht lag Prinz Diego lange wach. Stunde um
Stunde wälzte er sich herum und betastete die Stelle, wo
Bredurs Fuß ihn getroffen hatte. Aber so sehr er auch an
seinen Rippen herumdrückte, es war keine gebrochen.
Grendel schnarchte und schmatzte im Schlaf, und das bedeutete ja wohl, daß Prinzessin Lisvana ebenfalls süß und
sorglos träumte. Alle schliefen sie. Niemand verschwendete
auch nur einen Gedanken daran, wie ihm, Diego, zumute
sein mußte. Verbittert wälzte der Prinz sich noch eine weitere Stunde herum. Dann schlief auch er endlich ein. Wäre
er noch eine Viertelstunde länger wach geblieben, hätte er
hören können, wie Ritter Bredur leise zu weinen begann.

Die Prinzessin unternahm keinen weiteren Versuch, Diego zu einer Flucht zu überreden. Nicht einmal, als die
Sympathieverbindung zwischen ihr und dem Drachen
vollständig aufgelöst war. Zu diesem Zeitpunkt befanden
sie sich bereits im Nebelreich, und Bredur überlegte laut,
ob die Kunde von ihnen wohl schon bis zu König Rothafur gelangt war. Prinz Diego war in den letzten Wochen still und schwermütig gewesen. Nun aber, da seine
Gefangenschaft und die Trennung von Lisvana unmittel-
bar bevorstanden, befiel ihn eine immer größer werdende Unruhe, und bei ihrer letzten Rast im Nebelreich,
wenige Meilen vor der Grenze zum Nordland, begann er
zum ersten Mal zu sprechen.

»Bredur, ich muß dich etwas fragen«, sagte Diego leise.

Bredur sah erstaunt auf, und Lisvana fuhr regelrecht zusammen.

»Ich will dich nicht angreifen, mißversteh mich nicht«, sagte Diego, »aber jetzt, wo doch alles entschieden ist, Sieg und Niederlage verteilt sind und auf dich ein Brautlager wartet und auf mich ein Verlies, da könnten wir uns doch die Wahrheit sagen.«

Hier räusperte sich Ritter Bredur vernehmlich und legte die Stirn in tiefe Falten.

»Es ist ja jetzt ganz ohne Bedeutung, aber da gibt es etwas, das würde ich halt gern wissen«, fuhr Diego fort.

»Warum hältst du nicht einfach den Mund«, sagte Bredur und sah immer verdrießlicher aus, »wenn es doch ohne Bedeutung ist?«

»Ich möchte ja bloß wissen, ob du mir damals absichtlich ein Bein gestellt hast oder aus Versehen. Rein interessehalber.«

»Kein Mensch hat dir ein Bein gestellt«, sagte Bredur, »du bist über deine eigenen Füße gefallen.«

Grendel hob seinen Krokodilschädel, glomm etwas heller und witterte von einem zum anderen. Fing das schon wieder an?

»Warum hast du das gemacht? Um mich lächerlich zu machen? Ich kann es nicht gut ertragen, wenn man über mich lacht.«

Die letzten Worte richtete Prinz Diego an die Prinzessin.

»Hat doch gar keiner gelacht«, sagte Bredur hart, »du kriegst im nachhinein alles durcheinander.«

Eigentlich wollte Lisvana sagen, daß sogar Jungfer Rosamonde gesehen hätte, wie Ritter Bredur sein Bein vorschob. Aber wo sowieso schon feststand, daß sie Bredurs Frau werden mußte, wußte sie nicht, wozu das noch gut sein sollte. Darum sagte sie nichts.

DIE HEIMKEHR

Es war jetzt gerade ein Jahr her, daß Bredur aufgebrochen war, um Prinzessin Lisvana zurückzuholen, in kalter Nacht, heimlich und allein, gegen den Willen seines Vaters und seines Königs, und nicht einmal sein Knappe hatte ihn begleiten wollen. Wie anders war jetzt alles. Die Nachricht von Ritter Bredurs siegreicher Rückkehr hatte sich in Windeseile verbreitet. Durch welches Dorf sie auch kamen, überall empfingen sie Jubelrufe, wurden dem Ritter und der Königstochter frisches Brot und Wasser gereicht. Die Bauern räumten ihre Betten, sofern sie welche hatten, und schliefen im Stroh, damit die Nordlandprinzessin und Ritter Bredur es bequem hatten. Grendel konnte man ja nun von der Prinzessin trennen und draußen an einen Baum binden, und mit Diego machte man auch nicht mehr Umstände.

Endlich war der letzte Tag ihrer Reise angebrochen, und sogar Lisvana und Diego wuschen an diesem Morgen ihre Gesichter. Bredur setzte die Prinzessin auf Kelpie. Er selber ging zu Fuß und führte den Drachen an der Kette hinter sich her.

»Bredur! Hoch Ritter Bredur! Hoch Prinzessin Lisvana!« riefen die Nordländer und streuten ihnen Weizenähren vor die Füße. Grendel schien das Festliche des Anlasses zu begreifen und schritt so majestätisch wie nie zuvor. Hinter dem Drachen, an einem langen Strick, der an Grendels Halsreif verknotet war, ging Prinz Diego, die Hände vor dem Körper zusammengebunden und den Blick zu Boden gerichtet.

»Nieder mit dem Baskaren-Prinzen«, riefen die Nordländer und bewarfen den Gefangenen mit ihrem spärlichen, nie reif werdenden Obst. Ein kleiner, besonders harter Apfel traf Diegos Stirn, er stöhnte auf, und Grendel sah sich besorgt nach ihm um.

Unter Glockenläuten und Böllerschüssen erreichten sie das Schloß. Die wenigen Ritter, die nicht mit in den Krieg gegen Baskarien gezogen waren, standen zu ihrem Empfang Spalier, glitzerten ein bißchen rostig in der Sonne und wichen respektvoll zur Seite, als der mächtige Drache zwischen ihnen hindurchschritt. Der König und die Königin kamen dem Helden entgegen. Rothafur hatte seinen grünen Schwertgurt angelegt. Als Bredur sich hinknien wollte, schloß ihn der König stattdessen in die Arme.

»Bredur, du bist der größte Held aller Zeiten. Von nun an sollst du mein erster Ritter sein«, sagte er, wobei er zischelte, weil er ja einen Schneidezahn eingebüßt hatte. Die alten Ritter klopften zustimmend auf ihre Schwertknäufe, die Königin umarmte ihre Tochter, Grendel kratzte sich mit einem Hinterfuß hinter dem Ohr, und Prinz Diego bohrte seinen Blick in das aufgeschüttete Lavageröll. Plötzlich vernahm Bredur den dröhnenden Baß seines Vaters:

»Mein Sohn! Schaut ihn euch an! Hat allein fertiggebracht, woran ein ganzes Heer gescheitert ist! Ist das zu fassen? Schaut euch bloß meinen Sohn an!«

Erstaunt drehte Bredur sich um. Er hatte seinen Vater in Baskarien vermutet. Aber nun kam der alte Ritter angehumpelt, das linke Bein mit zwei Birkenästen geschient. Fredur Wackertun riß seinen Sohn an sich, drückte ihn an die gepanzerte Brust und trommelte auf seinem Rücken herum.

»Gut gemacht, Bredur!«

Und hol's der Teufel, der Alte schniefte und heulte, mit dem ging es richtig durch vor lauter Stolz auf seinen Prachtkerl von Sohn. Zu seiner eigenen Verwunderung war Bredur darüber weder glücklich, noch empfand er Liebe für seinen Vater, sondern war bloß verlegen. Er ließ die ruppigen Zärtlichkeiten über sich ergehen, und als König Rothafur ihm die Hand seiner Tochter versprach, verbeugte er sich dankbar, wie man es von ihm erwartete, ließ sich einen Lemmingfellmantel umlegen, spürte, daß er plötzlich Lisvanas Hand hielt, daß sie also wohl neben ihm stand und ebenfalls lächelte, und hörte wieder, wie man ihm zujubelte, während Prinz Diego die Straße hinuntergetrieben und von den Bauern mit verfaulten Kartoffeln beworfen wurde. Ritter Bredur atmete tief ein und aus. Alles, was er angefangen und je erhofft hatte, war ihm gelungen. Alles, was man ihm nicht zugetraut und verboten hatte, war geglückt. Und darüber hinaus hatte er auch noch einen riesigen Drachen mitgebracht, den jetzt alle ehrfürchtig bestaunten.

Bredur band Grendel an eine uralte Eiche, die als heilig galt. Dann folgte er König Rothafur ins Schloß, wo er zwischen ihm und Prinzessin Lisvana an der Tafel sitzen und ein Hammelherz, gestopft mit einer Ferkelniere, die wiederum mit einem Putenherz gestopft war, das wiederum mit einem Entenherz gestopft war, essen durfte. Die Königin selbst füllte ihm den Becher, und er mußte trinken und erzählen und erzählen und essen. Bredur erfuhr, daß Prinz Jörgur, der Prinz des Nebelreichs und die meisten ihrer Ritter vor Monaten nach Baskarien aufgebrochen waren. Nur sein unglücklicher Vater hatte daheimbleiben müssen, weil er im Suff eine Treppe hinuntergefallen war und sich das Bein gleich dreifach gebrochen hatte.

»Ich wollte trotzdem mit, aber sie haben mir die Krükken versteckt«, knurrte Fredur Wackertun.

»Sei froh! So bist du wenigstens nicht in Gefangenschaft geraten wie meine armen Ritter und mein lieber Jörgur«, sagte König Rothafur. »Aber zum Glück können wir sie ja jetzt gegen Prinz Diego austauschen – und das haben wir nur deinem Sohn zu verdanken. Laßt uns auf Ritter Bredur trinken – er lebe hoch!«

»Hoch Bredur!« kam es von allen Seiten, und am lautesten von Fredur Wackertun.

Am Abend, als Bredur zum ersten Mal Gelegenheit hatte, sich davonzustehlen, weil er dem Drachen Heu bringen mußte, was sich außer ihm niemand traute, da fühlte er sich auf einmal leer und unendlich müde. Er setzte sich in das Stroh, das er zuvor reichlich aufgeschüttet hatte, damit Grendel keinen nassen Bauch bekam, lehnte sich an die heilige Eiche und schaute zu, wie sein Ungeheuer mit vollen Backen mampfte. Grendel hob den Kopf aus dem Heu und sah ihn aus großen, bernsteingelben Augen an. Bredur verlor sich in diesen Augen. Seine Abenteuer zogen wieder an ihm vorbei, aber anders und andere, als er sie eben noch an der Tafel zum besten gegeben hatte: seine erste Begegnung mit dem Drachen, das aufgesperrte Riesenmaul und die Angst, die ihn bei diesem Anblick gepackt hatte; wie er auf ein Schiff verschleppt worden war und sich unwissentlich mit Prinz Diego angefreundet hatte, und wie sie beide in die Gewalt der Frauen geraten waren. Wie er mit Sarilissa gebadet hatte, die ihn nun nie wieder ihren Glückskarpfen nennen würde. Wie er als Frau gelebt hatte, viele Wochen lang und in einem Tabaktraum. Wie er schließlich von dem Prinzen und seinem Leibwächter niedergerungen worden war und Diego sich freiwillig als Geisel angeboten hatte und so zu seinem Reisekameraden geworden war. Diese Geschichten hätten seinem Vater weniger gefallen und waren doch auch Abenteuer. Bredur fand in Grendels gelben Augen etwas, das ihm das Lob seines Vaters und die Bewunderung aller Ritter nicht hatte geben können. Als er schließlich unter der Eiche einschlief, träumte er davon, wie Grendel flog, wie Friedlin starb und eine ganze Burg zerbrach.

Währenddessen warf sich Prinzessin Lisvana schlaflos in ihrem Bett herum. Schließlich stand sie auf, zog das Stroh ihrer Matratze heraus, streute es auf den Boden und legte sich darauf. Das machte es auch nicht besser. Sie mußte immerzu daran denken, daß ihre Hochzeit mit Bredur nun beschlossene Sache war. Sie saß in der Falle. Abgesehen davon, daß ihre eigene Meinung zu der Angelegenheit sowieso nicht ins Gewicht fiel, hätte sie es auch kaum übers Herz gebracht, den tapferen Ritter zu enttäuschen, dem sie ihr Leben und ihre Befreiung, dem sie alles verdankte. Ein Jahr lang hatte er ihretwegen die größten Gefahren auf sich genommen, war durch endlose Wälder und über unbekannte Meere gezogen, hatte mit Zauberern gekämpft und Drachen gezähmt. Was sollte sie ihm da sagen – tut mir leid, aber die Mühe hättest du dir nicht machen brauchen, ich liebe nämlich Prinz Diego? Das ging ja wohl schlecht.

Sie mußte zugeben, daß es sie weit schlimmer hätte treffen können, als den stattlichen Ritter Bredur heiraten zu müssen. Ja, er wäre sofort ihre erste Wahl gewesen, hätte es den Prinzen Diego nicht gegeben. Aber es gab ihn, und er hielt nun einmal ihr Herz besetzt.

Auch Diego lag auf Stroh, wenn auch als einziger von den dreien nicht freiwillig. Nachdem er zum Vergnügen des zerlumpten Volkes durch die Straßen getrieben worden war, hatte man ihn an Armen und Füßen gepackt und mit Schwung in den Turm des Vergessens geworfen, den finstersten Ort dieses an Finsternis ohnehin nicht gerade armen Landes.

Erst am nächsten Morgen ging die Kerkertür wieder auf. Ein breitschultriger Glatzkopf mit aufgerollten Ärmeln kam herein. Er brachte ihm einen Napf Gerstengrütze und einen neuen Kübel und schnappte sich den alten. Ein Sonnenstrahl fiel zur Tür hinein.

»Guten Morgen«, sagte Prinz Diego und richtete sich in seinem Strohhaufen auf. »Seid Ihr der Kerkermeister?«

»Kerkermeister und Henker«, antwortete der Glatzkopf stolz.

Das erklärte die dicken Unterarme.

»Könntet Ihr mir dann wohl bitte sagen, was man mit mir zu tun gedenkt? Wie lange soll ich hier schmachten? Oder will König Rothafur mich etwa hinrichten lassen?«

»Weiß ich nicht. Und wenn ich es wüßte, würde ich

auch nichts sagen. Hat keinen Zweck, die Gefangenen vorher nervös zu machen.«

»Oh. Trotzdem vielen Dank.«

»Keine Ursache.«

Der Kerkermeister ging mit dem Kübel hinaus. Prinz Diego hörte, wie er nacheinander drei Riegel vorschob. Jetzt war es wieder dunkel bis auf das wenige Licht, das durch ein Gitterfenster kam. Der Prinz stellte sich darunter, sprang hoch, bis er das Gitter zu fassen bekam, und machte einen Klimmzug. Er hielt sich dort oben so lange es irgend ging, sah aber nur gelbverfärbtes Gras, ein paar struppige Büsche und sonst nichts, was jemandem einen Grund hätte geben können, hierher zu kommen. Den ganzen Tag verbrachte Prinz Diego mit Klimmzügen, und am Abend hatte er das Gefühl, seine Arme reichten bis zum Erdboden. Wo war Lisvana? Warum kam sie nicht?

Ein einsamer, trauriger Tag nach dem anderen verging und eine quälend lange Nacht nach der anderen, und Prinzessin Lisvana war immer noch nicht erschienen. Diego hatte vergessen, für jeden Tag einen Strich an die Wand zu machen, und so wußte er bald nicht mehr, ob die Zeit überhaupt noch floß und ob er nun schon zwei oder drei Wochen im Turm des Vergessens saß. Ein Zuckerschlecken war das jedenfalls nicht. Seine Kleider waren völlig verschlissen, ein struppiger Bart wuchs ihm, und seine Augen waren rot entzündet. Andererseits hatte sich seine Armmuskulatur kräftig entwickelt. Am schlimmsten waren die Nächte, wenn Prinz Diego sich fragte, ob der vorangegangene Tag wohl der Hochzeitstag für Lisvana gewesen war und ob sie jetzt das Bett mit Bredur teilte. Der Kerkermeister wollte ihm auch darüber keine Aus-

kunft geben, obwohl er sich ein bißchen mit ihm angefreundet hatte und sich manchmal eine halbe Stunde zu
ihm setzte, um mit ihm Armdrücken zu machen oder zu
plaudern.

»Darf ich nicht sagen«, erwiderte der Kerkermeister.
»Keine Mitteilungen darüber, was draußen vor sich geht
oder was sie mit dir vorhaben. Frag mich was Unverfängli-
ches.«

»Na gut. Dann sag mir, ob du ein guter Henker bist. Verstehst du dein Handwerk, oder geht es manchmal schief –
Hals nur halb durch und so unschöne Sachen?«

»Keine Sorge. Ich bin der beste. Völlig schmerzlos, fissssss
– und schon ist es vorbei.«

»Hat sich noch keiner beschwert, was?«

»Nee, nie. Komm, laß uns noch mal Armdrücken machen. Gehört sich nicht in meinem Beruf, so lange mit der
Kundschaft zu schwatzen.«

Die Plaudereien mit dem Kerkermeister waren Prinz
Diegos einzige Ablenkung. Den Rest des Tages hing er
meist am Fenster und fragte sich, ob die Prinzessin ihn
denn wohl ganz vergessen hatte, ob sie ihn womöglich
nicht mehr liebte. Daß sie es jetzt schlecht zeigen konnte,
war ihm schon klar, aber daß sie sich nicht wenigstens ein
einziges Mal hierhergeschlichen oder eine Zofe geschickt
hatte, das war schon arg hartherzig. Wahrscheinlich wollte
sie gar nicht mehr an ihn denken, um sich nicht das Hochzeitsfest zu verderben. Ritter Bredur war ein stattlicher
Bräutigam und kein Grund für eine junge Frau zu trauern.
Ach, diese verdammte Schlampe! Vor Kummer stöhnte
Diego auf. Sie liebte ihn nicht mehr. Wahrscheinlich hatte
sie ihn nie geliebt und ihm bloß etwas vorgespielt. Es nutz-

te nichts, daß er wahnsinnig gutaussehend war und der reichste und mächtigste Thronfolger der ganzen bekannten Welt. Er war einfach nicht der Typ, den man liebte.

DAS HOCHZEITSGESCHENK

Eines Tages, als Prinz Diego schon so lange am Turmfenster gehangen hatte, daß sich die Muskeln seiner Oberarme anfühlten wie mit kleinen spitzen Kieseln gefüllt, sah er draußen jemanden vorbeilaufen. Einen Hütejungen mit Filzhut und Stock in der Hand.

»He, halt«, rief er, »willst du dir etwas verdienen?«

Der Junge blieb stehen.

»Wieviel?«

Nun hatte Prinz Diego natürlich keinen Kreuzer bei sich. Stattdessen riß er sich schnell einen seiner goldenen Knöpfe vom dreckigen Wams und warf ihn aus dem Fenster. Dabei konnte er sich nur noch mit dem linken Arm festhalten, und obwohl seine Muskulatur sich erstaunlich entwickelt hatte, fühlte dieser Arm sich jetzt an, als würde er gleich in Fetzen reißen. Der Junge fing den Knopf auf. Vermutlich hatte er in seinem ganzen Leben noch kein Gold in der Hand gehabt, aber er steckte den Knopf in den Mund, kaute fachmännisch darauf herum und nickte zustimmend.

»Sag mir, was im Schloß los ist. Krieg raus, was sie mit mir vorhaben.« — »Aber das weiß doch jeder«, lachte der Junge. »Du sollst als Geisel ausgetauscht werden gegen

Prinz Jörgur und den Prinzen des Nebelreichs und alle Ritter, die mit ihnen nach Baskarien gezogen sind, um Prinzessin Lisvana zu befreien. Der Baskarenkönig hält sie gefangen.«

»Dann krieg raus, ob die Prinzessin etwas über mich gesagt hat. Du bist doch ein flinker Bengel. Du kennst bestimmt jemanden in der Schloßküche oder so.«

Allmählich wurde der Schmerz in seinen Oberarmen wirklich unerträglich.

»Kein Problem«, sagte der Hütejunge. »Heute darf sowieso jeder ins Schloß. Heute ist doch das Fest für alle.«

»Das Fest für alle? Wie für alle? Was ist das für ein Fest?«

»Die Hochzeit von Prinzessin Lisvana und Ritter Bredur«, sagte der Hütejunge. »Es dauert drei Tage: ein Tag für das Volk und zwei Tage mit dem König und der Königin aus dem Nebelreich und den alten Rittern, die daheimgeblieben sind. Kleiner Kreis eben, in Anbetracht der Lage.«

»Nein«, brüllte der Prinz, »das ist nicht wahr! Sag, daß das nicht wahr ist!«

Er spürte den Schmerz in seinen Armen nicht mehr.

»Oh«, sagte der Hütejunge, »tut mir leid, daß Ihr es auf diese Weise erfahrt. Ich dachte, Ihr wüßtet es schon. Alle wissen das. Aber Ihr bekommt wohl nicht viel Besuch im Turm des Vergessens?«

Prinz Diego presste stöhnend das Gesicht gegen das Fenstergitter.

»Wann ist die Trauung? Am ersten oder am letzten Tag?«

»Am zweiten. Sie feiern einen Tag vor und einen Tag nach. Die Vermählung findet morgen mittag statt.«

»Wann ist die Übergabe der Geschenke?«

»Heute. Ist gerade im Gange.«

Prinz Diego riß sich noch einen Knopf vom Wams und warf ihn dem Jungen zu.

»Hier«, sagte er, »einen dritten bekommst du, wenn du mir einen Gefallen tust. Du gehst jetzt los und fängst dir einen Schwan. Dann wischst du dir den Rotz von der Nase und stellst dich zu denen, die vor dem Schloß warten, um der Prinzessin ihre Geschenke zu überbringen. Du überreichst ihr den Schwan, und wenn sie dich fragt, wer ihr das schickt, dann sag: Es ist von einem armen Unglücklichen, der wollte Ketten und Gefangenschaft gern tragen, wüßte er nur, sein Lieb hätte ihn nicht verraten.«

»Sein Lieb? Wer soll das denn sein?«

»Mach dir darüber keine Gedanken, sag einfach, was ich dir aufgetragen habe! Also: Was sollst du sagen?«

»Sein Lieb.«

»Nein, sag alles!«

»Der Schwan ist von einem Mann, der wollte Ketten und Gefangenschaft gern ertragen, wenn ihn nur sein Lieb nicht verraten würde.«

»Gut, vergiß das nicht. Und jetzt beeil dich. Und hinterher komm gleich zurück und berichte mir, wie die Prinzessin reagiert hat.«

»Wie kommt Ihr denn an das Fenster, wenn Ihr angekettet seid?«

»Hör auf zu fragen! Kümmer dich um den Schwan!«

Der Junge rannte davon, und Prinz Diego konnte endlich das Gitter loslassen. Die Arme hingen wie Lappen an ihm herunter, brennende Lappen. Er setzte sich auf den Steinboden, lehnte sich an die Wand und weinte ein bißchen – schließlich sah ihn ja niemand. Wenn der Junge nun einfach mit den Knöpfen verschwand und sich ins Fäustchen lachte? Wenn man ihn mit dem Schwan nicht einließ, weil man lebende Tiere im Schloß unhygienisch fand? Wenn der Junge die Worte vergaß und irgendetwas Dummes sagte, etwa: Dieser Schwan ist von einem Mann, der mit Ketten handelt und eine Liebste hat? Wenn dieser Dummkopf den Auftrag nicht richtig ausführte, war alles verloren. Und wenn er alles richtig machte – was sollte das dann eigentlich helfen?

Lisvana und Bredur waren bereits seit dem frühen Morgen dabei, Geschenke entgegenzunehmen. Sie saßen im prächtig geschmückten Rittersaal – jedenfalls war er für die Verhältnisse des Nordlands prächtig geschmückt. Lisvana, die inzwischen den Maßstab Baskariens zu ihrem eigenen gemacht hatte, kam er vor wie ein Stall. Sie saßen auf hölzernen Thronen, die auf einem Podest standen, ein roter Teppich führte von der Eingangstür durch die Länge des Saales zu ihnen, und von dort kamen die alten Ritter und ihre Damen und auch die Bauern der näheren Umgebung und brachten ihnen die Hochzeitsgaben. Meist handelte es sich um gebratene oder lebende Ferkel und Hühner, um Tauben in Käfigen oder gestickte Decken und aus Stroh geflochtene Puppen, die das Brautpaar darstellen sollten, auch Strohfrösche, Strohhirsche und dergleichen Fruchtbarkeitssymbole mehr.

»Nur gut, daß sie brennbar sind«, flüsterte Bredur seiner Braut zu, und sie kicherte hinter vorgehaltener Hand. Aber gleich gingen Lisvanas Gedanken wieder zu Diego, der im Turm saß und den sie vielleicht nie wiedersehen würde. Und selbst, wenn sie ihn noch einmal sah, was nützte es dann schon, dann würde sie längst die Frau eines Ritters sein, der über einen Streifen fauliges Moor herrschte, wo sowieso niemand je hinkam. Dort würde es keine Feste geben und keinen Garten, sondern bloß lange Winter und Besäufnisse – Weihnachten im Dezember, Krieg im Februar, Totenverbrennung im März. Alles würde noch kleiner und schäbiger sein als am Hof ihres Vaters. War das gerecht? Sie, Lisvana, war standhaft und rein geblieben. Sie hatte ihr Herz in eiserne Bande gelegt und gegen die körperlichen und charakterlichen Vorzüge eines wundervollen Prinzen verschlossen. Sie hatte Edelsteine und Schmuck ausgeschlagen, darunter ein Rubingeschmeide, mit dem man das ganze Nordland hätte sanieren können, hatte Wäsche gewaschen und sich verspotten lassen, all das, um dem hölzernen Ehrbegriff der Ritter genüge zu tun. Sie hatte dem Glück ins Gesicht geschlagen, und der Lohn dafür war, für immer ans Ende der Welt verbannt zu werden. Das war nicht gerecht. Das war einfach nicht gerecht. Immerhin würde Bredur an ihrer Seite sein. Bredur hatte sie gern, wenn er natürlich auch nicht imstande war, sie mit der ungebärdigen Heftigkeit eines Prinzen Diego zu lieben. Sie würden liebevoll und höflich miteinander umgehen und von Zeit zu Zeit in einem lauwarmen Ehebett zusammenfinden. Falls Bredur sich nicht in irgendeiner Schlacht den Schädel einschlagen ließ oder auf der Jagd von einem Eisbären gefressen wurde. Sie seufzte.

Bredur sah sie an.

»Alles in Ordnung?«

»Oh ja. Doch, doch. Alles in Ordnung.«

»Willst du mich eigentlich überhaupt heiraten?« fragte Bredur. »Oder bin ich dir ganz zuwider?«

Die Prinzessin rang um Fassung. Dann flüsterte sie zurück: »Ich werde das Versprechen, das dir mein Vater gegeben hat, nicht brechen. Auch ich weiß, was ich dir schuldig bin. Mach dir keine Gedanken.«

Ein Bauer und seine Frau traten vor und brachten einen Strohhirsch.

»Ich brauche dringend mal eine Pause«, sagte Bredur. »Könntest du die Geschenke kurz allein entgegennehmen?«

»Das wäre sehr unhöflich«, sagte Lisvana leise, »die wollen auch dich, den Helden, sehen.«

»Vielen Dank für den schönen Hirschen«, sagte sie laut.

»Eher weniger«, flüsterte Bredur, »und falls jemand außerordentlich Wichtiges erscheint, kannst du mich ja rufen lassen. Wenn ich noch eine einzige mit Rentieren bestickte Tischdecke entgegennehmen muß, fang ich an zu schreien.«

»Bleib nicht zu lange!«

Bredur ging hinaus, und Lisvana wandte sich einem Hütejungen zu, der es tatsächlich fertiggebracht hatte, einen wilden Schwan anzuschleppen und das zischende und fauchende Tier unter seinem Arm kaum bändigen konnte. Halb belustigt, halb gerührt sah sie den Jungen an.

»Hast du ihn ganz allein gefangen?«

»Ja. Ich meine: nein. Ein Fischer hat mir geholfen und die Flügel festgebunden. Das war kein leichtes Stück, und ich mußte ihm dafür einen halben Knopf abgeben.«

Lisvana verstand nicht recht, wovon er sprach, war aber zu müde, genauer nachzuforschen. Sie wies mit der Hand auf den Tisch, der von den Geschenken überquoll, zu denen sich der Schwan gesellen sollte.

»Er ist aber nicht von mir«, sagte der Hütejunge schnell.

»Wer ist denn der Absender dieser rätselhaften Post?«

fragte Lisvana freundlich und suchte in einer Schale mit Zuckerstücken nach einem besonders großen für den Hütejungen.

»Sie ist von einem Mann, der wollte alles gern ertragen, Gefangenschaft und Folter und Kerker, wenn er nur wüßte, sein Lieb hätte ihn nicht verraten.«

Lisvana errötete tief.

»Ich danke sehr und lasse grüßen und werde, wenn es möglich ist, meinen Dank auch noch persönlich abstatten«, antwortete sie leise und steckte sich das Zuckerstück aus Versehen selbst in den Mund.

Schon rückte der nächste Gratulant aus der nicht enden wollenden Schlange vor. Sie nahm ihn nur noch wie durch einen Schleier wahr. Wie betäubt bewunderte sie die Decke oder das Ferkel oder was immer er ihr hinhielt und dankte ihm, ohne zu wissen, daß sie es tat. In dieser Nacht würde sie zum Turm schleichen. Bestimmt hatte Diego einen Weg gefunden, wie er ausbrechen konnte, und wollte jetzt doch noch mit ihr fliehen. Und was ging sie die Ehre ihres Vaters an? Was gingen sie die Strapazen und Gefahren an, die Ritter Bredur ihretwegen auf sich genommen hatte, und die dann alle umsonst gewesen sein würden? So war das eben. Die meisten Menschen mühten sich ein Leben lang, versuchten und hofften bis kurz vor Schluß, und fast alle gingen leer aus. Aber sie nicht. Sie würde ihr Herz nicht begraben lassen, solange es noch klopfte und sprang. Noch war es nicht zu spät.

DIE FEE

Ritter Bredur lag in seiner Kammer auf dem Ruhebett. Morgen würde er Prinzessin Lisvana heiraten. Dann würde er Herr über einen Teil des Nordlands werden. Weit und breit verehrte man ihn als Helden und Drachenbezwinger. Alles war so gekommen, wie er es sich gewünscht hatte, aber er wußte nicht mehr, ob das gut war.

Lisvana liebte ihn nicht. Sie liebte Prinz Diego. Immer noch. Er hätte blind und blöd sein müssen, um es nicht zu bemerken. Doch was sollte er tun? Sie nicht heiraten und auf alles verzichten? Damit war niemandem geholfen. Diego würde es nicht aus dem Turm des Vergessens holen, und die Prinzessin würde einen anderen Ritter heiraten müssen. Bredur wollte, daß sein Abenteuer jetzt ein gutes Ende nahm, aber er wußte nicht mehr, wie so ein Ende aussehen sollte. Er war müde, furchtbar müde.

Er nahm sein altes Jacki, rollte es zusammen und legte es sich unter den Kopf. Im Wald hatte er stets so gut darauf schlafen können, aber jetzt wollte es nicht glücken. Er rückte es hin und her, faltete es auf verschiedene Art, ganz ohne Ergebnis, nur daß ihn am Ende sogar etwas drückte. Er setzte sich auf, fühlte nach und fand das verbeulte Zauberglöckchen. Er schnitt es aus dem Saum und schwenkte es über seinem Kopf. Er schwenkte und schwenkte, und das Glöckchen zirpte mit seinem dünnen silbernen Zauberton wie eine emsige Grille. Eine geschlagene Stunde läutete Bredur vor sich hin. Ein Knappe kam herein, um sich nach diesem Geräusch zu erkundigen, Bredur schickte ihn wieder hinaus und läutete weiter. Endlich, als Bredur sein anstrengendes Unterfangen schon aufgeben wollte, stellte sich doch noch der erwünschte Erfolg ein. Ein Lufthauch drang ins Zimmer, streifte das Bett und begann, sich in einer Zimmerecke zu einem Wesen zu verdichten, zweifellos eine Fee. Die Fee war etwas kleiner als Bredur. Sie besaß vier durchsichtige Flügel wie eine Libelle, die beständig schwirrten und dafür Sorge trugen, daß ihre Füße nicht durch die Berührung des Bodens ermüdeten. Ihr Kleid war so leuchtend weiß, daß Bredur zuerst seine Augen bedekken mußte, weil es ihn blendete. In der Hand hielt sie einen Stab, an dessen Spitze ein Stern funkelte und seine Strahlen in alle Richtungen verschoß. Obwohl die Gestalt in seinem Zimmer mit der holzsammelnden Vettel im Wald herzlich wenig gemein hatte, war Ritter Bredur überzeugt, seine alte Wohltäterin vor sich zu haben, und rief unbeirrt:

»Endlich, da seid Ihr ja! Ihr müßt mir meinen dritten Wunsch erfüllen.«

Die Fee stemmte die durchscheinenden Händchen in die Hüfte und keifte:

»Gib die Glocke her! Gib mir sofort die Glocke! Das ist das Unverschämteste, was ich je erlebt habe. Willst du, daß mir der Kopf zerbirst? Drei Wünsche habe ich dir versprochen, drei hast du bekommen. Mehr gibt es nicht.«

Sie streckte fordernd eine Hand aus. Aber Ritter Bredur umklammerte das Glöckchen mit seiner Faust.

»Es waren nur zwei. Und bevor Ihr mir nicht den dritten Wunsch erfüllt, laß ich das Glöckchen nicht. Ich werde es Tag und Nacht läuten, und wenn ich müde bin, dann macht mein Knappe weiter, und wenn der müde ist, stell ich Diener an. Bis Ihr mir den dritten Wunsch erfüllt.«

»Du hattest schon drei!«

»Nein.«

»Doch!«

»Es waren nur zwei, und die waren auch nur zur Hälfte erfüllt.«

»Nummer eins: Du wolltest dir den Bauch vollschlagen – erfüllt.«

»Ich hatte aber etwas anderes geordert als den labbrigen Hirsebrei!«

»Nummer zwei: Ein Reisegefährte.«

»Ich wollte bloß auf dem schnellsten Weg nach Basko. Von einem Reisegefährten hatte ich nichts gesagt.«

»Gesagt vielleicht nicht, aber das, was du eigentlich wolltest, war ein Reisegefährte, ein Freund, denn du warst sehr einsam ohne deinen Knappen.«

»Schön, daß Ihr immer besser wißt als ich, was ich eigentlich brauche!«

»Nummer drei: ...«

Ritter Bredur traten Tränen in die Augen.

»Diesen einen Wunsch hättet Ihr wenigstens erfüllen können. Ich habe sie geliebt.«

»Tatsächlich? Nach einer Nacht? Wofür denn?«

Bredur schwieg. Aber er wußte, wofür. Dafür, daß Sarilissa ihn ihren Glückskarpfen genannt hatte, dafür, daß sie so weich und zärtlich gewesen war, und dafür, daß sie ihn angesehen hatte wie einen Mann, dem alles gelingen mußte.

»Hast du sie für das geliebt, was sie war, oder für das, was du sein konntest, als du mit ihr zusammenwarst?« fragte die Fee.

»Das ist doch das gleiche!«

»Das ist es nun ganz gewiß nicht. Ich sehe, du hast überhaupt keine Ahnung.«

»Warum habt Ihr sie nicht wieder lebendig gemacht? Das war das einzige, worauf es wirklich ankam.«

»Aber sie ist doch wieder auferstanden. Hat nicht weiterhin eine Prinzessin Sarilissa im Palast gewohnt und ihren Kaffee geschlürft? Hat sie nicht die Goronzitiere gestreichelt und ist mit den Dienerinnen ins Seerosenbecken gestiegen?«

»Ihr wißt genau, daß es so nicht gemeint war! Warum konntet Ihr es nicht richtig machen? Wenigstens ein einziges Mal. Ihr habt mir eine kaputte Zauberglocke gegeben, die nichts richtig macht. Mit Feen wie Euch – wer braucht da noch Teufel?«

»Genug von deinen Beleidigungen! Das Zauberglöckchen war weder verbogen noch sonstwie beeinträchtigt. Hättest du dir aus ganzem Herzen Sarilissa ins Leben zurückgewünscht, sie hätte vor dir gestanden. Es ist nicht meine Schuld, wenn du dir stattdessen wünscht, daß du das Unglück wieder gutmachen kannst, und wenn du dich nicht danach sehnst, daß Sarilissa lebt, sondern nach der Verschmelzung mit ihr. Dreimal hast du gewünscht, und dreimal hast du deinen Willen gekriegt. Jetzt gib mir das Glöckchen.«

Bredur öffnete zögernd seine Faust und sah der Fee ins Gesicht.

»Dann gewährt mir einen vierten Wunsch.«

»Drei, habe ich gesagt, drei – und keinen mehr.«

»Wie kann man so kleinlich sein! Erinnert Ihr Euch, wie Ihr mich um Brot angebettelt habt? Meine letzte Brotrinde habe ich euch gegeben – und jetzt wollt Ihr mir nicht mal einen vierten Wunsch erfüllen, obwohl Euch das kein Stück ärmer macht?«

Ritter Bredur bat und flehte so hartnäckig, wie er zuvor geklingelt hatte. Er überreichte der Fee sogar freiwillig das Glöckchen, und schließlich fragte sie, wie denn sein vierter Wunsch lauten würde.

»Wenn Ihr machen könntet, daß mich Prinzessin Lisvana von ganzem Herzen liebt und Prinz Diego vergißt, wäre mir fürs erste geholfen.«

Die Fee schickte einen verzweifelten Blick gen Himmel und machte mit ihren ätherischen Lippen mißbilligende und sehr irdische Schmatzgeräusche.

»Ich habe wohl selten einen Menschen getroffen, der so wenig weiß, was er wirklich will«, sagte sie. »Glaub mir, ich täte dir damit überhaupt keinen Gefallen. Du betrügst dein eigenes Herz.«

»Dann macht, daß alles gut wird.«

»Wie alles? Alles? Du meinst absolut alles? Ist das nicht ein bißchen viel?«

»Ihr wißt genau, wie ich das meine«, rief Ritter Bredur und warf sich verzweifelt auf sein Bett. Die Fee schwirrte ein wenig abwärts und ließ sich hinter dem Kopfteil des Bettes auf einem Hocker nieder.

»Warum willst du eigentlich unbedingt Prinzessin Lisvana heiraten?«

»Ich weiß nicht«, sagte Ritter Bredur, zur Decke starrend, »die ganze lange Reise, die Kälte, der Hunger … –

es wäre ja alles umsonst getan, wenn ich nun ihre Hand ausschlüge. Und während der letzten Wochen war ich so damit beschäftigt, sie und Prinz Diego auseinanderzuhalten, daß ich gar nicht darüber nachdenken konnte, ob ich sie überhaupt will. Ich meine, sie ist schön und liebreizend und alles … daran liegt es nicht …«

»Woran liegt es dann?«

»Das klingt wahrscheinlich albern …«

Die Fee sagte nichts.

»Das klingt wahrscheinlich albern, aber ich habe Angst, ich könnte ihr weh tun. Ich habe Angst, daß sie plötzlich tot ist, wie Sarilissa – und ich habe die Schuld. Ich will das nicht noch einmal erleben.«

»Das klingt für mich nicht albern, sondern sehr traurig«, sagte die Fee.

Ritter Bredur schluckte und räusperte sich.

»Was soll ich denn tun?« sagte er schnell. »Ich mußte Lisvana retten. Wo ich doch schon an Sarilissas Tod schuld bin, wollte ich wenigstens Lisvana retten. Und jetzt werde ich sie bloß unglücklich machen.«

»Was denkst du, daß du tun sollst?«

»Ich weiß nicht.«

»Doch, du weißt es. Wer außer dir kann es wissen, wenn deine Welt sich ändern soll?«

Ritter Bredur setzte sich auf und drehte sich zu der Fee um, aber sie war schon dabei, sich wieder zu verflüchtigen.

»Mein Wunsch«, schrie er, »du hast mir doch noch einen Wunsch gewährt!«

»Den kannst du dir selber erfüllen«, lispelte die Fee ganz leise, und dann hatte sie sich auch schon aufgelöst. Mitsamt dem Glöckchen. Bredur warf eine Kupferschale dorthin, wo er sie zuletzt gesehen hatte.

Nichts konnte er, gar nichts. Morgen war die Trauung, und gleich würden alle daheimgebliebenen Knappen und Ritter kommen, um mit ihm allerlei derbe Scherze zu treiben. Dabei mußte er nachdenken, dringend nachdenken, aber sie würden ihm natürlich keine Ruhe lassen.

AM TURM

Es war eine mondhelle Nacht, denn man hatte den Tag der Vermählung mit Bedacht auf Vollmond gelegt, so daß sich alles runden sollte. Die letzten drei Stunden hatte Diego fast ununterbrochen am Fenstergitter gehangen. Jetzt ruhte er kurz aus, lag im faulen Stroh und starrte das verzerrte Gitterrechteck an, das der Mondschein auf die gewölbte Wand drückte. Der Hütejunge hatte gesagt, daß sie kommen würde. Wenn es ihr möglich war. Wenn es ihr möglich war, so hätte sie doch schon längst kommen können, sonst hieße das ja, daß sein Schicksal sie nicht kümmerte. Und wenn es ihr bisher nicht möglich gewesen war, dann würde es heute auch nicht möglich sein, und er wartete vergebens, was aber wiederum die Wahrscheinlichkeit, daß sie ihn noch liebte, erhöhte. Er wußte nicht, sollte er wünschen, daß sie kam oder daß sie fernblieb? Wie hatte sie gesagt: Ich habe dich immer schon geliebt, von Anfang an.

»Diego, Diego!«

Diego stürzte zum Fenster, sprang ans Gitter und zog sich hoch.

»Diego, mein Einziger, mein Liebster. Wo bist du? Sitzt du immer noch im Turm? Ach, ich habe dich verloren, für immer verloren.«

»Oh liebste, einzige Lisvana! Du weißt nicht, wie glücklich es mich macht, daß du doch noch gekommen bist. Jetzt kann ich alles aushalten.«

»Aber ich nicht!« rief Lisvana. »Ich kann es nicht aushalten. Sie wollen mich verheiraten. Morgen schon.«

»Ist das meine Schuld? Warum kommst du erst jetzt? Warum bist du nicht früher gekommen? Hast du mich vergessen? Was meinst du, wie es mir in diesem Turm ergangen ist?«

»Oh Liebster, kann ich irgend etwas für dich tun?«

»Nein, ich habe hier alles. Fauliges Stroh und prima Grütze. Außerdem soll ich ja wohl gegen deinen Bruder ausgetauscht werden. Das hättest du mich wenigstens wissen lassen können. Wenn es dich sonst schon nicht interessiert, wie es mir geht. Es hätte ja auch sein können, daß dein Vater mich köpfen lassen will. Es ist nicht sehr spaßig, in solcher Ungewißheit zu leben.«

»Oh Liebster, du hast ja so recht. Ich habe nur an mich gedacht. Ich konnte einfach nicht kommen. Ich wußte, wenn ich dich hier besuche, werde ich Bredur nie heiraten können. Und er hat es doch nun einmal verdient, nach allem, was er meinetwegen durchgemacht hat.« – »Durchgemacht? Der? Der ist schon auch auf seine Kosten gekommen. Was meinst du, wie der sich amüsiert hat, als er auf der Insel der Glückseligkeit war. Nur er und vierhundert Frauen. Und Bredur ist ja nun nicht der Typ, der was anbrennen läßt.«

»Aber ich muß ihn heiraten, mein Vater will es, das ganze Volk will es. Alle wären wahnsinnig enttäuscht, wenn ich es nicht täte.«

»Und du scheinst es ja auch zu wollen.«

»Nein, ich will nur dich.«

»Wieso hast du dich dann nie hier blicken lassen, he? Moment – ich muß mal eben meine Arme ausschütteln.«

Er verschwand vom Gitter, es dauerte eine halbe Minute, und dann zog er sich wieder hoch und starrte finster auf sie herunter.

Lisvana weinte.

»Ich habe versucht, dein Gesicht zu vergessen. Wo wir ja doch nie heiraten werden. Mich fragt doch kein Mensch, ob ich Bredur überhaupt haben will; die verheiraten mich einfach. Und wenn ich sage, daß ich dich liebe, dann lassen sie dich am Ende doch noch töten.«

Diego war wieder versöhnt.

»Wein doch nicht«, sagte er. »Ich weiß doch, daß du gar nichts machen kannst, und ich bin bloß froh, daß es wenigstens Bredur ist, den du heiratest. Ich muß hier eben vergammeln oder als Geisel dienen.«

»Aber jetzt kann ich ihn nicht mehr heiraten«, schluchzte Lisvana wütend, »jetzt, wo ich mit dir geredet habe, kann ich nicht mehr, begreifst du das denn nicht?«

»Nicht so laut, wenn uns einer hört!«

»Ich will aber schreien, alle sollen es wissen.«

»Ach liebste Lisvana, jetzt mußt du vernünftig sein. Wenn du Bredur nicht heiratest, kriegst du ja bloß Ärger, und er ist wirklich ein feiner Kerl. Gibt keinen besseren.«

»Aber ich liebe ihn nicht.«

»Aber du kannst ja trotzdem nett zu ihm sein, oder?«

»Ich weiß gar nicht, warum du mich hergerufen hast«, schrie Lisvana immer verzweifelter. »Ich dachte, du willst mit mir fliehen. Aber erst machst du mir Vorwürfe, und jetzt soll ich nett zu Bredur sein. Was willst du eigentlich von mir?«

»Ich liebe dich«, rief Diego. »Lisvana, ich liebe dich. Eigentlich wollte ich dir nur sagen, daß ich dich immer lieben werde. Ich bin ein Idiot, verzeih mir.«

»Ich liebe dich, Idiot!«

Er rutschte wieder vom Fenster ab, kam aber gleich darauf erneut zum Vorschein.

»Gute Nacht, Lisvana.«

»Oh Diego, gibt es denn gar keine Rettung für uns?«

»Nein. Leb wohl, Lisvana.«

»Leb wohl, schwarzer Prinz.«

»Sag das noch einmal.«

»Leb wohl, schwarzer Prinz.«

»Leb wohl, Schönste!«

Sie standen und hingen noch eine ganze Weile und sahen sich einfach bloß an. Dann schlug sich Lisvana aufschluchzend die Hand vor den Mund, drehte sich um und rannte durch das Brennesselgebüsch zurück zum Schloß.

DIE HOCHZEIT

Auch diese Nacht ging vorbei, und der Morgen kam. Ein kühler, klarer Septembermorgen, wie es ihn nur im Nordland gibt. Es war ein bißchen Frost dabei, aber schon am späten Vormittag waren die Temperaturen wieder sommerlich, und als das Brautpaar festlich ausstaffiert auf der hölzernen Tribüne erschien und von König Rothafur, dem König des Nebelreichs und den beiden Königinnen begrüßt und vom zerlumpten Volk und den alten Rittern umjubelt wurde, da blitzte und glitzerte das Meer mit den Kupferplättchen auf Lisvanas Brautgewand um die Wette. Der Priester stieg zu ihnen hoch. Lisvanas Herz erstarrte zu Eis, aber als der Priester gerade mit seinem Sermon beginnen wollte, hob Ritter Bredur die Hand und trat an die Brüstung.

»Meine Könige, meine Königinnen, mein Vater, Ritter und Frauen von Snögglinduralthorma, Volk des Nordlands – hört mich an.«

Augenblicklich verstummte das Gemurmel und Gesumme.

»Still«, rief es aus dem Volk, »still! Ritter Bredur, der Held, will zu uns reden.«

Aber zuerst einmal wandte Bredur sich an seine Braut.

»Liebe Lisvana, dich vor allen, ja dich allein, möchte ich

nun um Entschuldigung bitten für das, was ich gleich sagen und tun werde. Ich habe lange darüber nachgedacht, die ganze letzte Nacht. Und ich bin zu dem Schluß gekommen, daß ich es sagen muß, hier und vor allen.«

Er wandte sich wieder König Rothafur und den übrigen Zuhörern zu.

»Ich kann die Prinzessin von Nordland nicht heiraten. Ich eigne mich so wenig zu ihrem Gemahl, wie ich mich je zum Ritter geeignet habe.«

»Ooooh!« rief das zerlumpte Volk.

»Sohn, was redest du!« rief mit hochrotem Kopf Fredur Wackertun. »Nach allem, was du getan hast, bist du der Erste unter den Rittern. Besinne dich und nimm die Hand deiner Braut. Hör auf, Scherz mit uns allen zu treiben.«

Bredur atmete tief ein.

»Mein Vater täuscht sich. Denn was ich Euch nicht erzählt habe, ist, daß ich bei der Rettung der Prinzessin eine andere Jungfer, von nicht weniger hohem Adel, getötet habe. Und sie ist es auch, die mein Herz besitzt. Lisvana ist die schönste Frau unter allen Lebenden, aber ich würde ihr nie ein guter Ehemann sein können, weil mein Herz von Schuld verdunkelt ist.«

»Mein lieber Bredur«, sagte jetzt bestürzt der König, »was immer du getan hast, sei dir verziehen, da du es doch nur tatest, um meine Tochter zurückzubringen und meine Ehre wiederherzustellen. Du bist untadelig. Halte ein, diesen Freudentag zu verdüstern und uns alle zu beschämen.«

»Aber wenn er mich doch nun einmal nicht will«, rief Lisvana und stampfte mit dem Fuß auf.

»Halt den Mund«, brüllte ihr Vater sie an. »Was hast du diesem Ritter getan, daß er die höchsten Ehren ausschlägt?

Unglück, du bringst nichts als Unglück! Dein kostbarer Bruder ist deinetwegen in Gefangenschaft geraten und die besten Ritter.«

»Der Kummer, weil Ritter Bredur sie verlassen will, hat ihr den Verstand vernebelt«, sagte die Königin.

»Mein Verstand ist völlig klar«, rief Prinzessin Lisvana. »Es ist nur so, daß ich Ritter Bredur nicht liebe. Ich liebe Prinz Diego. Ich liebe ihn, seit ich ihn das erste Mal gesehen habe. Und wenn Ritter Bredur mich gar nicht will, dann sehe ich nicht ein, warum ich ihn heiraten soll.«

»Oh«, sagten der König und die Königin des Nebelreichs.

»Oooohhh«, raunte das zerlumpte Volk.

»Teufelsbrut«, tobte König Rothafur und zischte wieder beim S.

Ritter Bredur stellte sich schützend vor die Prinzessin.

»Lisvana ist untadelig. Ich bin der Unglückswurm, denn es gibt noch etwas, das Ihr nicht wißt. Ich habe damals Prinz Diego tatsächlich ein Bein gestellt. Mit Absicht. Der Prinz war im Recht, als er mich schlug, und alle Feindschaft mit dem Baskarenland würde es nicht geben, wenn ich meine Eifersucht auf eine Frau, die sowieso viel zu hoch über mir stand, hätte zügeln können. Ich will die Zeichen meiner Ritterwürde zurückgeben.«

Er band sein Schwert ab und legte es neben sich auf den Boden. Dann löste er die silbernen Sporen von seinen Stiefeln.

»Oh, Bredur«, seufzte Prinzessin Lisvana und drückte schnell seine Hand.

»Was«, raunten die alten Ritter, »was hat er getan? Prinz Diego ein Bein gestellt?«

»Was?« brüllte König Rothafur. »Waaas hast du getan?«

»Ich habe ihm ein Bein gestellt«, sagte Bredur. Er wirkte beinahe heiter.

Fredur Wackertun erklomm die Tribüne, nahm wortlos Schwert und Sporen an sich und ohrfeigte seinen Sohn, ohne dabei die Sporen aus der Hand zu nehmen. Zwei blutige Rinnsale flossen Bredurs Wange herab, aber er wankte nicht. Das zerlumpte Volk stöhnte mitleidig auf. So gut hatte es sich lange nicht mehr unterhalten.

»Bredur, der du kein Ritter mehr bist, dein Leben rettet nur, daß mir dein Vater so lieb und teuer ist«, donnerte König Rothafur.

»Nehmt auf mich keine Rücksicht«, rief Fredur Wackertun mit einer Stimme wie aus einer Gruft.

»Wieso konntest du mir das nicht unter vier Augen erzählen?« zischte König Rothafur. »Nicht genug, daß du mich hundertfach ins Unrecht gesetzt hast. Jetzt mußt du es auch noch in alle Welt hinausschreien, daß es der letzte Bauer in seiner Hütte erfährt und die Schande meines Hofes in die ganze Welt hinausträgt!«

Bredur sah den König ungläubig an:

»Ihr hättet es lieber geheimgehalten? Eine Sache der Ehre?«

»Deswegen ja!« brüllte Rothafur.

»Aber die Ehre ...«, fing Bredur wieder an.

»Du hast überhaupt keine Ehre mehr«, tobte Rothafur, »du darfst dieses Wort gar nicht mehr in den Mund nehmen. Du müßtest daran würgen und ersticken. Und zieh sofort den Hochzeitsumhang aus! Du wirst jetzt zum Turm des Vergessens gehen und es Prinz Diego selber sagen. Der Prinz soll das Urteil über dich sprechen. Und was immer sein Richtspruch sein wird, soll noch heute an dir vollstreckt werden.

»Jaa«, schrie das zerlumpte Volk, »wie weise!« und lief hinter Bredur und seinem König zum Turm des Vergessens.

Diego lag zusammengerollt wie eine Haselmaus im Stroh und winselte leise in sich hinein. Als er hörte, wie jemand die Riegel seines Gefängnisses zurückschob, richtete er sich schnell auf, wischte sich die Augen, und da wurde die Kerkertür auch schon aufgestoßen. Lisvana kam herein und die Königin, mehrere Ritter folgten, König Rothafur legte ihm einen Purpurmantel um, und Bredur warf sich vor ihm auf die Knie. Prinz Diego sah verwirrt von einem zum anderen.

»Es ist wahr«, sagte Bredur mit gesenktem Kopf. »Was Ihr immer behauptet habt, ist wahr. Ich habe Euch damals beim Tanz über meinen Fuß stolpern lassen, und ich tat es mit Absicht. Mein König wünscht, daß Ihr nun das Urteil über mich sprecht, wie es Euch gefällt.«

»Keine Gnade«, röhrte ein alter Ritter mit einem Bart wie eine Hecke und drückte Diego ein Schwert in die Hand, »nur keine Gnade, er hat keine Milde verdient. Oh, ich wußte immer, daß er mißraten ist. Immer wußte ich es!«

Prinz Diego faßte sich und bat den König und alle anderen, ihn mit dem Delinquenten allein zu lassen.

»Wenn wir fertig sind, klopfe ich an die Tür.«

»Lieber Freund«, sagte er, als sie endlich allein waren, stellte das Schwert an die Wand, faßte Bredur an den Schultern und richtete ihn wieder auf, »wie kann ich das je wiedergutmachen, was du gerade für mich tust?«

»Ich tu's vor allem für mich selbst«, antwortete Bredur. »Und für Lisvana natürlich auch. Ein bißchen vielleicht sogar für dich. Warst ein prima Drachenwärter und Diener«, er knuffte den Prinzen, besann sich sogleich und sagte: »Oh, das ist jetzt wohl nicht mehr angebracht, Hoheit. Ich bitte zum zweitenmal um Vergebung. Das ist mir bloß passiert, weil Ihr so lange mein Gefangener gewesen seid.«

»Und von nun an und für immer will ich dein Freund sein!«

Diego schloß ihn in die Arme, und Bredur erwiderte die Umarmung verlegen.

»Aber sag mir, welches Urteil ich über dich sprechen soll, denn eher werden die da draußen doch nicht Ruhe geben.« – »Wie wäre es mit lebenslanger Verbannung?« schlug Bredur vor.

»Verbannung ist ein schlimmes Los«, sagte Diego bestürzt.

»Ach, mir ist das versoffene Gebrüll und die Angeberei der Ritter in den langen Wintermonaten schon immer auf die Nerven gegangen. Außerdem würden sie mir von nun an ständig diese Geschichte unter die Nase reiben. Ich glaube nicht, daß ich hier je wieder herkommen möchte.«

»Und deine Familie?«

»Besteht nur noch aus meinem Vater – der alte Kerl mit dem Filzbart, der ständig ›keine Gnade, nur keine Gnade‹ gekeucht hat.«

»Ich verstehe«, murmelte Prinz Diego.

»Nein, nein, Verbannung ist gut«, sagte Bredur. »Außerdem Aberkennung der Ritterwürde. Das habe ich zwar schon selbst gemacht, aber das kannst du ja nicht wissen.

Dann laß ein bißchen Gnade walten, daß ich meinen alten Kelpie und den Drachen und die Bücher des Zauberers mitnehmen kann.«

»Ja«, rief Prinz Diego, »nimm deine Bücher mit. Und dann mußt du mich besuchen kommen. Ich werde die besten Vorleser für dich einstellen.«

»Sehr freundlich«, erwiderte Bredur, »vielleicht später einmal. So früh will ich das junge Glück nicht stören. Denn jetzt steht deiner Vermählung mit der Prinzessin ja wohl nichts mehr im Wege.«

»Ich bin ein Holzkopf«, sagte Prinz Diego, »ich habe überhaupt nicht daran gedacht, daß du Lisvana ja auch liebst. Wie gefühllos von mir.«

»Schon gut«, sagte Bredur freundlich, »ich will nicht behaupten, daß Prinzessin Lisvana mir gleichgültig ist, aber ich bezweifle stark, daß wir miteinander glücklich geworden wären. Du hättest sie eben hören sollen, wie sie vor allen Leuten gesagt hat, daß sie in Wirklichkeit dich liebt. Von Anfang an, hat sie gesagt. Ein tolles Mädchen.«

»Ich weiß«, sagte Diego und wurde vor Freude ganz rot. Dann nahm er das Schwert, das Fredur Wackertun ihm überlassen hatte, legte es Bredur auf die Schulter und befahl ihm, sich hinzuknien.

»Na los, runter mit dir! Unterwirfst du dich nun meinem Urteil oder nicht? Hiermit ernenne ich dich zum Grafen von Trapezunt, eine hübsche, kleine Gegend, die gerade wieder zur Verfügung steht. Das Schloß hat Blick aufs Mittelmeer.«

»Darfst du das denn?« fragte Bredur.

»Eigentlich nicht. Mein Vater hätte es machen müssen. Aber wenn ich ihn darum bitte, wird er die nötigen Formalitäten sogleich einleiten. Er ist in so etwas noch nie kleinlich gewesen. Betrachte dich als Grafen von Trapezunt und komm so schnell wie möglich zu uns. So, und jetzt werde ich dich in die Verbannung schicken«, sagte Prinz Diego und klopfte an die Kerkertür.

»Danke«, flüsterte Bredur und blieb gleich knien, während König Rothafur, die Königin, Lisvana und die Ritter eintraten.

»Bredur Wackertun soll all seiner Ritterwürden verlustig gehen. Ferner soll er für alle Zeiten aus dem Nordland verbannt werden, und er soll nichts mitnehmen dürfen als sein altes Pferd, seinen stinkenden Drachen und die nutzlosen Bücher. Er soll sofort gehen. Kein Aufschub. Als einzige Gnade gestehe ich ihm ein Schwert und reichliche Proviantierung zu.«

»Viel zu milde, viel zu milde«, knurrte Fredur Wackertun.

»Ganz meine Meinung«, sagte Bredur, als der Kerkermeister ihn an seinem Vater vorbeiführte. Das war zwar nicht so schlagfertig, wie er es sich gewünscht hätte, aber er fühlte sich trotzdem besser.

Nachdem alle das Gefängnis verlassen hatten, ließ sich König Rothafur auf ein Knie herab und flehte Diego um Verzeihung an. Prinz Diego bat den König mit huldreichen Worten, sich doch wieder zu erheben, auf daß sie fürderhin keine Feinde, sondern Freunde sein wollten.

»Denn auch ich habe mich ja ins Unrecht gesetzt. So, daß das erste Unrecht mit dem zweiten abgegolten ist.«

»Hm, stimmt eigentlich«, sagte König Rothafur. »Und genaugenommen ist Entführung ja noch viel schlimmer als Beinstellen.«

»Nicht, wenn man so stolz ist wie ich«, sagte Prinz Diego.

Bevor König Rothafur nun etwas Schärferes erwidern konnte, mischte sich schnell die Königin ein:

»Solltet ihr eure Freundschaft nicht durch das besiegeln, weswegen Prinz Diego von Baskarien ursprünglich herkam? Alles ist für eine Hochzeit vorbereitet, und die Stelle des Bräutigams ist wieder zu vergeben.«

»Das wäre mir eine Freude«, strahlte Rothafur, und Diego rief:

»Von ganzem Herzen gern«, und griff nach Lisvanas Hand.

In diesem Moment kam ein berittener Bote angeprescht, zügelte seinen kurzbeinigen Gaul vor dem Turm des Vergessens und sprang ab.

»Botschaft für den König! Die baskarischen Schiffe mit Prinz Jörgur und den gefangenen Rittern haben die Nordspitze der Nebelreichküste passiert und werden in etwa zwei Stunden eintreffen.«

»Herrje«, rief König Rothafur und raufte sein Haar. »Wogegen sollen wir sie jetzt bloß tauschen? Die Rentierherden, in die ich meine Silberschätze investiert habe, sind alle im letzten Winter verhungert.«

»Macht Euch darüber keine Gedanken, mein Vater ist in solchen Dingen sehr großzügig, müßt Ihr wissen.«

»Ach ja, zum Glück ist er ja steinreich«, rief König Rothafur erleichtert.

Man schickte den baskarischen Gefangenenschiffen einen frischen berittenen Boten entgegen, um König Leo von der veränderten Lage in Kenntnis zu setzen, und als die Schiffe einliefen, hatten sie die Freudenflaggen gehißt, und alle Geiseln waren bereits in Freiheit gesetzt. Die Ritter des Nordlands und des Nebelreichs saßen außen auf dem Schanzkleid, baumelten mit den Beinen und winkten ihren Lieben zu. Und am Bug der Esperanto stand König Leo persönlich, schwenkte ein großes Taschentuch und strahlte über das ganze Gesicht. Und als die Laufplanke heruntergelassen worden war, wer kam da gleich hinter dem König vom Schiff: Pedsi! Mit Perücke und allem Firlefanz. Und wen führte er am Arm?

»Rosamonde, du?« rief Prinzessin Lisvana völlig überrascht.

»Ich konnte Pedsi doch nicht einfach so allein zurückfahren lassen«, sagte Rosamonde. »Ich hatte gehofft, ich könnte mich hier für ihn einsetzen.«

»Du liebst ihn wirklich«, stellte die Prinzessin fest.

»Rosamonde ist eine imponierende Frau, ich wußte das immer«, sagte Pedsi, »man mußte nur das Gute in ihr zur Entfaltung bringen.«

»Du hättest ihn sehen sollen«, sagte Rosamonde, »die Königin wollte ihn zuerst ja gar nicht gehen lassen, aber Pedsi hat gesagt: ›Dann melde ich mich freiwillig. Wir können den Prinzen nicht im Stich lassen.‹«

»Ach, du warst doch gar nicht dabei«, murmelte Pedsi verlegen.

»Na und? Der Sohn des Takasue hat mir alles genau erzählt.«

»Ich möchte, daß du meine Brautjungfer wirst«, sagte Lisvana.

Mehr konnte sie nicht sagen, denn jetzt stand König Leo vor ihr, packte sie um die Taille und wirbelte sie herum.

»Du Prachtmädel! Was für ein Prachtmädel«, rief er. »Er-

zählt auf ihrer Hochzeit, daß sie eigentlich lieber me͟
Sohn heiraten würde! Aber so, wie Diego dich liebt, mu͟
te es ja irgendwann auf dich überspringen.«

Überall fielen sich die Ritter und ihre Frauen in die
Arme, wurde gejubelt, geküßt und geweint. Sogar König
Leo und König Rothafur umarmten sich. Die Knechte
schleppten alles, was es im Schloß noch an Tischen und
Bänken gab, nach draußen, und wer dort keinen Platz
fand, der konnte auf den Schiffen feiern. Wo man hin-
schaute, wurde gebechert und gelacht. Nur an dem Tisch,
an dem Prinz Jörgur mit seiner häßlichen Gemahlin saß
und sich mit dem deprimierten Ritter Luntram unterhielt,
ging es etwas gedämpfter zu. Davon merkte aber sonst niemand etwas.

Inzwischen hatte Prinz Diego sich auf dem Schiff den
Stoppelbart abgenommen und umgezogen, und nun waren
er und Lisvana das hübscheste Brautpaar, das sich nur denken ließ. Eine Hofdame kam mit einem Blumenstrauß an-
gelaufen, der alles vereinte, was in einem Umkreis von fünf
Kilometern noch zu blühen gewagt hatte.

»Keine Blumen!« rief Prinzessin Lisvana, »Prinz Diego
haßt Blumen!«

»Gar nicht wahr«, sagte Diego, nahm den Strauß entgegen und steckte die Nase hinein. »So schöne Blumen gibt
es hier im Nordland? Wer hätte das gedacht.«

Der Priester erteilte ihnen den Segen, und dann ging das
Fest erst richtig los. Prinz Diego war der eleganteste Tänzer von allen, das mußte jeder zugeben, und Prinzessin Lisvana hielt sich gut neben ihm, wenn die Tanzfiguren sie
wieder und wieder zusammenführten.

»Ich weiß nur nicht, wie ich das deiner Mutter beibrin-

sie ihr Hochzeitsfest im Garten nun doch
sagte König Leo, der auch mittanzte, die
ber nach eigenem Belieben so veränderte,
r Viererfigur mit Diego und Lisvana zusam-

»Wir feiern einfach noch einmal«, sagte Prinz Diego,
»denn Lisvana kann ich eigentlich gar nicht oft genug heiraten.«

Und er drückte sie an sich und küßte sie, daß alle ap-
plaudierten.

Nicht weit entfernt ritt der frischernannte Graf von Trapezunt auf den Wald zu. Sein Pferd nickte gleichmäßig vor
sich hin. Der Drache, den er an der Kette führte, jaulte leise und sah immer wieder hinter sich, von wo Musik und
Stimmengewirr tönte. Als der Küstenstreifen zurückblieb,
ließ auch der Wind nach. Felsen lagen am Weg, Büsche
standen regungslos, und Mückenschwärme fielen über
Pferd und Reiter her, flohen aber bald vor der plötzlich
aufkommenden Kühle. Die Schatten wurden bereits lang.
Der Graf passierte das letzte Gehöft und ritt über feuchtes
Birkenlaub in den Wald hinein. Es war ein gutes Pilzjahr.
Überall ragten die braunen und roten Kappen aus dem
Moos. Bredur suchte einen Bach, der hier irgendwo sein
mußte. An dessen Ufer wollte er sein Nachtlager aufschlagen. Aber wie er auf das Rieseln von Wasser lauschte, hörte er stattdessen Keuchen und das Brechen von Zweigen. Jemand kam hinter ihm hergelaufen. Er drehte sich
um.

»Herr Bredur, Herr Bredur!«

Es war sein ehemaliger Knappe.

»Wigald, was für eine Freude, daß ich dich noch ⸱
Bist du mit den baskarischen Schiffen gekommen?«

»Ja, aber da wart Ihr schon fort. Das ist der Drache? Der
ist ja wirklich riesig! Nehmt mich mit, Herr Ritter.«

»Hat sich was mit Herr und Ritter. Bei wem tust du inzwischen Dienst?«

»Ritter Luntram. Aber jetzt will ich wieder zu Euch zurück.«

»Du kannst nicht mitkommen, Wigald. Da ich kein Ritter mehr bin, kann ich auch keine Knappen ausbilden.«

»Aber Ihr könntet mir beibringen, wie man mit so einem Drachen umgeht. Laßt mich nicht bei Ritter Luntram zurück, er ist immer so übel gelaunt.«

»Kann man ihm wohl schlecht verdenken.«

»Darf ich ihn mal führen?« fragte Wigald und zeigte auf
Grendel. »Nur ein ganz kleines Stück?«

»Meinetwegen«, sagte Bredur, »aber dann gehst du wieder zurück. Und paß auf, daß er nichts Nasses frißt.«

Er warf dem Knappen die Kette zu.

»Stimmt es, daß Ihr den Drachen gegen andere Ungeheuer habt kämpfen lassen? Prinz Diego hat so etwas erzählt.«

»Er ist ein Kampfdrache – so weit stimmt es. Aber man
könnte ihn auch in den mittelschweren Flugwettbewerben
und bei den Großen Feuerspeiern anmelden, Schwefel-A-
Klasse wäre vermutlich ein guter Einstieg für Grendel.«

»Grendel«, sagte Wigald und streichelte behutsam über
die grünen Halsschuppen. Der Drache schnurrte wie ein
Spinnrad.

»Im Nebelreich müßte man Termin und Ort für das
nächste Drachenkampffest erfragen können. Vielleicht ist

zu spät«, sagte Bredur mehr zu sich selbst und
Satteltasche, ob nicht noch ein paar Münzen

h doch mit«, fing Wigald wieder an.

weißt du auch, daß du dann niemals ein Ritter werden
kannst?« fragte Bredur ernst.

»Oh doch«, sagte Wigald, »Prinz Diego hat mir verraten,
daß Ihr jetzt Graf von Trapezunt seid, und als Graf dürft Ihr
sehr wohl Knappen ausbilden, und wenn Ihr mich nehmt,
will er mich nächstes Jahr selber zum Ritter schlagen.«

»Na dann …«, sagte Bredur, »… in Baskarien mag das
wohl angehen. Und du scheinst ja tatsächlich ganz gut mit
Grendel zurechtzukommen. Sieh zu, daß du auf seinen
Rücken kletterst, und dann stopf dein Bündel in die Packtaschen – das heißt: falls du diesmal keine Bedenken hast,
so kurz vor Wintereinbruch mit mir das Nordland und das
Nebelreich zu durchqueren.«

»Überhaupt nicht«, sagte Wigald und grinste breit. »Mit
Euch würde ich überall hinziehen.«

» Anrührend, nie kitschig,
mit herrlichem Witz erzählt.

Amica über *Weihnachten mit Thomas Müller*

Karen Duve
Thomas Müller
und der Zirkusbär
Durchgehend vierfarbig
illustriert von Petra Kolitsch
80 Seiten · gebunden
€ 9,95 (D) · sFr 17,50
ISBN 3-8218-0778-4

Als Thomas Müller, der Stoffbär der Familie Wortmann,
am zweiten Weihnachtsfeiertag im Zirkus den Kunst-
stücken des Zirkusbären Momps zusieht, ist er
begeistert: Momps fährt auf dem Fahrrad vorwärts
und rückwärts und sogar im Handstand und singt
dabei »Que sera, sera«. Nach der Vorstellung besucht
er Momps in seinem Käfig, und der erzählt nicht nur,
wie gefährlich wilde Bären wie er eigentlich sind und
was er alles außer Fahrradfahren noch kann, sondern
auch, daß er eigentlich aus Sibirien stammt – und
eben dahin zurück will.
Kurz darauf bricht Momps aus und steht bei Thomas
Müller vor der Tür. Nach Sibirien soll es gehen – und
die beiden machen sich an einem schneeverwehten
Weihnachtstag auf Momps' Fahrrad auf die Reise.

Eichborn BERLIN
www.eichborn.de